Gomorra

Roberto Saviano

Gomorra

Reis door het imperium van de camorra

Vertaald uit het Italiaans door
Karoline Sabbatino-Heybroek en Elke Parsa

De bijbeltekst op de pagina's 261, 279 en 280 is ontleend aan *De Nieuwe Bijbelvertaling*, © Nederlands Bijbelgenootschap 2004

Eerste druk, maart 2007
Tiende druk, december 2008
Oorspronkelijke titel: *Gomorra, Viaggio nell'impero economico e nel sogno di dominio della camorra*
Oorspronkelijk uitgegeven door: Mondadori, 2006
© Roberto Saviano
© Vertaling uit het Italiaans: Karoline Sabbatino-Heybroek en Elke Parsa
© Nederlandse uitgave: Rothschild & Bach, 2007
Omslagontwerp: Sander Verheijen
Illustratie omslag: © Andy Warhol Foundation/Corbis

ISBN 978 90 499 5091 0
NUR 320

Rothschild & Bach is een imprint van Foreign Media Books bv, onderdeel van Foreign Media Group

Aan S., verdomme

'Je moet weten wat het begrip "afgrijselijk" inhoudt, niet het bestaan ervan ontkennen, maar onbevooroordeeld de strijd aanbinden met de werkelijkheid'
HANNAH ARENDT

'Zij die winnen, op welke manier dan ook, schamen zich nooit'
NICCOLÒ MACCHIAVELLI

'De mensen zijn wormen en moeten wormen blijven'
uit een afgetapt telefoongesprek

'De wereld is van jou'
SCARFACE, 1983

Inhoud

Deel een

De haven

De container begon te slingeren terwijl de hijskraan hem op het schip hees. Het leek alsof hij door de lucht dobberde en het mechanisme waarmee de container aan de hijskraan vastzat de beweging niet in bedwang kon houden. De slecht gesloten laadkleppen schoten plotseling open en met tientallen tegelijk kwamen er lichamen uit de lucht vallen. Het waren net etalagepoppen, maar op de grond barstten hun hoofden uit elkaar alsof het echte schedels waren. En dat waren het ook.

Uit de container vielen mannen, vrouwen, en ook een paar jongens. Dood. Bevroren, op elkaar gestapeld, als sardientjes in een blik. Het waren de Chinezen die eigenlijk nooit doodgaan, de onsterfelijken die hun identiteitspapieren aan elkaar doorgeven. En kijk waar ze terecht waren gekomen. Het waren lichamen waarover bizarre verhalen in omloop waren, ze zouden worden verwerkt in restaurantgerechten, begraven op fabrieksterreinen of in de krater van de Vesuvius worden gesmeten, maar daar waren ze. Ze vielen met bosjes tegelijk uit de container, hun naam op een kaartje aan een koordje om hun nek.

Allemaal hadden ze geld opzijgezet om zich te laten begraven in hun Chinese geboortegrond. Ze lieten een gedeelte inhouden op hun salaris, zodat ze, eenmaal dood, verzekerd waren van hun terugreis. Een plek in een container en een gat in een stukje Chinese aarde. Toen de hijskraanbestuurder het me vertelde, hield hij zijn handen voor zijn gezicht en bleef hij me tussen zijn vingers door aankijken. Alsof hij door dat masker van zijn handen meer durfde te vertellen. Hij had lichamen zien vallen en hoefde niet eens alarm te slaan of iemand te waarschuwen. Hij had de container nog niet op de grond gezet of een stuk of tien mensen, die uit het niets waren opgedoemd, hadden de lichamen weer in de container teruggedaan en met een brandslang de achtergebleven resten weggespoten. Zo ging dat.

Hij kon het nog niet geloven, hij hoopte dat het een hallucinatie was geweest die door het buitensporige overwerk was opgewekt. Hij sloot zijn vingers zodat zijn gezicht volledig bedekt werd en praatte huilend verder, maar ik kon hem niet meer verstaan.

Alles wat bestaat, komt hierlangs. Hier, door de haven van Napels. Er is geen product, of het nu om stof of plastic, speelgoed, hamers, schoenen, schroevendraaiers, bouten, videospelletjes, jasjes, broeken, boren of horloges gaat, dat níet deze haven passeert. De haven van Napels is een wond. Een gapende wond. Eindpunt van eindeloze goederenreizen. De schepen komen de Golf binnenvaren en naderen de haven zoals jonge dieren op de tepels die hen zogen afkomen, alleen moeten ze niet zuigen, maar zich laten melken.

De haven van Napels is het gat in de wereldkaart waaruit alles tevoorschijn komt wat er in China wordt geproduceerd, het Verre Oosten zoals verslaggevers het vermakelijk genoeg nog steeds noemen. Ver, heel ver, bijna onvoorstelbaar ver. Als ik mijn ogen dichtdoe, zie ik kimono's, de baard van Marco Polo en de voet van Bruce Lee halverwege in de lucht. In werkelijkheid is er geen andere plek ter wereld die zo nauw is verbonden met de haven van Napels. Hier is het Oosten helemaal niet ver weg. Het Nabije Oosten, het heel Nabije Oosten zouden ze het moeten noemen. Alles wat in China wordt geproduceerd, wordt hier gedumpt, als een emmer water die telkens leeggegooid wordt in een zandkuil die daardoor alleen nog maar verder erodeert, alleen maar wijder en dieper wordt.

De haven van Napels alleen al krijgt twintig procent van de waarde van de textielimport uit China te verstouwen, maar meer dan zeventig procent van die stoffen passeert de haven. Het is iets eigenaardigs wat maar moeilijk te begrijpen valt, maar de goederen beschikken over vreemde magische krachten, waardoor ze er zijn terwijl ze er niet zijn, er aankomen maar tegelijkertijd nooit aankomen, duur voor de klant maar inferieur van kwaliteit, van weinig waarde voor de fiscus maar toch kostbaar. Textiel kent verschillende kwaliteitscategorieën en één pennenstreep op het begeleidende document is al genoeg om de kosten en de btw radicaal te drukken. In de stilte van het zwarte gat van de haven lijken de moleculen van de voorwerpen uit elkaar te vallen, om zich, eenmaal uit het zicht van de kust, opnieuw te materialiseren.

De goederen moeten meteen uit de haven verdwijnen. Alles gaat zo snel dat de waar al verdwijnt terwijl ze er nog mee bezig zijn. Alsof er niets is gebeurd, in een handomdraai. Een niet-bestaande reis, een boot die zogenaamd aanlegt, een spookschip, een lading die in het niets verdwijnt, alsof die er nooit is geweest, verdampt. De waar moet in handen van de koper terechtkomen zonder het slijmspoor van het traject achter te laten, het moet zijn magazijn in, meteen, snel, voordat de tijd begint te tikken, tijd die een controle kan betekenen. Tonnen goederen worden als een pakket onder rembours behandeld dat door de postbode thuis wordt afgegeven.

In de haven van Napels met zijn 1.336.000 vierkante meter en zijn 11,5 kilometer lengte, is de tijd buitengewoon rekbaar. Alles wat buiten de haven een uur kost, lijkt in de haven van Napels in nauwelijks meer dan een minuut te gebeuren. Het beeld van de spreekwoordelijke traagheid die in onze verbeelding iedere beweging van een Napolitaan uiterst langzaam maakt, gaat hier aan diggelen, wordt herroepen en ontkend. De douane controleert alleen op bepaalde tijden en de Chinese goederen glippen buiten die tijden om door de douane. Meedogenloos snel. Hier lijkt iedere minuut te worden vermoord. Een slachting van minuten, een vernietiging van seconden die uit iedere documentatie worden weggerukt, achtervolgd door het gaspedaal van de vrachtwagen, voortgestuwd door hijskranen, vergezeld door heftrucks die de ingewanden van de containers ontleden.

In de haven van Napels is de grootste reder van de Chinese staat werkzaam, de cosco (China Ocean Shipping Company), die de op drie na grootste vloot ter wereld bezit, de grootste terminal voor containers beheert en een consortium vormt met de msc (Mediterranean Shipping Company), die met haar hoofdkantoor in Genève de twee na grootste vloot ter wereld bezit. Zwitsers en Chinezen

13

vormen een consortium dat besloten heeft het grootste deel van haar zaken in Napels te investeren. Hier beschikken ze over meer dan 950 meter kade, driehonderdduizend vierkante meter containerterminals en dertigduizend vierkante meter buitenruimte, waarmee ze bijna het volledige handelsverkeer in Napels naar zich toe zuigen.

Het is bijna onmogelijk voor te stellen hoe de Napolitaanse haven als opstapje dient voor de onmetelijke Chinese productie. Het tafereel uit het evangelie lijkt toepasselijk: het oog van de naald lijkt op de haven en de kameel die erdoorheen gaat, zijn de schepen. Rijen enorme vrachtschepen buiten de Golf die wachten om erin te mogen, voorstevens die tegen elkaar botsen, achterstevens die stampen en slingeren met kreunende geluiden van ijzer, staalplaten en bouten, als men langzaam het kleine Napolitaanse gat binnenvaart, een anus in zee waarvan de sluitspieren zich uiterst pijnlijk verwijden.

Of toch niet? Zo gaat het niet, er is geen enkele zichtbare verwarring. Alle schepen varen met regelmaat de haven in en uit. Zo lijkt het tenminste vanaf het vasteland, en toch passeren hier 150.000 containers. Hele steden van goederen verrijzen in de haven om vervolgens te worden weggevoerd. De sterkste eigenschap van de haven is zijn snelheid, iedere bureaucratische vertraging, iedere nauwgezette controle verandert het transportluipaard in een trage en logge luiaard.

Ik verdwaal altijd op de steigers. De Bausankade is net een legobouwwerk. Een onmetelijke constructie die geen ruimte lijkt in te nemen, maar eerder lijkt te doen alsof. Er is een hoek van de kade die lijkt op de raat van een wespennest en die een hele wand vult: het zijn duizenden stopcontacten voor de elektriciteitsvoorziening van de *reefer*-laadkisten, containers met ingevroren voedsel die met hun staart zijn aangesloten op dit wespennest. Alle visfiguurtjes en vissticks op aarde zijn in die bevroren laadkisten gepropt.

Wanneer ik naar de Bausankade ga, heb ik het gevoel dat ik alle goederen die voor de menselijke soort worden geproduceerd zie langskomen. Het is de plek waar de goederen de laatste nacht doorbrengen voordat ze worden verkocht. Alsof je de oorsprong van de wereld aanschouwt. Binnen enkele uren komt de kleding voorbij die de Parijse kinderen een maand lang zullen dragen, de vissticks die ze in Brescia een jaar lang zullen eten, de horloges die de polsen van de Catalanen zullen sieren, de zijde voor alle Engelse maatpakken voor een seizoen.

Het zou interessant zijn om niet alleen te kunnen lezen waar de goederen zijn geproduceerd, maar ook welk traject ze hebben afgelegd voordat ze in de handen van de koper terechtkomen. De producten hebben een veelvoudige, gemengde of bastaardnationaliteit. Ze ontstaan voor de helft in Midden-China, dan worden ze ergens in een buitenwijk in een Slavisch land afgewerkt, in Noordoost-Italië geperfectioneerd, in Puglia of ten noorden van Tirana verpakt, om vervolgens te belanden in god mag weten welk Europees magazijn.

De goederen kunnen overal naartoe worden verplaatst, een recht dat geen mens ooit zal hebben. Alle stukken autoweg, zowel de toevallige als de officiële routes, vinden een eindpunt in Napels. Wanneer de schepen langzaam de Golf binnenvaren en de kade naderen, zijn het logge mammoeten van staalplaat en kettingen, met in hun flanken roestige naden waar water door naar buiten sijpelt, maar als ze afmeren aan de kade, lijken de enorme *full containers* lichtgewicht dieren. Schepen waarvan je zou denken dat er veel bemanning voor nodig is, maar waar maar een handjevol kleine mannetjes vanaf komt die je niet in staat acht die wilde beesten op de volle oceaan in toom te kunnen houden.

De eerste keer dat ik een Chinees schip zag aanmeren, kreeg ik het gevoel voor de totale wereldproductie te staan. Mijn ogen konden het aantal containers niet tellen, kwantificeren. Ik raakte de tel kwijt. Het lijkt misschien onmogelijk niet door te kunnen nummeren, maar toch lukte het niet, de cijfers werden te groot, ze gingen door elkaar heen lopen.

Tegenwoordig worden er in Napels praktisch alleen maar producten uit China gelost, 1.600.000 ton, althans de geregistreerde producten. Minstens nog een miljoen ton passeert zonder een spoor achter te laten. Alleen al in de haven van Napels ontsnapt, volgens het douanekantoor, zestig procent van de waar aan controle, twintig procent van de invoerdocumenten wordt niet gecontroleerd en er zijn 50.000 vervalste papieren in omloop: 99 procent daarvan komt uit China en volgens de berekeningen wordt er per halfjaar tweehonderd miljoen euro aan belasting ontdoken.

De containers die moeten verdwijnen voordat ze geïnspecteerd worden, liggen vooraan. Iedere container is genummerd zoals het hoort, maar er zijn er veel met precies hetzelfde nummer. Een geïnspecteerde container staat voor al zijn illegale naamgenoten. Wat maandag wordt gelost, kan donderdag worden verkocht in Modena of Genua, of in de etalages van Bonn en München liggen. Een groot deel van de waar die op de Italiaanse markt wordt toegelaten, moet alleen maar worden overgeladen, maar de toverkunsten van de douane maken het mogelijk dat de transitgoederen blijven. De grammatica van de goederen heeft één syntaxis voor de documenten en een andere voor de handel.

In april 2005 heeft de Servizio di Vigilanza Antifrode della Dogana – de antifraudedienst van de douane – bij vier operaties die heel toevallig vlak na elkaar plaatsvonden 24.000 jeans bestemd voor de Franse markt in beslag genomen, evenals 51.000 voorwerpen afkomstig uit Bangladesh waarop *made in Italy* stond; en ook ongeveer 450.000 poppetjes – Barbie, Spiderman – plus nog eens 46.000 plastic speeltjes, met een totaalwaarde van ongeveer zesendertig miljoen euro. Een taartpunt van de economie passeerde in een paar uur de haven van Napels om daarna getransporteerd te worden naar de rest van de wereld. Er is geen uur, geen minuut dat dit niet gebeurt. En de economische taartpuntjes worden punten en dan kwarten en hele taarten van de handel.

De haven ligt gescheiden van de stad. Een ontstoken blindedarm, ooit ontaard in een buikvliesontsteking, die altijd in de onderbuik van de kust is blijven zitten. Het is een tussen het water en land ingesloten woestijnachtig gebied, dat noch aan zee noch aan het land lijkt toe te behoren. Een landamfibie, een zeemetamorfose. Grond gemengd met afval, afvalresten die jarenlang door de getijden aan land zijn gespoeld hebben een nieuwe formatie doen ontstaan. De schepen lozen de inhoud van hun latrines, reinigen het laadruim en laten het gele schuim in het water wegstromen, motorboten en plezierjachten spoelen hun verstopte motoren door en maken ze schoon en zo komt alles in de afvalbak van de zee terecht. En alles slaat op de kust, als een weke massa die na verloop van tijd een harde korst vormt.

De zon wekt de illusie een zee te laten zien die uit water bestaat, maar eigenlijk lijkt de oppervlakte van de Golf op de schittering van vuilniszakken. Van die zwarte. En de Golf zelf lijkt meer op een enorm bassin vol koffiedrab dan met water. De kade met zijn duizenden bontgekleurde containers lijkt een niet te overschrijden grens. Napels wordt omringd door muren van goederen. Geen muren die de stad verdedigen, maar een stad die haar muren verdedigt. Er zijn geen legers van lossers, en er is ook geen romantisch havenvolk. Je stelt je de haven voor als een lawaaiige plek met een koortsachtig komen en gaan van mensen, van littekens en onmogelijke talen. Daarentegen heerst er de stilte van een geautomatiseerde fabriek. Het lijkt alsof er niemand meer in de haven is, de containers, de schepen en de vrachtwagens lijken aangedreven door een perpetuum mobile. Een snelheid zonder lawaai.

Ik ging naar de haven om vis te eten. De nabijheid van de zee staat niet garant voor een goed restaurant: op mijn bord vond ik puimsteen, zand, zelfs wat gekookte algen. De venusschelpen werden zo uit zee in de pan gesmeten. Een garantie voor versheid, een Russische roulette met infecties. Omdat inmiddels iedereen zich heeft neergelegd bij de kwekerijsmaak, waardoor een pijlinktvis hetzelfde smaakt als kip, moet je om de echte zeesmaak te proeven een zeker risico nemen. En dat risico nam ik graag. Terwijl ik in het havenrestaurant zat, informeerde ik naar woonruimte die ik kon huren.

'Ik weet van niets, de huizen verdwijnen hier. De Chinezen pikken ze in...'

Maar een kerel die in het midden van de eetzaal troonde, fors maar niet fors genoeg voor de stem die hij had, wierp een blik op me en brulde: 'Misschien is er nog wel iets!' Meer zei hij niet.

Nadat we beiden waren uitgegeten, namen we de weg langs de haven. Hij hoefde me niet eens te vragen hem te volgen. We kwamen aan in de hal van een bijna spookachtig gebouw, een studentenflat. We gingen naar de derde verdieping waar zich het enige appartement bevond dat nog intact was. Iedereen werd weggestuurd om ruimte te maken voor de leegte. In de appartementen mocht niets meer staan. Geen kasten, geen bedden, geen schilderijen, geen nachtkastjes, zelfs geen binnenmuren. Er moest alleen ruimte overblijven, ruimte voor de pakjes, ruimte voor de enorme kartonnen kasten, ruimte voor goederen.

In het appartement wezen ze mij een soort kamer toe, beter te omschrijven als een kamertje met nauwelijks ruimte voor een bed en een kast. Er werd niet over huur gesproken of over rekeningen die moesten worden voldaan voor elektra en telefoon. Ik werd voorgesteld aan vier jongens, mijn medebewoners, en dat was het. Er werd gezegd dat dit het enige appartement was in het flatgebouw dat daadwerkelijk werd bewoond en dat het er was om Xian, de Chinees die 'de flatgebouwen' controleerde, onderdak te verschaffen.

Ik hoefde geen huur te betalen, maar ze vroegen me ieder weekend in de magazijnhuizen te werken. Ik was op zoek gegaan naar een kamer en had daarnaast werk gevonden. 's Morgens werden de tussenmuren gesloopt, 's avonds werden de resten cement, behang en baksteen opgeruimd. Het puin werd in gewone vuilniszakken gedaan. Het neerhalen van een muur brengt onverwachte geluiden voort, niet van geteisterd steen maar van kristallen die met een hand van een tafel op de grond worden geveegd. Ieder huis werd een magazijn zonder binnenmuren. Ik snapte niet hoe het mogelijk was dat het gebouw waar ik werkte nog overeind stond. Meerdere keren hebben we draagmuren gesloopt, ons er terdege van bewust wat we deden. Maar de ruimte was nodig voor de goederen en het bewaren van het cementen evenwicht woog niet op tegen het bewaren van de producten.

Het plan om de pakketten in de huizen te proppen, was aan het brein van enkele Chinese handelaren ontsproten nadat de havenautoriteiten van Napels een beveiligingsplan hadden gepresenteerd aan een delegatie van het Amerikaanse Congres. Het was een voorstel om de haven in vier zones op te delen: een zone voor cruiseschepen, voor kustvaarders, voor goederen en voor containers. Per zone was ingeschat wat de veiligheidsrisico's waren. Na de publicatie van dit beveiligingsplan besloten veel Chinese ondernemers dat alles met de grootst mogelijke stilte moest worden omgeven, om te voorkomen dat men de politie zou kunnen dwingen om in te grijpen, dat de kranten erover zouden schrijven of dat een televisiecamera, op zoek naar een sappige scène, binnen zou kunnen dringen. Ook een verhoging van de invoerrechten was reden de aanwezigheid van de goederen nog minder zichtbaar te maken door ze te laten verdwijnen in schuren die gehuurd werden op afgelegen plekken op het verlaten platteland, tussen stortplaatsen en tabaksvelden.

Maar dat maakte geen eind aan het vrachtverkeer. Daarom reden bijna iedere dag niet meer dan tien bestelbusjes de haven in en uit, zo volgeladen met pakketten dat ze bijna ontploften. Een paar meter verderop lagen ze al in de garages van de gebouwen tegenover de haven. In en uit rijden, dat was het enige wat nodig was.

Niet-bestaande bewegingen, nauwelijks waarneembare bewegingen die opgingen in het dagelijkse verkeer. Huurhuizen die doorgebroken waren. Garages die zo waren verbouwd dat ze allemaal met elkaar in verbinding stonden, kelders tot aan de nok toe gevuld met goederen. Geen enkele eigenaar durfde zich te beklagen. Xian had ze allemaal afgekocht: huur en schadevergoeding voor het onrechtmatige slopen. Duizenden pakketten gingen in een personenlift die was omgebouwd tot goederenlift. Een stalen kooi, een platform op rails dat voortdurend naar boven en weer naar beneden ging. Het werk werd in slechts enkele uren gedaan.

De keuze van de pakketten was niet willekeurig. Ik moest toevallig eens begin juli lossen. Werk dat veel oplevert maar ondoenlijk is als je niet voortdurend traint. De hitte was ontzettend vochtig. Niemand waagde het om om airconditioning te vragen. Niemand. En dat had niets te maken met angst voor straf of met een bepaalde cultuur van gehoorzaamheid of onderdanigheid. De mensen die losten, kwamen uit alle hoeken van de wereld. Ghanezen, Ivorianen, Chinezen, Albanezen en verder Napolitanen, Calabrezen, en mensen uit Lucania. Niemand vroeg erom, iedereen constateerde dat de goederen niet leden onder de hitte en dat was voldoende reden om geen geld uit te geven aan airconditioning.

We stouwden dozen vol met windjacks, regenjassen, k-way's, dunne truien en paraplu's. Het was hoog zomer, het leek gekkenwerk om herfstkleding te leveren in plaats van massa's zwembroeken, bikini's, zonnejurkjes en slippers. Ik wist dat in de opslaghuizen producten eigenlijk niet werden opgeslagen, maar dat er alleen goederen lagen die onmiddellijk de markt op gingen. De Chinese ondernemers hadden voorzien dat er een augustus zou komen met weinig zon. Ik heb nooit de les van John Maynard Keynes vergeten over het concept van de marginale waarde: hoe bijvoorbeeld de prijs van een fles water in de woestijn of van dezelfde fles vlak bij een waterval kan variëren. Die zomer dus bood het Italiaanse bedrijfsleven flessen aan vlak bij de bronnen, terwijl het Chinese ondernemerschap bronnen bouwde in de woestijn.

Na mijn eerste werkdagen in het pand kwam Xian bij ons slapen. Hij sprak vlekkeloos Italiaans, met een zachte *r* die in een *v* veranderde, zoals de decadente edelen spreken die Totò in zijn films imiteerde. Xian Zhu was omgedoopt tot Nino. In Napels hebben bijna alle Chinezen die in contact staan met de ingezetenen een Napolitaanse naam, een gewoonte die zo wijdverbreid is dat niemand zich erover verbaast als een Chinees zich voorstelt als Tonino, Nino, Pino of Pasquale.

Xian Nino bracht in plaats van te slapen de hele nacht aan de keukentafel door. Hij was constant aan het bellen en keek met één oog televisie. Ik lag op bed, maar slapen was onmogelijk. Xians stem ratelde maar door. Zijn tong schoot als mitrailleurvuur tussen zijn tanden door naar buiten. Hij sprak zonder zelfs maar door zijn neusgaten in te ademen, een ademloze woordenstroom. En verder hadden de scheten van zijn lijfwachten die het huis met een weeïge geur vulden ook mijn kamer bezoedeld. Niet alleen was de stank misselijkmakend, maar ook de beelden die de stank in je geest opriep: de in staat van ontbinding verkerende loempia's in hun magen en rotten-de Kantonese rijst gemarineerd in maagsap.

De andere bewoners waren eraan gewend. Zodra hun deur dicht was, bestond er niets anders meer dan hun slaap. Voor mij bestond er niets anders meer dan wat er aan de andere kant van mijn deur zich afspeelde, dus installeerde ik me in de keuken, een gemeenschappelijke ruimte en dus ook gedeeltelijk van mij. Of zo zou het tenminste moeten zijn.

Xian hield op met praten en begon te koken. Hij bakte kip. Er kwamen tientallen vragen bij me op die ik hem wilde stellen, uit nieuwsgierigheid, clichés die ik wilde blootleggen. Ik bracht de Triade ter sprake, de Chinese maffia. Xian ging door met bakken. Ik wilde details weten, al waren het maar symbolische, want ik eiste heus geen bekentenissen over zijn lidmaatschap. Ik liet merken dat ik in grote lijnen de kenmerken van de Chinese onderwereld kende, in de veronderstelling verkerend dat kennis van de onderzoeksverslagen een meesterzet was om aan een blauwdruk van de werkelijkheid te komen.

Xian nam zijn gebraden kip mee naar de tafel, ging zitten en zei niets. Ik weet niet of hij het interessant vond wat ik zei. Ik weet niet en ben ook nooit te weten gekomen of hij deel uitmaakte van die organisatie.

Hij nam een slok bier en toen tilde hij een bil op van zijn stoel, pakte zijn portefeuille uit zijn kontzak, graaide er zonder te kijken in en viste er drie munten uit. Hij gooide ze op de tafel en hield ze met een omgekeerd glas tegen. 'Euro, dollar en yen. Dat is mijn triade.'

Xian leek oprecht. Hij had geen enkele andere ideologie, geen enkel soort van symbool of passie voor hiërarchie. Winst, business, kapitaal, niets anders. Als men bepaalde transacties als duister bestempelt, heeft men ook de neiging die aan een duistere entiteit toe te schrijven: de Chinese maffia. Een conclusie die geneigd is alle tussenliggende stappen uit te bannen, zoals alle financiële handelingen, het vermogen tot investeren, alles wat de macht van een crimineel consortium uitmaakt.

Sinds minstens vijf jaar vestigde ieder rapport van de Antimaffiacommissie de aandacht op 'het groeiende gevaar van de Chinese maffia', maar in tien jaar onderzoek had de politie, in de buurt van Florence in Campi Bisenzio, amper zeshonderdduizend euro in beslag genomen, en verder nog een paar motoren en een deel van een fabriek. Peanuts in vergelijking met de economische macht die erin is geslaagd met honderden miljoenen euro's te schuiven, volgens wat dagelijks door Amerikaanse analisten wordt geschreven.

De ondernemer keek me glimlachend aan. 'De economie heeft een voor- en een achterdeur. Wij gaan door de achterdeur naar binnen en komen door de voordeur naar buiten.'

Voordat hij naar bed ging, deed Xian Nino me een voorstel voor de volgende dag. 'Sta je vroeg op?'

'Dat hangt ervan af...'

'Als het je lukt morgen om vijf uur op de been te zijn, ga dan met ons mee naar de haven. Dan kun je ons een handje helpen.'

'Waarmee?'

'Als je een trui met een capuchon hebt, trek die dan aan, dat is beter.'

Verder werd er niets gezegd en ik probeerde niet aan te dringen, omdat ik vreselijk nieuwsgierig was en graag mee wilde gaan. Door meer vragen te stellen zou Xian zich weleens kunnen bedenken. Nog maar een paar uur om te slapen, maar de opwinding was te groot om uit te kunnen rusten.

Om klokslag vijf uur stond ik klaar. Andere jongens voegden zich in de gang van het gebouw bij ons. Behalve ik en een van mijn medebewoners waren er twee Noord-Afrikaanse mannen met grijzend haar. We sprongen snel in een bestelauto en reden de haven binnen. Ik weet niet hoe lang we gereden hebben en tot in welke unheimische sloppensteegjes we doordrongen. Ik viel tegen het raampje van de bestelauto in slaap.

We stapten in de buurt van de rotsen uit, waar een smalle steiger tot in de rotsspleet doorliep. Daar lag een bootje met een enorme motor die op een loodzware staart leek vergeleken met zijn dunne en lange vorm. Met onze capuchons op leken we een belachelijk stel rappers. De capuchon die ik dacht nodig te hebben om niet herkend te worden, diende alleen maar ter bescherming tegen het opspatten-de ijskoude water en om de migraine te bezweren die zich 's ochtends op open zee tussen de slapen vastzet. Een jonge Napolitaan startte de motor en een ander begon de boot te besturen. Het waren net broers. Ze hadden tenminste dezelfde gezichten. Xian ging niet met ons mee.

Na ongeveer een halfuur te hebben gevaren, naderden we een schip. Het leek wel of we ertegenaan zouden knallen, het was enorm. Met moeite lukte het me mijn nek zover naar achteren te trekken dat ik kon zien waar het boord ophield. Op zee slaken schepen ijzeren kreten, zoals de schreeuw van een boom als hij wordt geveld, en ze maken doffe geluiden die je minstens twee keer een zilt-smakend slijm laten doorslikken.

Vanaf het schip liet een katrol schokkend een net vol grote dozen naar beneden zakken. Iedere keer dat de bundel tegen het hout van ons vaartuig aan sloeg, slingerde het motorbootje zo vervaarlijk dat ik mezelf al in het water zag dobberen. Maar ik kwam niet in de zee terecht. De dozen waren niet al te zwaar, maar na ongeveer dertig stuks op de achtersteven te hebben gezet, waren mijn polsen stram en mijn onderarmen rood door de kartonnen randen die er voortdu-rend langs schuurden. De motorboot wendde zijn steven naar de kust, achter ons lagen twee andere motorbootjes langszij het schip om ook dozen mee te nemen. Ze waren niet van onze kade afkom-stig, maar plotseling waren ze achter ons vastgemaakt.

Ik voelde hoe mijn maag iedere keer als de voorplecht van de boot op het water klapte een opdonder kreeg. Ik legde mijn hoofd op een paar dozen. Ik probeerde te ruiken wat erin zat, ik legde mijn oor te-gen de doos om uit het geluid op te maken wat erin zou kunnen zit-ten. Een schuldgevoel begon me te bekruipen. Wie weet waaraan ik had meegedaan, zonder besluit, zonder een echte keuze. Mezelf naar de klote helpen, oké, maar dan tenminste met mijn volle ver-stand erbij. Ik was alleen maar uit pure nieuwsgierigheid clandestie-ne goederen gaan uitladen. Stom genoeg denkt men om een of an-dere reden dat een misdaad, in tegenstelling tot een onschuldige handeling, altijd volkomen doordacht en gewild is. Maar eigenlijk is er geen verschil tussen de twee. Handelingen kennen een flexibiliteit waar ethische beoordelingen aan voorbijgaan.

Toen we bij de kade waren aangekomen, gingen de Noord-Afrikanen de boot af met wel twee grote dozen op hun schouders. De vaste grond onder mijn voeten was al genoeg om mij te doen wankelen. Xian stond boven op de rotsen te wachten. Hij liep naar een enorme doos toe met in zijn hand een snijmachine en sneed de brede strook tape door die de twee papieren zijflappen dichthield. Het waren schoenen. Sportschoenen, originele, van de beroemdste merken. Nieuwe modellen, gloednieuw, nog niet verkrijgbaar in de Italiaanse winkels. Omdat hij een controle vreesde van de fiscale recherche vond hij het beter om op open zee uit te laden. Een deel van de goederen kon zo op de markt worden gebracht zonder invoerrechten, de grossiers zouden ze zonder invoerrechten te betalen kunnen krijgen.

Concurrentiestrijd wordt gewonnen door kortingen. Goederen van dezelfde kwaliteit, maar met vier, zes, tien procent korting: percentages die geen enkele vertegenwoordiger zou kunnen geven. En kortingspercentages laten een winkel floreren of failliet gaan, openen nieuwe winkelcentra, zorgen voor vaste inkomsten en met die vaste inkomsten voor een enorm krediet bij de bank. De prijzen moeten omlaag. Alles wat binnenkomt, moet snel weer worden weggevoerd, in het geniep. De nadruk komt steeds meer te liggen op het proces van in- en verkoop. Onverwachte zuurstof voor de Italiaanse en Europese markt, zuurstof die binnenkwam via de haven van Napels.

We stouwden alle dozen in verschillende bestelwagens. Er liepen nog meer motorbootjes binnen. De bestelwagens gingen richting Rome, Viterbo, Latina, Formia. Xian liet ons naar huis terugrijden.

In de afgelopen jaren was alles veranderd. Alles. Plotseling, razendsnel. Een enkeling voelde de verandering aankomen, maar kon hem nog niet vatten. Tot zo'n tien jaar geleden werd de Golf bevaren door bootjes van smokkelaars, 's morgens waren ze volgeladen met detailhandelaren die sigaretten gingen inslaan. Afgeladen straten, auto's vol sloffen sigaretten, stalletjes voor de verkoop met toonbanken en stoelen. De kustwacht, financiers en smokkelaars speelden krijgertje met elkaar. Er werden tonnen sigaretten verruild voor een verijdelde arrestatie, of men liet zich arresteren om tonnen sigaretten te redden die in een dubbele bodem waren gepropt van een boot op de vlucht. Nachten achtereen, *pali* op de uitkijk die floten om te waarschuwen voor vreemde manoeuvres van auto's, walkietalkies die aanstonden om alarm te kunnen slaan, en rijen mannen langs de kust die snel dozen aan elkaar doorgaven. Auto's die wegstoven van de kust van Puglia naar het binnenland en van het binnenland naar Campania. Napels-Brindisi was een belangrijke as, de route van de florerende goedkopesigaretteneconomie. Smokkel, het was de Fiat van het zuiden, de bijstand van de staatlozen, twintigduizend mensen die uitsluitend in de smokkel tussen Puglia en Campania werkten. Die smokkel veroorzaakte begin jaren tachtig de grote oorlog van de camorra.

De clans van Puglia en Campania introduceerden in Europa sigaretten die niet langer onderworpen waren aan het monopolie van de staat. Ze importeerden iedere maand duizenden kisten uit Montenegro met een omzet van vijfhonderd miljoen lire per vracht. Nu is alles uiteengevallen en veranderd. Voor de clans is het de moeite niet meer waard. Maar eigenlijk is de wet van Lavoisier meer dan bewaarheid: niets wordt gemaakt, niets wordt vernietigd, alles is aan verandering onderhevig. Dit geldt voor de natuur, maar vooral ook voor de dynamiek van het kapitalisme.

Niet langer met de nicotineverslaving, maar met de dagelijkse producten houdt de smokkel zich nu bezig. Er is een afschuwelijke, meedogenloze prijzenoorlog aan het ontstaan. De kortingspercentages van vertegenwoordigers, grossiers en handelaren bepalen leven en dood van elk economisch goed. De belastingen, de btw, de maximale lading van iedere vrachtwagen drukken op de winst, wat een ondoordringbare betonnen barrière vormt voor de circulatie van goederen en geld. De grote bedrijven verplaatsen hun productie daarom richting het oosten, naar Roemenië, Moldavië, het Verre Oosten en China om arbeidskrachten tegen lage prijzen te kunnen krijgen. Maar dat is nog niet alles. De waar die met lage kosten is geproduceerd, zal verkocht moeten worden op een markt waartoe steeds meer mensen zonder vast inkomen, met een minimum aan spaargeld en een maniakale zuinigheid toegang hebben.

De onverkochte voorraad neemt toe en de goederen, die origineel, vals of gedeeltelijk echt zijn, komen in stilte aan, zonder een spoor achter te laten. Minder zichtbaar dan de sigaretten, want ze kennen geen parallelle distributie. Alsof ze nooit zijn vervoerd, alsof ze uit de lucht zijn komen vallen en door een of andere anonieme hand zijn opgeraapt.

Als geld niet stinkt, is het wel de waar die riekt. Maar niet naar de zee die hij is overgestoken, hij draagt niet de geur van de handen die hem hebben gemaakt en wasemt niet het vet uit van de mechanische armen die hem hebben geassembleerd. De waar ruikt naar wat hij is. Hij ruikt alleen maar naar de toonbank van de winkelier, en heeft geen andere bestemming dan het huis van de koper.

We lieten de zee achter ons en kwamen thuis. De bestelwagen gaf ons nauwelijks de tijd om uit te stappen, daarna ging hij terug naar de haven om meer pakketten en goederen op te halen. Inmiddels half bewusteloos ging ik in de goederenlift naar boven. Voordat ik op mijn bed neerplofte, trok ik mijn trui, kletsnat van water en zweet, uit. Ik weet niet hoeveel dozen ik had opgestapeld en getransporteerd, maar het voelde alsof ik schoenen had uitgeladen voor de voeten van half Italië. Ik was zo moe als aan het eind van een lange en vermoeiende dag. Thuis werden de andere jongens wakker. Het was pas vroeg in de ochtend.

Angelina Jolie

De daaropvolgende dagen vergezelde ik Xian bij zijn zakenbesprekingen. Hij had me feitelijk uitgekozen om hem gezelschap te houden tijdens zijn zakenlunches en de ritten ernaartoe. Ik praatte te veel of te weinig. Die twee gewoontes vond hij beide plezierig. Ik volgde hoe het geld ontkiemde en werd opgekweekt, hoe het economisch terrein braak werd gelegd.

We reden Las Vegas binnen, ten noorden van Napels. Dit gebied wordt om diverse redenen Las Vegas genoemd. Net als het Las Vegas van Nevada is het midden in de woestijn gebouwd, waardoor ook deze agglomeraten uit het niets lijken op te doemen. Je bereikt deze plaats via een woestijn van wegen. Kilometers asfalt, gigantische wegen die je in enkele minuten uit dit gebied voeren, de snelweg op naar Rome, naar het noorden. Wegen die niet voor auto's maar voor vrachtwagens zijn aangelegd, niet om burgers te vervoeren maar kleding, schoenen, tassen. Als je vanuit Napels komt, doemen deze dorpen plotseling op, de een na de ander uit de grond gestampt. Brokken beton. Wegen die zich beurtelings vloeiend in een kaarsrechte hoofdweg invoegen, afkomstig uit Casavatore, Caivano, Sant'Antimo, Melito, Arzano, Piscinola, San Pietro a Patierno, Frattamaggiore, Frattaminore en Grumo Nevado. Kluwens van wegen. Dorpen die niet van elkaar verschillen, die één grote stad lijken. Wegen die voor de helft in het ene dorp en voor de andere helft in het andere liggen.

Ik heb de streek rond Foggia wel duizend keer *Califoggia* horen noemen, en het zuiden van Calabria *Calafrica* of *Saudi Calabria*, Sala Consilina *Sahara Consilina*, en een deel van Secondigliano Derde Wereld. Maar hier is Las Vegas ook écht Las Vegas. Iedereen die maar wilde, die in dit gebied een gooi naar het ondernemerschap probeerde te doen, kon jarenlang zijn gang gaan, een droom laten uitkomen. Met een lening, door leegverkoop of met wat spaarcenten begon hij zijn fabriek. Hij zette in op een bedrijf: als hij won werd hij beloond met efficiëntie, productiviteit, snelheid, stilzwijgen en lage arbeidskosten. Winnen ging zoals bij het inzetten op rood of zwart. Als hij verloor, sloot hij binnen een paar maanden zijn deuren.

Las Vegas, want niets was gebaseerd op een nauwkeurige financieel-administratieve planning. Schoenen, kleding, verpakkingen, het waren producten die op duistere wijze de internationale markt bestormden. Ondanks deze luxeproducten bleven de steden lelijk. De allermooiste spullen werden in alle stilte en illegaliteit vervaardigd. Territoria die decennialang de topstukken van de Italiaanse mode produceerden, en dus topmode in de hele wereld. Ze hadden geen ondernemersverenigingen, ze hadden geen opleidingscentra, ze hadden niets anders dan het werk, de naaimachine, dat fabriekje, de ingepakte doos, de verzonden waar, niets anders dan het eindeloze herhalen van deze fases. Al het andere was overbodig. Je opleiding kreeg je aan de werktafel, of je een talentvol ondernemer was liet je zien door te winnen of te verliezen. Niks financieringen, niks projecten, niks stage. Je werd meteen voor de leeuwen gegooid. Het was erop of eronder.

Met de stijgende salarissen zijn de huizen opgeknapt, de allerduurste auto's aangeschaft, dat alles zonder dat deze rijkdom de algehele welvaart verbeterde. Een geplunderde rijkdom, met moeite van iemand anders afgepakt en het eigen hol binnengesleept. Ze kwamen overal vandaan om te investeren, nevenbedrijven die verpakkingen, overhemden, rokken, jasjes, jacks, handschoenen, hoeden, schoenen, handtassen, portefeuilles maakten voor Italiaanse, Duitse en Franse bedrijven. In deze gebieden hoefde men sinds de jaren vijftig van de vorige eeuw geen vergunningen, contracten of bedrijfsruimtes meer te hebben. Garages, trapkasten, achterkamertjes werden fabrieken.

In de laatste jaren heeft de Chinese concurrentie de bedrijfjes die producten van een middelmatige kwaliteit leverden, kapotgemaakt. Ze liet geen ruimte meer voor het handwerk van de arbeiders. Of je levert à la minute de beste kwaliteit, of iemand anders werkt op middelmatig niveau maar in minder tijd. Een groot aantal mensen is zonder werk komen te zitten. Fabriekseigenaren zijn vermorzeld door schulden en woekerrentes. Velen zijn op de vlucht geslagen.

Er is een plek waar met het einde van deze tweederangs nevenbedrijfjes de adem, de groei, de overlevingsdrang is weggenomen. Het lijkt het symbool te zijn voor het einde van de voorsteden, met huizen die altijd verlicht zijn en vol met mensen, met drukbevolkte binnenplaatsen en altijd geparkeerde auto's. Niemand die ooit naar buiten komt en een enkeling die naar binnen gaat. Bijna niemand die er lang blijft. Op geen enkel moment van de dag lopen de flats leeg, zoals dat 's ochtends hoort wanneer iedereen naar zijn werk gaat of naar school. Hier is het gewoon altijd druk, het voortdurende rumoer van bewoners, Parco Verde in Caivano.

Parco Verde doemt op zodra je de hoofdader verlaat, een sabel van asfalt die alle dorpen van de provincie Napels dwars doormidden snijdt. Het lijkt, meer dan op een wijk, op een rommeltje van beton met aluminium veranda's die als builen op ieder balkon opzwellen. Het lijkt alsof de architect zich bij het ontwerpen van de plek liet inspireren door de bouwsels op het strand, alsof hij zich die flatgebouwen heeft voorgesteld als de zandtorens die tevoorschijn komen wanneer je een emmer omdraait: monotone, grauwe flatgebouwen.

In een hoek staat een minuscuul kapelletje, bijna onzichtbaar. Maar dat is niet altijd zo geweest. Ooit stond er een kapel, groot en wit. Een echt mausoleum, opgedragen aan een jongen, Emanuele, die tijdens zijn werk was gestorven, werk dat in bepaalde wijken zelfs nog erger is dan zwartwerken in de fabriek. Toch is het een beroep: Emanuele pleegde overvallen. En hij pleegde die altijd op zaterdag, iedere zaterdag, al een tijdje. Altijd op dezelfde weg. Hetzelfde tijdstip, dezelfde weg, dezelfde dag. Want zaterdag was de dag van zijn slachtoffers, de dag van de stelletjes.

Rijksweg 87 was de plek waar de stelletjes uit de buurt zich afzonderden. Een rotweg met opgelapt asfalt en vuilstortplaatsjes erlangs. Iedere keer als ik erlangs kom en de stelletjes zie, schiet door me heen dat je je wel volledig moet overleveren aan je hartstocht om je lekker te kunnen voelen midden in al die smerigheid. Hier verscholen Emanuele en twee van zijn vrienden zich en wachtten ze op een auto van een stelletje dat parkeerde, en tot het licht uitging. Nadat het licht uit was gegaan, wachtten ze nog een paar minuten totdat het paar zich had uitgekleed en op hun meest kwetsbare moment sloegen de jongens toe. Ze tikten met de kolf van hun pistool de autoruit in en duwden de loop onder de neus van de jongen. Ze beroofden heel wat stelletjes en gingen er ieder weekend na zo'n tien overvallen met vijfhonderd euro op zak vandoor: een piepkleine buit die smaakte naar meer.

Maar op een dag wil het toeval dat een patrouille van de carabinieri ze onderschept. Emanuele en zijn vrienden zijn zo onvoorzichtig dat ze niet in de gaten hebben dat ze door altijd hetzelfde te doen en altijd in dezelfde buurt de grootste kans lopen om te worden gearresteerd. De achtervolging wordt ingezet en de auto's rammen elkaar. Er worden schoten gelost, en dan komt alles tot stilstand. In de auto ligt Emanuele, doodgeschoten. Hij had een pistool in zijn hand en had aanstalten gemaakt om hem op de carabinieri te richten. Die legden hem om met elf schoten die in enkele seconden werden afgevuurd. Elf schoten van dichtbij afgevuurd wil zeggen dat ze het pistool al op hem hadden gericht en dat ze er klaar voor waren om bij het minste of geringste te schieten. Schieten om te doden en dan denken dat je het hebt gedaan uit zelfverdediging.

De andere twee hadden de wagen stilgezet. De kogels waren als een windvlaag door de auto gegaan. Iedereen leek gehypnotiseerd door het lichaam van Emanuele. Zijn vrienden probeerden de deuren van de auto open te doen, maar zodra ze begrepen dat Emanuele dood was, bleven ze zitten, zonder zich te verzetten tegen de vuistslagen in hun gezicht die voorafgaan aan iedere arrestatie. Emanuele was in elkaar gezakt, in zijn hand hield hij een neppistool. Zo'n ding dat vroeger een hondenpistool heette, dat op het land werd gebruikt om roedels zwerfhonden weg te houden van het kippenhok. Een speelgoedding dat als echt wapen werd gebruikt; voor de rest was Emanuele een jochie dat zich gedroeg alsof hij een man was, met een angstige blik die hij meedogenloos probeerde te laten lijken. Zijn verlangen naar een paar centen deed hij voorkomen als een zucht naar rijkdom.

Emanuele was vijftien. Iedereen noemde hem kortweg Manù. Hij had een mager, donker en hoekig gezicht, het prototype van een jongen van wie je weet dat je je er beter niet mee in kunt laten. Emanuele was een jongen uit dat deel van de buurt waar je geen eer en respect kunt ontlenen aan een paar centen, maar wel aan de manier waarop je eraan bent gekomen. Emanuele maakte deel uit van Parco Verde. Voor alles hoor je bij een bepaalde plek die je brandmerkt en er is geen fout of misdaad die dat kan uitwissen.

Alle families van Parco Verde hadden een collecte gehouden, en ze hadden een klein mausoleum opgetrokken. Ze hadden er een foto in gezet van de bloedende Maria en een ingelijste foto met het lachende gezicht van Manù. De kapel van Emanuele kwam te staan tussen de meer dan twintig andere die de gelovigen voor alle mogelijke Maria's hadden gebouwd, één voor ieder jaar van werkloosheid.

De burgemeester kon het echter niet verdragen dat er een altaar voor een dief werd gebouwd en stuurde er een bulldozer op af om hem te slopen. In een ogenblik brokkelde het opgetrokken cement af alsof het een werkstukje van klei was. Het nieuws verspreidde zich als een lopend vuurtje door Parco Verde, jongens kwamen met brommers en motors tot dicht om de bulldozer heen staan. Niemand sprak een woord, iedereen staarde naar de arbeider die de hendels bediende. Met al die ogen op zich gericht besloot de arbeider te stoppen en hij gebaarde dat ze de politieman moesten hebben, dat was degene die hem opdracht had gegeven. Alsof hij met dat gebaar het mikpunt van de woede kon aanwijzen, om zo de schietschijf voor zijn eigen borst weg te kunnen halen. Hij was bang, hij sloot zich op, hij was omsingeld.

In een oogwenk brak de pleuris los. Het lukte de arbeider de politieauto in te vluchten. De menigte stompte en trapte tegen de bulldozer, goot bierflesjes leeg en vulde ze met benzine. Ze hielden hun brommers schuin zodat de brandstof direct vanuit de tanks in de flessen kon stromen. De ruiten van een school dicht bij Parco Verde werden ingegooid. Als de kapel van Emanuele eraan moest, dan al het andere ook maar. Uit de flats werden borden, vazen en bestek gegooid. Aangestoken flessen met benzine werden naar de politie geslingerd. Rijen afvalcontainers werden als barricades opgeworpen, alles wat brandbaar was en het vuur kon verspreiden werd in de fik gestoken. Ze bereidden zich voor op een guerrilla. Er waren honderden jongeren, ze zouden het lang kunnen volhouden. Het oproer breidde zich uit en bereikte de Napolitaanse wijken.

Plotseling verscheen er iemand, van niet al te ver. Het gebied was omsingeld door auto's van de politie en van de carabinieri, maar het lukte een zwarte jeep toch door de barricades heen te komen. De chauffeur maakte een gebaar, iemand deed het portier open en een groepje oproerkraaiers stapte in. In iets meer dan twee uur werd alles ontmanteld. Het groepje trok de zakdoeken van hun gezicht, liet de brandende vuilnisbarricades blussen. Een van de clans was tussenbeide gekomen, maar god mag weten welke.

Parco Verde is een reservebron voor het voetvolk van de camorristen. Hier kan iedereen die dat wil het allerlaagste ronselen, volk dat je zelfs minder hoeft te betalen dan Nigeriaanse of Albanese pushers. Iedereen wil de jongens van Parco Verde: de Casalesi, de Mallardo, Di Giuliano, de 'tijgertjes' van Crispano. Ze worden dealers in loondienst zonder commissies, en ook chauffeurs en pali, jongens die op de uitkijk staan, die gebieden kilometers van hun huis verwijderd onder hun hoede hebben. En ook al zijn ze aan het werk, ze vragen niet om vergoeding van de benzine. Het zijn betrouwbare jongens, nauwgezet in hun werk. Soms raken ze aan de heroïne, de drug van losers. Een enkeling redt zich eruit, gaat in dienst, het leger in en vertrekt, af en toe lukt het een meisje om weg te gaan en hier nooit meer een voet te zetten.

Bijna niemand van de jonge generaties wordt lid van een clan. Het grootste deel wérkt voor de clans, maar zal nooit een camorrist worden. De clans willen hen niet, nemen ze niet op als lid, en buiten enkel het grote aanbod uit. De jongeren hebben geen vakkennis of handelsinstinct. Veel jongens werken als drugskoerier. Ze brengen rugzakken vol hasj naar Rome. Met hun maximaal opgevoerde motortjes staan ze binnen anderhalf uur al aan de poorten van de hoofdstad. Ze krijgen niets voor deze reisjes, maar na zo'n twintig expedities doen de clans hun de motor cadeau. De jongens vinden het een fantastische beloning, bijna niet te geloven en beslist onbereikbaar met elk ander soort werk dat op deze plek te vinden is. Ondertussen hebben ze wel handelswaar vervoerd met een straatwaarde van tien keer de prijs van de motor. Ze weten het niet en ze kunnen zich er ook geen voorstelling van maken.

Als ze onderschept worden door een wegblokkade krijgen ze een veroordeling tot maximaal tien jaar, en omdat ze geen lid zijn zullen de kosten van een advocaat niet voor hen worden betaald en krijgen ze niet de hulp die de familieclans aan hun leden geven. Maar in hun hoofd zit het gebulder van de uitlaat en lonkt Rome als finish.

Bij een enkele barricade leefden de oproerkraaiers zich nog uit, maar langzaam nam het animo af, net als de woede die ze nog in zich hadden. Toen stroomde alles leeg. De clans waren niet bang voor het oproer of voor het geschreeuw van de menigte. Voor hun part gingen ze nog dagen door met moorden en brandstichten, ware het niet dat ze dan niet konden werken. Het zou van Parco Verde niet het noodreservoir hebben gemaakt waaruit altijd tegen spotprijzen voetvolk kon worden gerekruteerd. Iedereen moest onmiddellijk terug naar huis, iedereen moest terugkeren naar zijn werk, of beter nog, beschikbaar zijn voor eventueel werk. Het oproerspelletje was over.

Ik was naar de begrafenis van Emanuele gegaan. Op sommige plekken op de wereld is vijftien jaar alleen maar een getal. Het loodje leggen op je vijftiende lijkt in deze buitenwijk eerder op de inlossing van een doodvonnis dan een beroving van het leven.

De kerk zat vol, veel jongens, allemaal donkere gezichten, af en toe uitten ze wat kreten en er klonk buiten de kerk zelfs een ritmisch spreekkoor: 'Al-tijd bij ons, jij blijft al-tijd bij ons... al-tijd bij ons...' De ultra's scandeerden dat meestal als een of ander oud idool zijn voetbalshirt in de wilgen hing. Het leek alsof ze in het stadion zaten, maar het waren koren van woede.

Er waren politieagenten in burger die buiten het middenschip van de kerk probeerden te blijven. Iedereen herkende ze, maar er was geen plaats voor schermutselingen. Ik kon ze er onmiddellijk uitpikken in de kerk; maar eigenlijk pikten zij mij eruit, omdat ze in hun mentale archief geen spoor van mijn gezicht konden vinden. Alsof hij tegemoet wilde komen aan mijn onbekendheid kwam een van hen naar me toe en zei: 'Dit hier zijn allemaal bekenden van de politie. Dealen, inbraak, heling, roof... er zijn er ook een paar die tippelen. Niemand heeft een blanco strafblad. Hoe meer er hier sterven, hoe beter dat voor iedereen is...'

Woorden waarop je antwoordt met een uithaal, of met een kop- stoot op het neustussenschot. Maar eigenlijk dacht iedereen er zo over. En misschien was het wel wijs gedacht. Die jongens die levens- lang kregen voor een overval van tweehonderd euro – tuig, surro- gaatmannetjes, pushers – ik keek ze een voor een aan. Er was er niet een die ouder was dan twintig.

Vader Mauro, de pastoor die de mis opdroeg, wist wie hij voor zich had. Hij wist dat de jongens die om hem heen stonden geen on- schuldige engeltjes waren.

'Vandaag is er geen held gestorven...' Hij hield zijn handen niet open zoals priesters doen wanneer ze een gelijkenis voorlezen op zondag. Zijn vuisten waren gesloten, iedere preektoon ontbrak. Toen hij begon te spreken, was zijn stem aangetast door een vreem- de rauwheid, zoals wanneer je te lang in jezelf praat. Hij sprak op boze toon, zonder het minste meelevende verdriet voor het kind, hij droeg niets uit.

Hij leek op die Zuid-Amerikaanse priester tijdens de guerrilla- oorlog in El Salvador, die toen hij geen uitvaartbijeenkomsten meer mocht houden geen medelijden meer voelde en begon te schreeu- wen. Maar hier kent niemand Romero.

Vader Mauro heeft een vreemde energie. 'In hoeverre kun je Emanuele met zijn vijftien jaar verantwoordelijk stellen? Kinderen die op andere plekken in Italië worden geboren, gaan op die leeftijd naar het zwembad of op dansles. Hier is dat niet zo. De Heer zal er rekening mee houden dat de fout is begaan door een jongen van vijftien. Als vijftien jaar in Zuid-Italië oud genoeg is om te werken, bewust te gaan stelen, te doden en gedood te worden, dan is dat ook oud genoeg om verantwoordelijkheid te nemen.'

Toen snoof hij diep de bedompte lucht van de kerk door zijn neusgaten op. 'Maar vijftien jaar is zo jong dat we er goed aan doen te kijken wat erachter zit, dat het ons verplicht de verantwoording te delen. Vijftien jaar is een leeftijd waarop je geweten moet gaan spreken als je de wet, werk en verplichtingen aan je laars lapt. Je geweten fluistert niet, het schreeuwt.'

De pastoor beëindigde de preek. Niemand begreep precies het fijne van wat hij bedoelde, bovendien waren er geen autoriteiten of instellingen aanwezig.

De jongeren maakten een enorm tumult. De baar werd door vier mannen de kerk uit gedragen, maar plotseling steunde hij niet meer op hun schouders. De kist begon op de menigte te drijven. Iedereen droeg hem op handen, als een rockster die zich vanaf het podium in het publiek laat vallen. De kist deinde op een zee van vingers. Een stoet jongeren op motoren stelde zich op bij de auto, de lange lijkwagen die klaarstond om Manù naar het kerkhof te brengen. Ze gaven gas. Hielden hun rem ingedrukt. Het motorgeronk was het achtergrondkoor bij de laatste rit van Emanuele, met piepende banden en jammerende knalpijpen. Het leek alsof ze hem met die motoren tot aan de poort van het hiernamaals wilden begeleiden. In een mum van tijd werd alles omgeven door een dikke rookwolk en de stank van benzine die in je kleren trok.

Ik probeerde de sacristie binnen te gaan. Ik wilde met de priester praten die de vurige woorden had gesproken. Een vrouw was me voor. Ze wilde hem zeggen dat de jongen het eigenlijk zelf had opgezocht, dat zijn familie hem nooit wat had geleerd. Ze zei trots: 'Mijn kleinkinderen zouden nooit roofovervallen plegen, zelfs niet als ze werkloos waren...' Zenuwachtig vervolgde ze: 'Wat had deze jongen eigenlijk geleerd? Niets?'

De priester keek naar de vloer. Hij was in trainingspak. Hij deed geen poging antwoord te geven, hij keek haar niet eens aan en terwijl hij naar zijn sportschoenen bleef staren, fluisterde hij: 'De realiteit is dat je hier alleen leert te sterven.'

35

'Wat zegt u, vader?'
'Niets, mevrouw, niets.'

Maar niet iedereen ligt hier onder de grond. Niet iedereen is te-rechtgekomen in de modderpoel van de verslagenen. Nog niet. Er bestaan nog winstgevende fabrieken. De kracht van die onderne-mingen is dusdanig dat ze het hoofd kunnen bieden aan de markt van het Chinese handwerk, omdat ze voor grote merken werken. Snelheid en kwaliteit. Uitzonderlijk hoge kwaliteit. Het schoon-heidsmonopolie van de kledingstukken is nog in hun handen. Het 'made in Italy' wordt hier gemaakt, in Caivano, Sant'Antimo, Arza-no en zo in heel Las Vegas van Campania. 'Het gezicht van Italië in de wereld' heeft zijn stoffen gelaatstrekken gedrapeerd over de kale kop van de provincie van Napels.

De grote merken vertrouwen het niet om alles naar het oosten te sturen, het uit te besteden in het Verre Oosten. De fabrieken stape-len zich op in trapkasten op de begane grond van rijtjeshuizen, in loodsen in de periferie van deze dorpen in de periferie. Er wordt ge-naaid, leer gesneden, schoenen worden in elkaar gezet, achter elkaar door. Vóór jou de rug van je collega en je eigen rug vóór degene die achter je zit.

Een arbeider uit de textielbranche werkt ongeveer tien uur per dag. De salarissen variëren van vijfhonderd tot negenhonderd euro. De overuren worden vaak goed betaald, wel vijftien euro boven op het normale uurtarief. Zelden hebben de bedrijven meer dan tien werknemers in dienst. In de kamers waar ze werken springt een ra-dio of een televisie boven op een plank in het oog. Er wordt naar de radio geluisterd voor de muziek en bij uitzondering wordt er door iemand zachtjes gezongen. Maar als de productie op volle toeren draait, zwijgt alles en klinken alleen de naalden. Meer dan de helft van het personeel bestaat uit bekwame vrouwen, die achter de naai-machine zijn geboren.

Officieel bestaan hier geen fabrieken, en werknemers evenmin. Als ditzelfde werk van hoge kwaliteit ingeschaald zou worden, zou-den de prijzen stijgen, zou er geen markt meer zijn en zou het werk vliegensvlug uit Italië verdwijnen. De ondernemers van deze streken kennen deze logica door en door. In de fabrieken heerst vaak geen wrok tussen arbeiders en eigenaars, hier is het conflict tussen de klassen zo slap als een in de thee gedoopt biscuitje. De baas, vaak een ex-arbeider, verdeelt het werk van zijn werknemers, in dezelfde kamer, op dezelfde bank. Wanneer hij zich vergist, merkt hij dat direct in zijn portemonnee. Hij heeft een vaderlijke autoriteit en er wordt geruzied om een dag vakantie of een paar centen loonsverhoging. Er is geen contract, geen bureaucratie, alles gaat in goed vertrouwen. En zo worden concessies en verplichtingen bijna rechten en competenties.

De familie van de ondernemer woont op de verdieping erboven. In deze fabrieken vertrouwen de arbeidsters hun kinderen vaak toe aan de dochters van de eigenaar die oppas worden, of aan hun moeder die verandert in een plaatsvervangende oma. De kinderen van de arbeidsters groeien op bij de families van de eigenaren. Alles bij elkaar schept dit een gemeenschapsband, de horizontale droom van het postfordisme wordt hier verwezenlijkt: arbeiders en managers die samen de maaltijd delen, deelnemen aan elkaars privé-leven en zo het gevoel krijgen dat ze tot een en dezelfde gemeenschap behoren.

In deze fabriekjes wordt niet naar de grond gestaard. De arbeiders weten dat ze uitmuntend werk afleveren en dat hun salarissen onder de maat zijn, maar zonder het ene kan het andere niet bestaan. Je werkt zo goed mogelijk om te krijgen wat je nodig hebt, zodat niemand een reden heeft om je eruit te gooien. Er is geen sociaal vangnet; rechten, rechtvaardigheid, verloven, vakanties, daar zorg je zelf voor. De vakantie dwing je smekend af. Je kunt nergens je beklag doen. Alles gebeurt zoals het moet gebeuren. Hier bestaat slechts één lichaam, één bekwaamheid, één apparaat en één salaris. Er zijn geen exacte getallen bekend over het aantal zwartwerkers in deze streek, net zomin als over het aantal dat wit werkt maar iedere maand wordt gedwongen om een loonstrookje te ondertekenen waarop bedragen staan die nooit zijn ontvangen.

Xian moest naar een veiling. We gingen de aula van een basisschool binnen, zonder kinderen, zonder juf, alleen de aan de wanden opge- prikte vellen bristolpapier met enorme koeienletters erop geschre- ven. In de aula wachtten zo'n twintig vertegenwoordigers van diver- se ondernemingen, Xian was de enige buitenlander. Hij groette maar twee van de aanwezigen en zelfs die vrij afstandelijk.

Een auto hield stil op de binnenplaats van de school. Drie mensen kwamen binnen, twee mannen en een vrouw. De vrouw droeg een leren rok, hooggehakte lakschoenen. Iedereen stond op om haar te begroeten. De drie namen plaats en begonnen met de veiling. Een van de mannen trok drie verticale lijnen op het schoolbord. Hij be- gon op te schrijven wat de vrouw dicteerde. De eerste kolom: '800'.

Dat was het aantal te produceren kledingstukken. De vrouw maakte een lijst van de soorten stof en van de kwaliteit van de stuk- ken. Een ondernemer uit Sant'Antimo liep naar het venster en met zijn rug naar de aanwezigen toe noemde hij zijn prijs en tijd: 'Veertig euro per stuk in twee maanden...'

Zijn bod werd op het schoolbord genoteerd.

'800 / 40 / 2'

De gezichten van de andere ondernemers stonden niet bezorgd, want hij had het niet aangedurfd om met zijn voorstel het onmoge- lijke te bieden en daar was iedereen uiteraard blij om. Maar de op- drachtgevers waren niet tevreden. De veiling ging verder.

De veilingen die de grote Italiaanse merken op deze plekken hou- den zijn merkwaardig, want er zijn geen winnaars of verliezers bij de aanbesteding. Het spel bestaat uit het wel of niet deelnemen aan de wedloop. Iemand doet een voorstel, en noemt de tijd en de prijs die hij denkt waar te kunnen maken. Als zijn voorwaarden worden geac- cepteerd, is hij niet de enige overwinnaar. Zijn voorstel is een ope- ningsbod dat de andere ondernemers kunnen proberen te overtref- fen. Wanneer een prijs door de bemiddelaars wordt geaccepteerd, kunnen de aanwezige ondernemers besluiten wel of niet mee te gaan: wie meegaat, ontvangt het materiaal, de stoffen. Ze laten ze direct naar de haven van Napels sturen waar iedere ondernemer ze kan komen ophalen. Maar slechts één van hen wordt betaald bij aflevering van het werk: degene die als eerste de kleding van topkwaliteit aflevert. De andere ondernemers die hebben deelgenomen aan de veiling kunnen het materiaal houden, maar ze krijgen geen cent. De mode-industrie verdient er zo veel op dat het prijsgeven van stof geen noemenswaardig verlies is.

Wanneer een ondernemer meerdere keren niets aflevert en de veiling gebruikt om gratis materiaal te krijgen, wordt hij uitgesloten van volgende veilingen. Met deze veilingen verzekeren de bemiddelaars van de merken zich van productiesnelheid, want als iemand probeert uitstel te krijgen, neemt een ander zijn plaats in. Er is geen enkel uitstel mogelijk voor de deadlines van de haute couture.

Tot vreugde van de vrouw achter het bureau ging er een andere hand omhoog. Een zeer elegant geklede ondernemer.

'Twintig euro in vijfentwintig dagen.'

Uiteindelijk accepteerden ze dit laatste voorstel. Negen van de twintig sloten zich bij hem aan. Ook Xian waagde het niet op het voorstel in te gaan. Hij kon snelheid en kwaliteit in zo'n kort tijdsbestek en tegen zulke lage prijzen niet op elkaar afstemmen.

Toen het veilen was afgelopen, noteerde de vrouw in een dossier de namen van de ondernemers, het adres van de fabrieken en de telefoonnummers. De winnaar bood een uitgebreide lunch aan bij hem thuis. Op de begane grond had hij zijn fabriek; op de eerste verdieping woonde hij met zijn vrouw en op de tweede verdieping woonde zijn zoon. Trots vertelde hij: 'Ik ben nu bezig met de aanvraag van een vergunning voor een extra verdieping. Mijn tweede zoon gaat binnenkort trouwen.'

Terwijl we naar boven liepen, vertelde hij verder over zijn familie die, net als zijn kleine huis, in aanbouw was. 'Laat de arbeidsters nooit controleren door jongens, daar komen alleen maar problemen van. Ik heb twee zonen en die zijn allebei getrouwd met een werkneemster. Zet er een paar flikkers op. Laat flikkers de ploegendiensten regelen en het werk controleren, net als vroeger...'

Alle arbeiders, mannen en vrouwen gingen naar boven om te proosten op het contract. Ze zouden zeer strakke ploegendiensten moeten gaan draaien: van 06.00 tot 21.00 uur, met een uur lunchpauze, en een tweede ploeg van 21.00 tot 06.00 uur. De vrouwelijke arbeiders waren allemaal opgemaakt, droegen oorbellen, maar hadden schorten voor die hen beschermden tegen lijm, stof en machinevet. Zoals Superman zijn overhemd uitdoet en daaronder zijn blauwe superpak al aanheeft, kunnen deze meisjes, als ze hun schort af hebben gedaan, zo uit eten gaan. De mannen zagen er echter behoorlijk slonzig uit in hun oude sweaters en werkbroeken.

Na de borrel trok de huisbaas zich terug met een genodigde. Hij onttrok zich aan het gezelschap van de anderen die het veilingdiner hadden geaccepteerd. Niet om iets stiekems te doen, maar om het oude gebruik te respecteren niet aan tafel over geld te praten. Xian legde mij uiterst nauwgezet uit wie die genodigde was. Zoals je je een kassier van een bank voorstelt, moest hij contanten voorschieten en onderhandelen over de rente, maar hij vertegenwoordigde geen bank. De Italiaanse merken betalen pas als het werk is afgeleverd. Erger nog, pas nadat ze het werk hebben goedgekeurd. Salarissen, productiekosten en zelfs de verzendkosten, alles wordt voorgeschoten door de producenten. De clans lenen afhankelijk van hun invloed in het territorium geld aan de fabrieken. In Arzano bijvoorbeeld is dat de familie Di Lauro, in Sant'Antimo de familie Verde, Cennamo in Crispano enzovoorts. Deze bedrijven krijgen van de camorra voorschotten tegen lage rentes, tussen de twee tot vier procent.

Alleen bedrijven van de clans hebben toegang tot deze bancaire kredieten: ze produceren voor de Italiaanse topmerken, voor de markt aller markten. Het zijn schimmige fabriekjes, en bankdirecteuren ontvangen geen spoken. De liquiditeit van de camorra is voor de werknemers dan ook de enige mogelijkheid een hypotheek te bemachtigen. In gemeenten waar meer dan veertig procent van de bewoners van zwartwerk leeft, slagen zes van de tien families er toch in een huis te kopen. Ook ondernemers die niet voldoen aan de eisen van de grote merken vinden een koper. Ze zullen alles aan de clans verkopen om het op de markt van de valse merken te laten belanden. Alle mode van de catwalks, alle schittering van de meest mondaine primeurs komt hier vandaan. Uit de provincies Napels en

Salento, de voornaamste illegale textielcentra, uit de dorpen van Las Vegas en die op de kaap, Casarano, Tricase, Taviano, Melissano oftewel Capo di Leuca, Zuid-Salento. Hiervandaan vertrekken ze, uit dit gat. Alle goederen hebben een ontstaan dat het daglicht niet kan verdragen, dat is de wet van het kapitalisme. Maar naar het gat kijken, het vóór je zien dus, geeft een rare sensatie. Een angstige spanning, alsof de waarheid je zwaar op de maag ligt.

Onder de arbeiders van de winnende ondernemer ontmoette ik iemand die bijzonder bekwaam was: Pasquale. Hij was lang en spichtig en een beetje 'krom', zijn lengte boog zijn schouders achter zijn nek, het fysiek van een kromgetrokken tentharing. Hij werkte aan stukken en ontwerpen die rechtstreeks bij de stylisten vandaan kwamen, modellen die alleen voor zijn handen bestemd waren. Zijn salaris fluctueerde niet, maar zijn opdrachten varieerden wel. Op een of andere manier maakte hij een tevreden indruk.

Ik vond Pasquale meteen sympathiek, zodra ik zijn grote neus zag. Hij had een ouwelijk gezicht, ook al was hij een jonge vent. Met het gezicht van iemand die altijd over scharen en geknipte lappen stof gebogen had gezeten, en met vingertoppen die altijd langs de stiksels gleden. Pasquale was een van de weinigen die direct stof kon inkopen. Enkele merken die op zijn kundigheid vertrouwden, lieten hem rechtstreeks uit China materialen bestellen en hij controleerde zelf de kwaliteit. Zo hadden Xian en Pasquale elkaar ontmoet.

We waren een keer met zijn drieën bij de haven gaan eten. Na het eten groetten Xian en Pasquale elkaar en stapten Xian en ik onmiddellijk in de auto. We reden in richting van de Vesuvius. Meestal worden vulkanen met donkere kleuren geassocieerd, maar de Vesuvius is groen. Uit de verte gezien is het net een oneindige mantel van mos. Voordat we de weg naar de dorpen rond de Vesuvius insloegen, reed de auto de oprit in naar de binnenplaats van een huis. Daar stond Pasquale op ons te wachten.

Ik begreep niet wat er gebeurde. Hij stapte uit zijn auto en kroop meteen in de kofferruimte van Xians auto. Ik vroeg wat dit voorstelde. 'Wat gebeurt er? Waarom in de kofferbak?'

'Maak je niet druk. We gaan nu naar Terzigno, naar de fabriek.'

Een soort van Minotaurus nam plaats achter het stuur. Hij was uit de auto van Pasquale gestapt en leek te weten wat hij moest doen. Hij zette de auto in zijn achteruit, reed het hek uit en voordat hij de weg op reed, haalde hij een pistool tevoorschijn, een halfautomaat. Hij ontgrendelde hem en stopte hem tussen zijn benen.

Ik gaf geen kik maar toen hij door het achteruitkijkspiegeltje keek, zag de Minotaurus mijn bezorgde blik. 'Ze hebben ons een keer bijna te grazen genomen.'

'Wie dan?' Ik probeerde hem alles vanaf het begin uit te laten leggen.

'De mensen die niet willen dat de Chinezen haute couture leren maken. Zij willen alleen de stoffen uit China, meer niet.'

Ik snapte het niet, nog steeds niet. Xian kwam tussenbeide op zijn gebruikelijke kalmerende toon. 'Pasquale leert ons de topstukken te maken die ze ons nog niet toevertrouwen. Hij legt ons uit hoe we kleding moeten maken.'

De Minotaurus probeerde na de samenvatting van Xian een verklaring te geven voor het pistool. 'Oké, op een dag dook daar, precies daar, zie je wel, midden op het plein, iemand op die op onze auto begon te schieten. De motor en de ruitenwissers werden geraakt. Als ze het hadden gewild, hadden ze ons kunnen afmaken, maar het was een waarschuwing. Als het weer gebeurt, ben ik er tenminste klaar voor.'

Wanneer je achter het stuur zit, legde de Minotaurus me vervolgens uit, kun je het beste het pistool tussen je benen klemmen, als het op het dashboard ligt, zou dat de reactiesnelheid vertragen.

De weg naar Terzigno liep omhoog, waardoor de koppeling vreselijk begon te stinken. Meer dan een mitrailleursalvo vreesde ik de terugslag van de auto die het pistool af zou laten gaan in het scrotum van de bestuurder.

Zodra de auto tot stilstand was gekomen, deed Xian de kofferbak open. Pasquale kwam eruit. Hij leek op een verfrommelde Kleenex die uit de kreuk probeert te komen. Hij liep naar me toe en zei: 'Iedere keer hetzelfde liedje, ik lijk wel een vluchteling. Maar het is beter dat ze me niet in de auto zien zitten. Anders...' Hij maakte het mes-op-de-keel-gebaar.

De loods was groot, maar niet enorm. Xian had hem trots beschreven. Het was zijn eigendom, maar er zaten negen minifabriekjes in, toevertrouwd aan negen Chinese ondernemers. Toen we binnenkwamen leek het dan ook alsof je een schaakbord zag. Ieder fabriekje had zijn eigen arbeiders en zijn eigen werkbanken, precies afgebakend binnen de vierkante vlakken.

Xian had aan ieder fabriekje dezelfde ruimte toebedeeld als de fabriekjes in Las Vegas. Iedere opdracht werd hem via een veiling toebedeeld. De methode was hetzelfde. Hij had besloten geen kinderen in het werkgebied toe te laten en de ploegendiensten waren op dezelfde manier georganiseerd als in de Italiaanse fabrieken. Verder vroegen ze geen voorschot wanneer ze voor andere bedrijven werkten. Kortom, Xian was een heuse ondernemer in de Italiaanse mode aan het worden.

De Chinese fabrieken in China concurreerden met de Chinese fabrieken in Italië. Prato, Rome en de Chinatowns van half Italië stortten van ellende in elkaar. Ze hadden zo'n explosieve groei gekend dat hun val heel onverwacht was. De enige manier waarop de Chinese fabrieken zouden kunnen overleven, was door van hun arbeiders experts op het gebied van de haute couture te maken, die in Italië op topniveau konden werken. Door te leren van de Italianen, van de baasjes verspreid over Las Vegas, door geen producenten van rotzooi te worden maar marktleiders in het Zuid-Italië van de grote merken. Door hun plaats over te nemen, hun manier van redeneren, het taalgebruik in de Italiaanse illegale fabrieken en door te proberen hetzelfde werk te doen, alleen voor een beetje minder in wat meer tijd.

Pasquale haalde uit een koffertje stof tevoorschijn. Het was een kledingstuk dat hij in zijn fabriek zou moeten knippen en naaien, maar hij voerde de operatie uit op een bureau voor een televisiecamera, die het opnam en het beeld weergaf op een enorm doek achter hem. Een meisje met een microfoon vertaalde wat hij zei in het Chinees.

Het was zijn vijfde les. 'Jullie moeten veel zorg besteden aan de stiksels. De stiksels moeten licht zijn, net zichtbaar.'

De Chinese driehoek: San Giuseppe Vesuviano, Terzigno en Ottaviano, dat is de kern van de Chinese textielbranche. Alles wat er in de Chinese gemeenschap in Italië gebeurt, is eerst in Terzigno gebeurd. De eerste werkzaamheden, de kwaliteit van de productie en ook de eerste moorden. Hier is Wang Dingjm vermoord, een veertigjarige emigrant die met zijn auto uit Rome kwam om feest te vieren met zijn landgenoten. Hij was uitgenodigd en werd vervolgens door zijn hoofd geschoten.

Wang was een slangenkop, oftewel een gids. Hij had banden met de criminele kartels van Peking die Chinese burgers clandestien het land binnenbrengen. Vaak botsen de verschillende slangenkoppen met hun opdrachtgevers in de mensenhandel. Ze beloven de ondernemers een hoeveelheid mensen die ze vervolgens niet brengen. Zoals een dealer wordt vermoord wanneer hij een deel van de inkomsten voor zichzelf heeft achtergehouden, zo wordt een slangenkop vermoord wanneer hij vals spel heeft gespeeld met zijn waar, met mensen.

Maar de maffiosi zijn niet de enigen die eraan gaan. Buiten de fabriek hing een foto op een deur, de foto van een jong meisje. Een mooi gezicht, roze jukbeenderen, donkere ogen die leken te zijn opgemaakt. Hij was precies opgehangen op de plek waar je volgens de traditionele iconografie het gele gezicht van Mao zou verwachten. Het was Zhang Xiangbi, een zwanger meisje dat een paar jaar eerder was vermoord en in een put was gegooid.

Voor haar dood werkte ze hier. Een monteur uit de buurt had zijn oog op haar laten vallen; ze liep voor zijn werkplaats langs, hij vond haar leuk en dacht dat dat voldoende was om haar te kunnen hebben. Chinezen werken als beesten, kronkelen als slangen, zijn zwijgzamer dan doofstommen, iedere vorm van weerstand en wil moet hun dus wel vreemd zijn. Dit is het axioma in het hoofd van iedereen, of van bijna iedereen. Zhang daarentegen had weerstand geboden, ze had geprobeerd te ontsnappen toen de monteur toenadering zocht, maar ze kon hem niet aangeven. Ze was een Chinese, iedere zichtbare uiting van haar bestaan werd genegeerd.

Na zijn tweede poging verdroeg de man de afwijzing niet. Hij trapte haar net zo lang tot ze het bewustzijn verloor; daarna scheurde hij haar keel open en wierp haar lijk in een diepe ondergrondse put, waar hij het dagenlang liet opzwellen in vocht en water.

Pasquale kende het verhaal, hij was er ondersteboven van. Iedere keer als hij zijn les gaf, was hij zo attent om naar de broer van Zhang te gaan en te vragen hoe het met hem ging en of hij iets nodig had, maar het eeuwige antwoord was: 'Niets, nee, dank je.'

Pasquale en ik konden goed met elkaar overweg. Wanneer hij over stoffen sprak, leek hij wel een profeet. In winkels was hij akelig muggenzifterig. We konden niet eens een wandeling maken, voor iedere etalage bleef hij uitgebreid staan om de snit van een jasje af te kraken en voelde hij plaatsvervangende schaamte voor de kleermaker die een ontwerp van een rok in elkaar had gezet. Hij was in staat de levensduur te voorspellen van een broek, van een jasje, van een jurk. Het exacte aantal wasbeurten die stoffen kunnen doorstaan, voordat ze ons als een vod om het lijf gaan hangen.

Pasquale wijdde me in in de gecompliceerde wereld van de stoffen. Ik bezocht hem nu ook thuis. Bij zijn familie, zijn drie kinderen, zijn vrouw, voelde ik me altijd vrolijk. Ze waren altijd actief maar nooit gejaagd.

Ook die avond renden de kinderen op blote voetjes door het huis, maar zonder lawaai te maken. Pasquale had de televisie aangezet, en nadat hij wat had zitten zappen, bleef hij onbeweeglijk voor het scherm zitten; als een bijziende tuurde hij met zijn ogen halfdicht naar het beeld, terwijl hij uitstekend zag. Niemand zei een woord, ook al leek de stilte zwaarder te worden. Zijn vrouw Luisa had iets in de gaten, want ze kwam dichter bij de televisie staan en sloeg haar handen voor haar mond, alsof ze een schreeuw van ontzetting probeerde tegen te houden.

Op tv betrad Angelina Jolie het podium tijdens de Oscaruitreiking. Ze droeg een prachtig witsatijnen broekpak, op maat gemaakt, een setje waar de Italiaanse stylisten om vechten om het aan te mogen bieden aan de sterren. Pasquale had dit complet genaaid, clandestien in een fabriekje in Arzano. Er was hem alleen verteld: 'Dit gaat naar Amerika.'

Pasquale had honderden kledingstukken gemaakt die naar de vs gingen. Hij herinnerde zich dat witte broekpak uitstekend. Hij herinnerde zich de maten nog, alle maten. De omvang van de hals, de millimeters van de pols. En de broek. Hij was met zijn handen langs de broekspijpen gegaan en herinnerde zich nog het naakte lichaam zoals iedere kleermaker zich dat voorstelt. Een naaktheid zonder erotiek, ontworpen volgens de belijning van haar spieren en de keramiek van haar botten. Een naakt om te kleden, een balans tussen spieren, botten en houding.

Hij was in de haven de stof gaan afhalen, hij herinnerde zich die dag nog goed. Ze hadden hem opdracht gegeven voor drie broekpakken, zonder er verder iets bij te zeggen. Ze wisten voor wie ze bestemd waren, maar niemand had het hem verteld.

In Japan had de kleermaker van de bruid van de troonopvolger een staatsreceptie gekregen; een Berlijnse krant had zes bladzijden aan de kleermaker van de eerste vrouwelijke bondskanselier gewijd, bladzijden waarin werd gesproken over ambachtelijke kwaliteit, fantasie en elegantie. Pasquale was woedend, maar het was een woede die onmogelijk kon worden geuit. Voldoening is een recht: wanneer iemand een prestatie heeft geleverd, moet dat worden erkend. Hij voelde heel diep vanbinnen dat hij uitmuntend werk geleverd had en wilde dat kunnen zeggen. Hij wist dat hij meer verdiende. Maar er was hem niets verteld. Hij was er toevallig achter gekomen. Een woede die nergens toe leidde, barstensvol argumenten, waarmee hij echter geen kant op kon. Hij zou het niemand kunnen zeggen. Niet eens stiekem kunnen doorfluisteren aan de krant van de volgende dag. Hij kon niet zeggen: 'Dit broekpak heb ik gemaakt.' Niemand zou zoiets geloven.

Tijdens de Oscaruitreiking draagt Angelina Jolie een broekpak dat gemaakt is in Arzano, door Pasquale. Het allerhoogste en het allerlaagste. Miljoenen dollars en zeshonderd euro per maand. Wan-

neer al het mogelijke is gedaan, wanneer talent, bravoure, meester-
schap en toewijding in één actie, in één handeling worden omgezet,
als dit alles nergens toe dient, dan krijg je zin om op je buik te gaan
liggen, langzaam te verdwijnen, de minuten langs je heen laten
gaan, erin weg te zinken alsof het drijfzand is, zonder ook maar iets
te doen. En heel diep adem te halen. Alleen maar dat, want niets kan
deze toestand veranderen: niet eens een broekpak gemaakt voor Angelina Jolie dat ze tijdens de Oscaruitreiking aanhad.

Pasquale liep het huis uit, hij deed niet eens de moeite de deur
achter zich dicht te trekken. Luisa wist waar hij heen ging, ze wist
dat hij naar Secondigliano ging en ze wist wie hij daar ging ontmoeten. Toen liet ze zich op de bank vallen en stopte als een klein meisje
haar gezicht in het kussen. Ik weet niet waarom, maar toen Luisa begon te huilen kwamen de verzen van Vittorio Bodini bij me naar boven. Een gedicht dat ging over de strategieën die de boeren uit het
zuiden gebruikten om maar niet soldaat te hoeven worden, de loopgraven van de Eerste Wereldoorlog niet op te hoeven vullen, om de
grenzen waarvan ze het bestaan niet kenden te verdedigen. Het ging
zo:

> Ten tijde van de andere oorlog stopten boeren en smokke-
> laars/ de bladeren van de Xanti-Yaca-plant onder hun ok-
> sels/ om ziek te worden. / De kunstmatige koorts, de zoge-
> naamde malaria/ waarvan ze rilden en klappertandden, /
> waren hun oordeel/ over de regeringen en de geschiedenis.

De tranen van Luisa leken mij een oordeel over de regering en de
geschiedenis, geen uitlaatklep. Geen ongenoegen over een niet ge-
vierde voldoening. Het leek een aangepast hoofdstuk uit *Das Kapital*
van Marx, een paragraaf uit de *Rijkdom der naties* van Adam Smith,
een alinea van de *Algemene theorie van de werkgelegenheid* van John
Maynard Keynes, een notitie van de *Protestante ethiek en de geest van
het kapitalisme* van Max Weber. Een extra of een uitgescheurde bladzijde. Vergeten te schrijven of misschien geschreven, maar het stond
niet in een boek. Het was geen wanhopige daad maar een analyse.

Streng, gedetailleerd, precies, beargumenteerd.

Ik stelde me voor hoe Pasquale op straat liep, hoe hij stampte op de grond zoals wanneer je je schoenen van sneeuw wilt ontdoen. Als een kind dat zich erover verwondert waarom het leven zo pijnlijk moet zijn. Tot dan toe was het hem gelukt. Het was hem gelukt om zich in te houden, om zijn beroep uit te oefenen, om het te willen, en om het uit te oefenen als geen ander. Maar op dat moment, toen hij het broekpak zag, dat lichaam zag bewegen onder de stoffen die hij had gestreeld, voelde hij zich alleen, moederziel alleen. Want wanneer je iets alleen kent binnen de begrenzing van je eigen vlees en je eigen hoofd, is het alsof je je er niet echt bewust van bent. En als werk alleen maar dient om het hoofd boven water te houden, om te overleven, alleen voor jezelf, is dat de ergste soort eenzaamheid.

Twee maanden later zag ik Pasquale weer. Hij was overgeplaatst op de vrachtwagens. Hij vervoerde van alles en nog wat – legaal en illegaal – voor ondernemingen die banden hadden met de familie Licciardi van Secondigliano. Of tenminste, dat werd gezegd. De beste kleermaker ter wereld bestuurde een vrachtwagen van de camorra tussen Secondigliano en het Gardameer.

Hij bood me een maaltijd aan, liet me een rondje rijden op zijn enorme vrachtwagen. Hij had rode handen en gebarsten knokkels. Zoals bij alle chauffeurs die urenlang achter het stuur zitten, worden hun handen steenkoud en gaat de bloedcirculatie stagneren. Zijn gezicht was niet ontspannen, hij had dat werk gekozen uit woede, uit woede over zijn lot, een schop onder de kont van zijn leven. Je kon niet altijd alles maar slikken, ook al betekende alles opgeven een slechter leven.

Terwijl we aten stond hij op om een paar van zijn maten te groeten. Hij liet zijn portefeuille op tafel liggen. Ik zag uit het leren bundeltje een in vieren gevouwen krantenpagina steken en vouwde hem open. Het was een foto, een cover met Angelina Jolie in het wit gekleed, in het broekpak dat Pasquale had genaaid. Het jasje dat op de naakte huid werd gedragen. Je moest talent hebben om haar te kleden zonder haar fysiek te verbergen, de stof die het lichaam vergezelde, het uittekende in de lijnen van haar bewegingen.

Ik ben er zeker van dat Pasquale zo nu en dan, in zijn eentje, misschien wel na het eten, als thuis de kinderen doodmoe van het spelen op hun buik op de bank in slaap vallen en als zijn vrouw voordat ze gaat afwassen met haar moeder belt, juist op dat moment op het idee komt zijn portefeuille open te doen om naar die krantenpagina te kijken. En ik ben er zeker van dat Pasquale, als hij naar dat meesterwerk dat hij met zijn eigen handen heeft geschapen kijkt gelukkig is, razend gelukkig. Maar dat zal nooit iemand te weten komen.

Het Systeem

Het Systeem voedde de grote internationale kledingmarkt, het enorme eilandenrijk van de Italiaanse elegantie. Iedere uithoek op de aardbol was bereikt door ondernemingen, mensen en producten van het Systeem.

Systeem, een term die hier bij iedereen bekend is, maar die elders nog moet worden ontcijferd, een onbekende verwijzing voor mensen die de machtsdynamiek van de criminele economie niet kennen. 'Camorra' is een woord bedacht door smerissen, dat wordt gebruikt door rechters en journalisten, door scenarioschrijvers. Het is een woord dat de leden doet glimlachen, een algemene aanduiding, een term voor geleerden, verbannen naar de historie. De term waarmee de leden van een clan zichzelf omschrijven, is Systeem. 'Ik hoor bij het Systeem van Secondigliano.' Een veelzeggende term, eerder een mechanisme dan een structuur. De criminele organisatie valt rechtstreeks samen met de economie, de commerciële gedachte is het uitgangspunt van de clans.

Het Systeem van Secondigliano beheerste inmiddels de hele textielindustrie, de periferie van Napels was het productiegebied, het eigenlijke centrum van de ondernemingen. Alles wat elders niet mogelijk was door de starre contracten, de wet en het copyright, was ten noorden van Napels wel verkrijgbaar. De periferie die was gestructureerd rondom de ondernemende macht van de clan maakte het mogelijk om astronomische kapitalen erdoor te jagen, onvoorstelbaar voor ieder ander legaal industrieel agglomeraat. De clans hadden een volledige neven- of schaduwproductie opgezet van de textielindustrie en de vervaardiging van schoenen en leer, om zo kleding, jasjes, jacks, schoenen en overhemden te produceren die exact leken op de artikelen van de grote Italiaanse modehuizen.

In hun territorium beschikten ze over arbeidskrachten van het allerhoogste niveau, die dat hadden bereikt na decennialang te hebben gewerkt aan de topstukken van de haute couture, aan de belangrijkste ontwerpen van de Italiaanse en Europese couturiers. Dezelfde werknemers die hadden zwartgewerkt voor de grootste merknamen, werden door de clans in dienst genomen. Niet alleen de uitvoering was perfect, maar zelfs de materialen waren hetzelfde. Die werden direct op de Chinese markt gekocht of bestonden uit stoffen die door de merken werden opgestuurd naar de clandestiene fabrieken die deelnamen aan de veilingen.

De imitatiekledingstukken van de Secondigliano-clan waren dus niet de typische zigeunerspullen, de waardeloze imitaties, een kopie op de markt gebracht als authentiek. Het was een echte imitatie. Aan het kledingstuk ontbrak alleen de laatste fase, de vergunning van de Chambre Syndicale de la Couture, het overkoepelend moederbedrijf, zijn merk, maar die vergunning gaven de clans zichzelf zonder iemand iets te vragen. Overal ter wereld zijn de klanten voornamelijk geïnteresseerd in de kwaliteit en het model. Het merk stond erop, de kwaliteit was er ook, geen enkel verschil dus. De clans van Secondigliano hadden een wereldwijd netwerk opgezet, konden hele winkelketens kopen en zo de internationale kledingmarkt domineren. Hun economische organisatie voorzag ook de outletmarkt. Stukken van een iets mindere kwaliteit hadden een andere markt, die van de Afrikaanse rondtrekkende straatverkopers, de kraampjes op straat. Niets van de producten ging verloren. Van fabriek tot winkel, van winkelier tot distributeur, honderden bedrijven en werknemers waren erbij betrokken, duizenden handen en ondernemers popelden om in de grote textielbusiness van Secondigliano te stappen.

Alles werd gecoördineerd en beheerd door het Directoraat. Ik hoorde deze term voortdurend voorbijkomen, bij iedere discussie in de kroeg over een of andere zaak of bij het gebruikelijke geklaag over het gebrek aan werk. 'Het Directoraat wilde dat zo.' 'Het Directoraat zou eens wat moeten doen om het nog groter aan te pakken.' Het waren net fragmenten uit een gesprek uit het napoleontische tijdperk.

Het Directoraat was de naam die de rechters van de DDA – Direzione Distrettuale Antimafia, de Italiaanse Antimaffiadienst – hadden gegeven aan een economische, financiële en operationele structuur van ondernemers en camorrabazen, die verschillende camorrafamilies uit het gebied ten noorden van Napels vertegenwoordigde, een structuur met uitsluitend economische taken. Het Directoraat vertegenwoordigde – net als het college van de Franse Thermidor – de werkelijke macht van de organisatie, inclusief commando's en de militaire takken.

De clans die bij het Directoraat hoorden, waren aangesloten bij de Alliantie van Secondigliano, het camorrakartel waarvan verscheidene families deel uitmaakten: de families Licciardi, Contini, Mallardo, Lo Russo, Bocchetti, Stabile, Prestieri, Bosti, en de wat meer zelfstandig opererende families Sarno en Di Lauro. Dit kartel had het gebied van Secondigliano, Scampia, Piscinola, Chiaino, Miano, San Pietro tot Paterno, Giuliano en Ponticelli onder de duim. Een federale structuur van clans die langzaam maar zeker steeds zelfstandiger werden en de organische structuur van de Alliantie definitief uiteen lieten vallen.

Voor het productieve deel zetelden er in het Directoraat ondernemers van verschillende bedrijven zoals Valent, Vip Moda en Vocos Vitec, die in Casoria, Arzano en Melito de imitatieproducten van Valentino, Ferré, Versace en Armani maakten die vervolgens over de hele wereld werden verkocht. Het onderzoek van 2004, dat werd geleid door officier van justitie Filippo Beatrice van de DDA van Napels, had het hele economische imperium van de Napolitaanse camorra aan het licht gebracht.

Iets kleins had het aan het rollen gebracht, iets wat makkelijk over het hoofd had kunnen worden gezien. Een boss van Secondigliano was aangenomen in een kledingzaak in Duitsland, Nenentz Fashion aan de Dresdner Strasse 46 in Chemniz. Een vreemde gebeurtenis, ongebruikelijk. Eigenlijk was de zaak die op naam van een stroman stond zijn eigendom. Door dit spoor te volgen, kwam het hele productie- en handelsnetwerk van de clans van Secondigliano aan het licht. De onderzoekers van de Napolitaanse DDA waren er met behulp van spijtoptanten en telefoontaps in geslaagd alle handelsketens van de clans, van de magazijnen tot aan de winkels toe, te reconstrueren.

Er was geen plek waar ze geen zaken hadden opgezet. In Duitsland hadden ze warenhuizen en winkels in Hamburg, Dortmund en Frankfurt. In Berlijn bezaten ze de Laudano-winkels op Gneisenaustrasse 800 en Witzlebenstrasse 15, in Spanje trof je ze aan in de Paseo de la Ermita del Santo 30 in Madrid en ook in Barcelona, in België in Brussel, in Portugal in Oporto en Boavista, in Oostenrijk in Wenen, in Engeland een blazerzaak in Londen, en in Ierland in Dublin. In Nederland zaten ze in Amsterdam en verder in Finland en Denemarken, in Sarajevo en Belgrado.

Aan de overzijde van de Atlantische Oceaan hadden de clans van Secondigliano geïnvesteerd van Canada en de Verenigde Staten tot in Zuid-Amerika. Ze zaten op 253 Jevlan Drive in Montréal en in Woodbridge in Ontario. En het USA-netwerk was immens, miljoenen jeans gingen over de toonbank in de winkels van New York, Miami Beach, New Jersey en Chicago, waardoor ze bijna het monopolie over de markt van Florida kregen. De Amerikaanse winkeliers en eigenaren van winkelcentra wilden alleen onderhandelen met de intermediairs uit Secondigliano. Designkleding van de grote ontwerpers tegen toegankelijke prijzen zorgden ervoor dat hun winkelcentra, hun *malls*, uitpuilden van de mensen. De merken die op de stoffen stonden gedrukt waren perfect.

In een werkplaats in een Napolitaanse buitenwijk was een mal gevonden waarmee de Gorgo van Versace afgedrukt kon worden. In Secondigliano deed het gerucht de ronde dat de Amerikaanse markt werd gedomineerd door de kleding van het Directoraat, en dit zou het voor de jongens die in de vs commercieel agent wilden worden veel makkelijker hebben gemaakt, ze hoefden het succes maar te volgen van de Vip-jeans die de winkels in Texas vulden en daar werden verkocht als Valentino-spijkerbroeken.

De zaken breidden zich ook uit naar het andere halfrond. In Australië was Moda Italiana Emporio in New South Wales op 28 Ramsay Road, Five Dock, een van populairste plekken geworden om chique kleding te kopen, en ook in Sydney hadden de clans warenhuizen en winkels. In Brazilië, in Rio de Janeiro en São Paulo hadden de Secondiglianen de kledingmarkt in handen. Ze waren van plan een zaak op Cuba te beginnen voor de Europese en Amerikaanse toeristen, en in Saudi-Arabië en Noord-Afrika waren ze een hele tijd geleden al begonnen met investeren.

Het Directoraat paste het magazijnmechanisme toe, zo noemden ze dat in de afgetapte telefoongesprekken: heuse uitzendbureaus en distributiecentra, depots waar kledingstukken zijn opgeslagen. De magazijnen waren het centrum van het commerciële netwerk, waarin de agenten elkaar tegenkwamen wanneer ze goederen ophaalden om deze naar de winkels van de clans of naar andere detailhandelaren te distribueren. Die methode stamde uit vroeger tijden. Van de *magliari*, de Napolitaanse truienverkopers die na de Tweede Wereldoorlog kilometervretend de halve wereld hadden overspoeld en in propvolle tassen sokken, blouses en jasjes met zich meezeulden. Door hun eeuwenoude markttactieken op uitgebreidere schaal toe te passen, zijn magliari echte handelsagenten geworden die overal kunnen verkopen: van wijkmarkten tot winkelcentra, van parkeerplaatsen tot benzinestations. De handigste magliari konden een kwaliteitssprong maken en probeerden grote partijen kleding rechtstreeks te verkopen aan detailhandelaren. Volgens de onderzoeken organiseerden enkele ondernemers de distributie van de imitatiespullen en boden ze de agenten, de magliari, logistieke ondersteuning aan. Ze schoten de reis- en verblijfskosten voor, ze voorzagen hen van bestelbusjes en auto's, en wanneer er camorrabazen gearresteerd of ontvoerd werden, stonden ze in voor juridische bijstand. Uiteraard incasseerden ze het geld van de verkoop. Zaken die voor iedere familie jaarlijks zo'n 300 miljoen euro in het laatje brachten.

De Italiaanse modemerken begonnen pas te protesteren tegen de grote imitatiemarkt van de kartels van Secondigliano toen de Antimaffiadienst het hele mechanisme ontdekte. Daarvóór hadden ze geen publicitaire campagne tegen de clans opgezet, hadden ze nooit aangifte gedaan en hadden ze ook nooit de pers geïnformeerd om de parallelle productiemechanismen te onthullen waarvan ze te lijden hadden. Het valt moeilijk te begrijpen waarom de merken zich nooit tegen de clans hebben verzet. Dit zou talrijke redenen kunnen hebben. De grote markt opgeven betekende voor altijd afzien van de goedkope arbeidskrachten waarvan ze in Campania en Puglia gebruikmaakten. De clans zouden hun toevoerkanalen naar het achterland van de textielfabrieken in de Napolitaanse provincie hebben afgesloten en de betrekkingen met de fabrieken in Oost-Europa en het Verre Oosten hebben bevroren. Duizenden verkoopcontacten met winkels zouden erdoor op het spel worden gezet, aangezien heel veel verkooppunten rechtstreeks door de clans werden beheerd. De distributie, de agenten en de transporten vallen in veel streken onder het gezag van de families zelf. Als ze dat allemaal zouden opgeven, zouden de distributieprijzen meteen omhoogschieten.

De clans begingen overigens geen misdaad die het imago van de merken schaadde, maar buitten simpelweg hun publicitaire, mediagenieke en symbolische uitstraling uit. Ze produceerden geen misbaksels en bezoedelden de kwaliteit of de modellen niet. Ze slaagden erin niet verwikkeld te raken in een symbolische concurrentiestrijd met de merken, maar verspreidden steeds meer producten die door de marktprijzen onbetaalbaar waren geworden voor het grote publiek. Ze verspreidden het merk. Als bijna niemand meer merkkleding draagt, als deze alleen nog te zien is op mannequins van vlees en bloed op de catwalk, dooft de markt langzaam uit en wordt het prestige van merkkleding minder. Verder werden in de Napolitaanse fabrieken imitatiejurken en -broeken geproduceerd in maten die de merken, vanwege hun imago, niet maken. De clans stelden zichzelf echter geen imagovragen als er winst kon worden gemaakt. De clans van Secondigliano waren erin geslaagd met de kwaliteitsimitatie en het geld van de handel in verdovende middelen winkels en winkelcentra te kopen waar steeds vaker authentieke producten werden vermengd met de kwaliteitsimitatie, waardoor ieder onderscheid verdween. Het Systeem had in zekere zin het imperium van de legale mode ondersteund, ondanks de astronomische prijzen, en zelfs de crisis op de markt uitgebuit. Het Systeem, dat buitengewone resultaten behaalde, bleef overal ter wereld het 'made in Italy' verspreiden.

In Secondigliano had men begrepen dat het wereldwijde fijnmazige netwerk van kledingverkooppunten hun meest exclusieve business was, die zelfs niet onderdeed voor die van de drugs. Via de handelskanalen van de kleding bewogen zich ook in vele gevallen de trajecten in verdovende middelen.

Het ondernemersgeweld van het Systeem heeft zich niet tot kleding beperkt, maar heeft ook in technologie geïnvesteerd. Vanuit China, voor zover uit het onderzoek van 2004 naar voren komt, verplaatsen en distribueren de clans in Europa via hun handelsnetwerk verschillende hightechproducten. Europa had de buitenkant, het merk, de bekendheid, de publiciteit; China had de inhoud, het product zelf, de goedkope productie en materialen tegen spotprijzen. Het Systeem van de camorra heeft die twee dingen samengebracht met als resultaat winst op alle fronten.

De clans hadden begrepen dat het economische systeem op apegapen lag, en door de gang te volgen van de ondernemingen die eerst in de periferie van de *mezzogiorno*, het zuiden, investeerden en zich vervolgens langzaam naar China verplaatsten, waren ze erin geslaagd de Chinese industriële districten te ontdekken die voor de grote westerse huizen produceerden. Zo kwamen ze op het idee om partijen hightechproducten te bestellen voor de Europese markt, met uiteraard een vals merk erop dat ze aantrekkelijker zou maken. Maar ze vertrouwden het niet zomaar: net als bij een partij coke hebben ze eerst de kwaliteit getest van de producten van de Chinese fabrieken die ze hadden benaderd. Pas nadat ze de waarde van de producten op de markt hadden getest, riepen ze een van de meest florerende intercontinentale businesses in het leven die de criminele geschiedenis ooit heeft gekend. Het ging om digitale fototoestellen en videocamera's, maar ook om gereedschappen voor werkplaatsen: boormachines, decoupeerzagen, pneumatische boren, slijpmachines, schuurmachines. Allemaal verhandelbaar gemaakte producten door ze te voorzien van merken als Bosch, Hammer, Hilti.

De boss van Secondigliano, Paolo Di Lauro, had besloten in fototoestellen te investeren toen hij, tien jaar voordat de Confindustria handelsbetrekkingen aanging met het Verre Oosten, in China kwam. Op de Oost-Europese markt werden duizenden modellen van Canon en Hitachi door de Di Lauro-clan verkocht. Producten die eerst voorbehouden waren aan de beter verdienende middenklasse werden, dankzij de import van de Napolitaanse camorra, toegankelijk voor een groter publiek. De clans eigenden zich alleen het uiteindelijke merk toe, om beter door te kunnen dringen tot de markt, maar het product was nagenoeg gelijk.

De investeringen in China van de Di Lauro- en de Contini-clan – die in 2004 aan het licht kwamen in het onderzoek van de Napolitaanse DDA – tonen de vooruitziende ondernemersblik van de camorrabazen. De grote onderneming was opgehouden te bestaan en daardoor waren de criminele agglomeraten uiteengevallen. De *Nuova Camorra Organizzata*, de gereorganiseerde camorra van Raffaele Cutolo uit de jaren tachtig, was eigenlijk een enorm bedrijf, een gecentraliseerd agglomeraat. Toen kwam de *Nuova Famiglia*, de nieuwe familie, van Carmine Alfieri en Antonio Bardellino met een federatieve structuur, waarbij de families economisch onafhankelijk van elkaar waren maar door operationele belangen met elkaar waren verbonden. Ook deze structuur bleef log.

Nu heeft de economische flexibiliteit er echter voor gezorgd dat kleine groepjes boss-managers die honderden nevenproducten onder zich hadden, ieder met afgebakende taken, de economische en sociale arena konden betreden. Een horizontale structuur, veel flexibeler dan Cosa Nostra, veel toegankelijker voor nieuwe allianties dan de 'ndrangheta en in staat om zich voortdurend te voeden met nieuwe clans en nieuwe strategieën, door voorop te lopen in de markt. Tientallen politieoperaties over de afgelopen jaren hebben aangetoond dat zowel de Siciliaanse maffia als de 'ndrangheta met de Napolitaanse clans hebben moeten onderhandelen over de aankoop van grote drugspartijen. De Napolitaanse kartels en de kartels uit Campania leverden cocaïne en heroïne tegen gunstige prijzen, leveringen die in veel gevallen gemakkelijker en goedkoper bleken dan via het rechtstreekse contact met Zuid-Amerikaanse en Albanese dealers.

Ondanks de reorganisatie van de clans is de camorra wat betreft ledenaantal de meest omvangrijke criminele organisatie van Europa. Tegenover ieder Siciliaans lid zijn er vijf uit Campania, tegenover iedere 'ndranghetista zelfs acht: het drie-, viervoudige van andere organisaties. In de schaduw van de eeuwige aandacht voor Cosa Nostra, in de obsessieve aandacht die was voorbehouden aan de bommen van de maffia, heeft de camorra de juiste afleidingsmanoeuvre bedacht om voor de media praktisch onbekend te kunnen blijven. Met de postfordistische reorganisatie van de criminele groeperingen hebben de clans van Napels een einde gemaakt aan het uitbetalen van compensatiegelden. De toename van de kleine criminaliteit in de steden heeft te maken met deze loononderbreking, die dankzij progressieve reorganisatie van de criminele kartels van de afgelopen jaren is doorgevoerd. De clans hebben geen haarfijne, militaire controle meer nodig, of ze hadden het althans steeds minder nodig. De belangrijkste zaken van de camorristische bendes spelen zich buiten Napels af.

Zoals de onderzoeken van de Antimaffiacommissie in Napels aangeven, heeft de federale en flexibele structuur van de camorristische groeperingen het oude familienetwerk volkomen veranderd: vandaag de dag zou je als je het hebt over de clan, eerder moeten spreken van businessteams en niet meer van diplomatieke allianties en onverwoestbare pacten. De flexibiliteit van de camorra is het antwoord op de noodzaak van de ondernemingen om kapitaal in beweging te zetten, om vennootschappen op te richten en te beëindigen, om geld te laten circuleren en snel te investeren in vastgoed zonder de uitzonderlijk hoge druk van de territoriumkeuze of van politieke bemoeienissen. De clans hoeven zich niet meer te organiseren in macrostructuren.

Tegenwoordig kan een groep mensen besluiten samen te gaan, overvallen te plegen, etalages in te slaan, te stelen, zonder te worden blootgesteld aan bloedbaden of inlijving door de clan, zoals in het verleden. De bendes die Napels beheersen, bestaan niet alleen uit individuen die in de misdaad zitten om het volume van hun portefeuille te vergroten, om dure auto's te kopen of om een makkelijk leven te leiden. Ze zijn zich er vaak van bewust dat ze door zich te organiseren en door de frequentie en het geweld van hun eigen acties op te voeren, hun eigen economische capaciteit kunnen verbeteren en zo gesprekspartners van de clans of hun vertakkingen kunnen worden. Het netwerk van de camorra bestaat zowel uit groepen die zuigen als vraatzuchtige luizen waardoor ze ieder economisch traject lamleggen, als uit groepen die als razendsnelle voorhoedelopers hun eigen zaak tot het hoogste ontwikkelings- en handelsniveau drijven. Tussen deze twee tegengestelde en tegelijkertijd complementaire bewegingen, wordt de opperhuid van de stad opgerekt en uiteengereten.

In Napels is meedogenloosheid de meest gecompliceerde en tevens de gunstigste manier om een succesvolle ondernemer te worden; de sfeer van een stad in oorlog die door iedere porie binnendringt heeft de ranzige geur van zweet, alsof de straten fitnesscentra in de openlucht zijn, waar plunderen, stelen en overvallen plegen beoefend kan worden, en de gymnastiek van de macht kan worden uitgeprobeerd, kortom de spinning van de economische groei.

Het Systeem is gegroeid als deeg dat te rijzen is gelegd in de houten kisten van de periferie. De gemeentelijke en regionale politiek meende het tegen te kunnen houden door geen zaken met de clans te doen. Maar dat was niet genoeg. Ze hebben verzuimd aandacht te besteden aan het fenomeen, en de macht onderschat van de families die ze als een verloedering van de buitenwijken beschouwden, en zo heeft Campania het record van gemeenten onder curatele wegens camorristische infiltratie, en van 1991 tot heden zijn er maar liefst 71 gemeenten ontbonden. Alleen al in de provincie Napels zijn de volgende gemeenteraden ontbonden: Pozzuoli, Quarto, Marano, Melito, Portici, Ottaviano, San Giuseppe Vesuviano, San Gennaro Vesuviano, Terzigno, Calandrino, Sant'Antomino, Tufino, Crispano, Casamarciano, Nola, Liveri, Boscoreale, Poggiomarino, Pompei, Ercolano, Pimonte, Casola di Napoli, Sant'Antonio Abate, Santa Maria la Carità, Torre Annunziata, Torre del Greco, Volla, Brusciano, Acerra, Casoria, Pomigliano d'Arco, Frattamaggiore. Een heel hoog cijfer dat ver boven de ontbonden gemeenten in andere Italiaanse regio's uitstijgt: 44 in Sicilië, 34 in Calabrië en 7 in Puglia. Slechts 9 van de 92 gemeentes in de provincie Napels hebben nooit bewindvoerders opgelegd gekregen, zijn nooit aan onderzoeken onderworpen of gevolgd.

De bedrijven van de clans hebben bestemmingsplannen opgesteld, zijn geïnfiltreerd in de ASL – de Italiaanse GGD – hebben stukken grond aangeschaft vlak voordat er een bouwvergunning voor werd afgegeven om vervolgens de bouw van winkelcentra uit te besteden aan onderaannemers, ze hebben patroonsfeesten en hun eigen servicebedrijven opgedrongen, van bedrijfskantines tot schoonmaakbedrijven, van transportbedrijven tot vuilnisophaaldiensten.

Nooit is de criminaliteit in het economische leven in een gebied zo overweldigend aanwezig geweest als in de afgelopen tien jaar in Campania. De camorraclans hebben geen politici nodig zoals de Siciliaanse maffia, het zijn juist de politici die het Systeem hard nodig hebben. In Campania hoort het bij de strategie van de clan dat het zichtbare gedeelte van de politiek op de radio en televisie formeel immuun is voor iedere betrokkenheid. In de provincie echter, in de dorpen waar de clans militaire ondersteuning nodig hebben, dekmantels voor voortvluchtigen en voor de wat openlijker economische manoeuvres, daar zijn de banden tussen politici en camorrafamilies veel inniger. De clans van de camorra komen via hun zakelijk imperium aan de macht, en dat is voldoende om al het andere te kunnen domineren.

De transformatie van het criminele ondernemerschap in de periferie van Secondigliano en Scampia werd in gang gezet door de familie Licciardi, die opereert vanuit een landbouwbedrijf, een onneembare feodale vesting. Gennaro Licciardi, 'de Aap', was de eerste boss die tot de metamorfose van Secondigliano had besloten. Fysiek leek hij ook echt op een gorilla of orang-oetan. Licciardi was aan het eind van de jaren tachtig in Secondigliano de plaatsvervanger van Luigi Giuliano, de boss van Forcella, in het hart van Napels.

De periferie werd als een achterlijk gebied beschouwd waar geen winkels zijn, geen winkelcentra komen, een gebied in de marge van rijkdom, waar de bloedzuigers van de afpersingsbendes zich niet kunnen voeden met percentages. Maar Licciardi begreep dat het een knooppunt kon worden van dealersplekken, een vrijhaven voor transporten, een reservevoorraad spotgoedkope ongeschoolde arbeiders, een gebied waar algauw de steigers van de nieuwe agglomeraten van de stad in uitbreiding te zien zouden zijn.

Gennaro Licciardi kon zijn strategie niet volledig verwezenlijken. Hij stierf op 38-jarige leeftijd in de gevangenis aan een ordinaire navelbreuk, een deerniswekkend einde voor een boss. Vooral omdat hij, toen hij jonger was, in het arrestantenlokaal van het gerechtshof van Napels, in afwachting van een zitting, in een vechtpartij verwikkeld was geraakt tussen de leden van de NCO van Cutolo en van de Nuova Famiglia, de twee belangrijkste fronten van de camorra. Hij kreeg welgeteld zestien messteken over zijn hele lijf, maar hij had het er levend van afgebracht.

De familie Licciardi had van een plek die alleen reservoir was voor voetvolk een goedgeoliede handelsmachine in verdovende middelen gemaakt: een internationale, criminele onderneming. Duizenden mensen werden aangeworven, lid gemaakt, platgedrukt in het Systeem. Textiel en drugs, maar handelsinvesteringen voor alles. Na de dood van Gennaro de Aap namen zijn broers Pietro en Vincenzo de militaire macht over, maar Maria, 'de kleine meid', behield de economische macht van de clan.

Na de val van de Berlijnse Muur bracht Pietro Licciardi het merendeel van zijn eigen investeringen, zowel legale als illegale, over naar Praag en Brno. De Tsjechische Republiek was volledig in handen van de Secondiglianen, die de tactiek hanteerden van de productieve periferie en begonnen te investeren om de markten in Duitsland te veroveren. Pietro Licciardi had alle kenmerken van een manager en werd door de ondernemers die bij hem waren aangesloten 'de Romeinse keizer' genoemd vanwege zijn autoritaire, laatdunkende houding, die uitstraalde dat hij geloofde dat de hele aardbol een verlengstuk van Secondigliano was. Hij had een kledingzaak in China geopend, een commercieel pied-à-terre in Taiwan, waardoor hij ook de Chinese binnenlandse markt zelf op kon en niet enkel de arbeidskrachten uitbuitte.

In juni 1999 werd hij in Praag gearresteerd. Hij was door militairen bespioneerd en werd ervan beschuldigd dat hij in 1998 opdracht had gegeven een autobom te plaatsen in de Via Cristallini, bij het ministerie van Volksgezondheid, tijdens conflicten tussen de clans uit de periferie en die uit de oude binnenstad. Een bom die de hele wijk moest straffen en niet alleen de leiders van de clan. Toen de auto de lucht in vloog, kwamen staalplaten en glas als projectielen op dertien mensen terecht. Er was echter onvoldoende bewijs om hem te veroordelen en hij werd vrijgesproken.

De Licciardi-clan doekte in Italië het grootste deel op van zijn activiteiten in textiel en handelsondernemingen in Castelnuovo del Garda in de regio Veneto. Niet ver daarvandaan werd in Portogruaro Vincenzo Pernice, de zwager van Pietro Licciardi, gearresteerd en met hem enkele handlangers van de clan onder wie Renato Peluso, woonachtig in Castelnuovo del Garda zelf. Handelaren en ondernemers uit Veneto die connecties hadden met de clans, hadden de vluchtweg van Pietro Licciardo veiliggesteld, niet meer vanuit een oppervlakkige betrokkenheid maar omdat ze volledig waren opgegaan in de criminele organisatie van ondernemers. De Licciardi hadden naast een wijdvertakt net van ondernemingen ook een militaire tak. Sinds de arrestaties van Pietro en Maria wordt de clan geleid door Vincenzo, de voortvluchtige boss, die zowel het militaire als het economische apparaat coördineert.

De clan is altijd bijzonder wraakzuchtig geweest. Ze namen op gruwelijke wijze wraak voor de dood van Vincenzo Esposito, het neefje van Gennaro Licciardi, die in 1991 op 21-jarige leeftijd werd vermoord in de wijk Monterosa, het territorium van de Prestieri's, een van de families van de Alliantie. Esposito werd 'het prinsje' genoemd omdat hij het neefje van de vorsten van Secondigliano was. Hij was op zijn motor om uitleg gaan vragen over geweldpleging tegen een aantal van zijn vrienden. Hij had zijn helm op en werd neergeschoten omdat hij voor een killer werd aangezien. De familie Licciardi beschuldigde de familie Di Lauro, waarmee de familie Prestieri nauw was verbonden, dat zij de killers hadden geleverd voor de liquidatie. En volgens spijtoptant Luigi Giuliano was het juist Di Lauro die de moord op 'het prinsje' had georganiseerd omdat die zijn neus te veel in bepaalde zaken stak. Wat het motief ook was, de macht van de Licciardi's was zo onaantastbaar dat ze de clans dwongen zich te ontdoen van de mogelijke verantwoordelijken voor de dood van Esposito. Ze lieten een bloedbad aanrichten waardoor er in een paar dagen tijd veertien mensen werden vermoord die op verschillende manieren, direct of indirect, betrokken konden zijn geweest bij de moord op hun jonge erfgenaam.

Ook was het Systeem erin geslaagd de traditionele afpersing en de woekermethodes te veranderen. Ze begrepen dat de handelaren cash nodig hadden en dat de banken steeds strenger werden, dus begonnen de clans zich te mengen in de betrekkingen tussen leveranciers en winkeliers. Winkeliers die hun eigen artikelen moeten aanschaffen, kunnen deze contant betalen of met bankwissels. Als ze contant betalen is de prijs lager, de helft tot tweederde van het bedrag dat ze met bankwissels zouden betalen. In deze situatie had de winkelier er alle belang bij contant te betalen en het verkopende bedrijf was er zelf ook bij gebaat. De contanten worden door de clan aangeboden tegen een rente van gemiddeld tien procent. Op deze manier wordt er automatisch een vennootschappelijke sfeer gecreëerd tussen de kopende winkelier, de verkoper en de geheime financier, oftewel de clan. De opbrengsten van de activiteiten werden fiftyfifty gedeeld, maar het komt voor dat de schuldenlast steeds hogere percentages in de kas van de clan doet belanden en dat op het laatst een winkelier een stroman wordt die een maandelijks salaris ontvangt.

De clans werken niet zoals banken, die alles in beslag nemen als niet aan een schuld kan worden voldaan; ze gebruiken het vastgoed en laten de mensen met ervaring die hun eigendom kwijt zijn geraakt doorwerken. Volgens de verklaringen van een spijtoptant in een onderzoek van de DDA in 2004 zijn vijftig procent van de winkels alleen al in Napels indirect in handen van de camorra.

Inmiddels behoort de maandelijkse afpersing, zoals die in *Mi manda*

Picone, de film van Nanni Loy, die met Kerstmis, Pasen en op Maria Hemelvaart in alle huiskamers te zien is, tot de werkwijze van schooierachtige clans, gebruikt door groepen die proberen te overleven en niet in staat zijn om een onderneming op te zetten. Alles is veranderd.

De familie Nuvoletta uit Marano in de periferie aan de noordkant van Napels had een veel beter doordacht en efficiënter afpersingsmechanisme in het leven geroepen, gebaseerd op wederzijds voordeel en verplichte leveringen. Giuseppe Gala, bijgenaamd 'de Showman', was een van de meest gewaardeerde en gevraagde agenten in de levensmiddelenindustrie geworden. Hij was vertegenwoordiger bij Bauli en Von Holten, en via het bedrijf Vip Alimentari kreeg hij als leverancier van Parmalat het alleenrecht in het district Marano. In een telefoongesprek, door de rechters van de DDA van Napels in de herfst van 2004 vrijgegeven, schepte Gala op over zijn kwaliteiten als leverancier: 'Ik heb ze allemaal ingepakt, we zijn de sterkste op de markt.'

De bedrijven waarmee hij zaken deed kregen inderdaad de zekerheid dat ze vertegenwoordigd werden in het hele territorium waar hij actief was, plus de garantie van een verhoogd aantal bestellingen. Aan de andere kant waren de winkeliers en de supermarkten maar wat gelukkig om in contact te kunnen komen met Pepe Gala, want hij verstrekte veel hogere kortingen op de waar doordat hij druk kon uitoefenen op bedrijven en leveranciers. Aangezien hij een man van het Systeem was en ook de transporten controleerde, kon de Showman gunstige prijzen en razendsnelle leveringstijden toezeggen.

De clan legt niet door middel van intimidatie maar door middel van goede manieren het product op dat hij besluit te 'adopteren'. De bedrijven die door Gala worden vertegenwoordigd, verklaren slachtoffer te zijn geworden van racket, afpersing door de camorra, en de voorschriften van de clan te hebben moeten opvolgen. Maar als je de cijfers bekijkt die te achterhalen zijn in de bestanden van de Conf-commercio, het verbond van werkgevers in de handel, is te zien dat de bedrijven die zich tot Gala hadden gewend in de periode tussen 1998 en 2003 een toename van de jaarlijkse verkoop hadden van veertig tot tachtig procent. Met zijn verkoopstrategieën kon Gala zelfs de geldproblemen van de clan oplossen. Rond de kerst verhoogde hij de prijs van de *panettone*, de kerstcake, om de families van gedetineerde leden van de Nuvoletta's hun dertiende maand te kunnen betalen.

Het succes werd de Showman echter fataal. Volgens het verhaal van enkele spijtoptanten probeerde hij ook om de enige leverancier op de drugsmarkt te worden. De familie Nuvoletta wilde er niet van weten. Hij werd in januari 2003 levend verbrand teruggevonden in zijn auto.

Nuvoletta is de enige familie buiten Sicilië die in de koepel van Cosa Nostra zitting heeft, niet als gewoon lid of bondgenoot, maar structureel verbonden met de Corleonezen, een van de machtigste groeperingen in de schoot van de maffia. Zo machtig dat de Sicilianen, volgens de verklaringen van spijtoptant Giovanni Brusca, de clan uit Marano om hun mening en hun medewerking vroegen toen ze begonnen met het treffen van voorbereidingen om eind jaren negentig in grote delen van Italië bommen af te laten gaan. De Nuvoletta's vonden het idee om met bommen te strooien een belachelijke strategie, die meer met politieke gunsten te maken had dan met effectieve militaire resultaten. Ze weigerden hun medewerking en hun logistieke steun aan de aanslagplegers. Een weigering die werd uitgesproken zonder enige vorm van vergelding te ondergaan.

Totò Riina zelf smeekte de boss Angelo Nuvoletta de rechters om te kopen tijdens zijn megaproces, maar ook in dit geval kwamen de Maranezen de militaire vleugel van de Corleonezen niet te hulp. In de jaren van de oorlog binnen de Nuova Famiglia, na de overwinning op Cutolo, lieten de Nuvoletta's de moordenaar van rechter Falcone, Giovanni Brusca, boss van San Giovanni Jato, opbellen om hem te vragen vijf mensen in Campania uit de weg te laten ruimen en om twee ervan in zoutzuur op te lossen. Ze belden hem zoals je de loodgieter belt, en hij heeft zelf de rechters verteld hoe het oplossen van Luigi en Vittorio Vastarella in zijn werk was gegaan: 'We gaven de opdracht tot de aanschaf van honderd liter zoutzuur. Er waren metalen vaten nodig van tweehonderd liter die normaal bestemd zijn om olie in te bewaren en die aan de bovenkant een inkeping hebben. Het was onze ervaring dat er in ieder vat vijftig liter zoutzuur moest worden gegoten en aangezien er twee mensen uit de weg moesten worden geruimd, lieten we twee vaten klaarmaken.'

De Nuvoletta's, die een federatie vormden met de subclans van de Nettuno's en de Polverino's, hadden ook het investeringsmechanisme van de handel in verdovende middelen vernieuwd en een heus systeem van volksaandelen in cocaïne opgezet. De DDA van Napels toonde in een onderzoek uit 2004 aan dat de clan via tussenpersonen iedereen toestemming had gegeven om mee te doen bij de aankoop van partijen drugs. Een pensioen van zeshonderd euro investeren in coke betekende na een maand het dubbele krijgen. Andere garanties dan het woord van de tussenpersonen had je niet, maar de investering was altijd gunstig. Het risico je geld te verliezen woog niet op tegen de verkregen winst, vooral niet als je het vergeleek met de rente die je ontving wanneer je het geld op de bank zou hebben gezet. De enige nadelen waren van organisatorische aard: de zakjes coke moesten vaak bewaakt worden door kleine investeerders om de opslagruimtes te verspreiden en op die manier inbeslagnames praktisch onmogelijk te maken. De camorraclans waren er zo in geslaagd om de circulatie van kapitaal uit te breiden, waarbij ze ook de kleine burger betrokken die niets met de criminele mechanismen te maken had, maar die het beu was zijn vermogen aan de bank toe te vertrouwen. Ook hadden ze de distributie naar de detailhandel verplaatst. De Nuvoletta-Polverino's maakten herenkappers en zonnebankcentra tot de nieuwe detailhandelaren in coke. De winst van de drugshandel werd vervolgens via enkele stromannen opnieuw geïnvesteerd in de koop van appartementen, hotels, aandelen in dienstverlenende bedrijven, privé-scholen en zelfs kunstgaleries.

De man die de meest solide kapitalen beheerde in de familie Nuvoletta was, volgens de aantijgingen, Pietro Nocera. Een van de machtigste managers van het territorium reed stelselmatig rond in een Ferrari en had de beschikking over een eigen vliegtuig. Het gerechtshof van Napels verordende in 2005 de inbeslagname van zijn onroerende goederen en vennootschappen ter waarde van ruim dertig miljoen euro: eigenlijk was dit maar vijf procent van zijn economisch imperium. Een medewerker bij justitie, Salvatore Speranza, onthulde dat Nocera de administrateur van al het geld van de Nuvoletta-clan is en voor 'de investering van het geld van de organisatie in grond en in de bouw in het algemeen' zorgt.

De Nuvoletta's investeren in Emilia-Romagna, Veneto, de Marken en Lazio via Enea, een coöperatie voor productie en werk die door Nocera werd gerund, zelfs toen hij voortvluchtig was. Ze factureerden waanzinnig hoge bedragen, omdat Enea openbare aanbestedingen had gekregen voor miljoenen euro's in Bologna, Reggio Emilia, Modena, Venetië, Asoli Piceno en Frisinone.

De zaken van de Nuvoletta's hebben zich jaren geleden ook naar Spanje verplaatst. Nocera ging naar Tenerife om bij Armando Orlando, die door de investeerders als de leider van de clan werd beschouwd, de uitgaven van de bouw van een imponerend gebouwencomplex, de Marina Palace, aan te vechten. Nocera viel hem erop aan dat hij te veel uitgaf omdat hij te dure materialen gebruikte. Ik heb Marina Palace alleen maar op internet gezien, maar de site zegt genoeg: een enorm toeristisch complex met zwembaden en veel beton. De Nuvoletta's hadden het gebouwd om deel te kunnen uitmaken van de toeristenindustrie in Spanje en die te voeden.

Paolo Di Lauro kwam uit de school van de Maranezen, en begon zijn criminele carrière als plaatsvervanger. Langzamerhand nam Di Lauro afstand van de Nuvoletta's en in de jaren negentig werd hij de rechterhand van de boss van Castellamare, de voortvluchtige Michele D'Alessandro, en hield hij zich rechtstreeks bezig met diens zaken. Zijn plan was om de dealersplekken volgens dezelfde methode te coördineren als waarmee hij winkelketens en jassenfabrieken had beheerd. De boss begreep dat na de dood van Gennaro Licciardi in de gevangenis het territorium van Noord-Napels de grootste openluchtdrugsmarkt in Italië en Europa zou kunnen worden, en dat alles onder het beheer van zijn mannen.

Paolo Di Lauro die altijd stilletjes alles regelde en kwaliteiten bezat die meer van financiële dan van militaire aard waren, drong niet openlijk de territoria van andere camorrabazen binnen en werd niet op zijn hielen gezeten door onderzoeken en huiszoekingen.

Een van de eersten die het organigram van Di Lauro's organisatie onthulde, was de spijtoptant Gaetano Conte. Een spijtoptant met een bijzonder interessante geschiedenis. Hij was carabiniere geweest in Rome, bodyguard van Francesco Cossiga. Zijn hoedanigheden als lijfwacht van een Italiaanse president hadden hem doen promoveren tot rechterhand van boss Di Lauro. Conte besloot, nadat hij voor de clans afpersingen en handel in verdovende middelen voor zijn rekening had genomen, om met een overvloed aan informatie en details die alleen een carabiniere zou kunnen geven, samen te gaan werken met justitie.

Paolo Di Lauro staat bekend als 'Ciruzzo de miljonair', een idiote bijnaam, maar bijnamen kennen een exacte logica, een geijkte ontstaanswijze. Ik heb de leden van het Systeem altijd bij hun bijnaam horen noemen, zelfs zozeer dat de voor- en achternaam in vele gevallen verdwenen, vergeten raakten. Je kiest niet zelf je eigen bijnaam, die komt plotseling, om een of andere reden opborrelen, en wordt door anderen opgepikt. Dus de bijnamen van de camorra ontstaan uit puur toeval.

Paulo Di Lauro is omgedoopt in Ciruzzo de miljonair door boss Luigi Giuliano, die hem op een avond aan de pokertafel zag aanschuiven terwijl hij uit zijn zakken tientallen briefjes van 100.000 lire liet vallen.

Giuliano riep: 'En wie hebben we daar? Als dat niet Ciruzzo de miljonair is!' Een naam die op een avond zomaar bedacht werd in benevelde toestand, een goeie vondst.

De bloemlezing van bijnamen is oneindig. Carmine Alfieri '*o 'ntufato*', de kwaaie, de boss van de Nuova Famiglia, werd zo genoemd om de ontevreden en boosaardige grijns die hij altijd op zijn gezicht had. Verder zijn er bijnamen die afkomstig zijn van de bijnamen van de voorouders van de families en die ook aan hun erfgenamen blijven kleven, zoals boss Mario Fabbrocino die '*o graunar*', de kolenboer werd genoemd: zijn voorouders verkochten steenkolen en dat was voldoende om de boss die Argentinië had gekoloniseerd met het kapitaal van de Vesuviaanse camorra ook zo te noemen.

Er zijn bijnamen die te maken hebben met de passies van de individuele camorristen zoals *'wrangler'*, de bijnaam van Nicola Luongo, een lid dat geobsedeerd is door Wrangler-jeeps, de lievelingsmodellen van de mannen van het Systeem. Dan zijn er de bijnamen op basis van bijzondere uiterlijke kenmerken: Giovanni Birra *'a mazza'*, de lat, vanwege zijn lange, magere lijf; Constantino Iacomino *'capaianca'*, witkop, vanwege zijn grijze haar dat hij al heel jong kreeg; Ciro Mazzarella *'o scellone'*, de vleugel, vanwege zijn uitstekende schouderbladen; Nicola Pianese bijgenaamd *'o mussuto'*, de stokvis, vanwege zijn melkwitte huid; Rosario Privato 'pinkje'; Dario De Simone *'o nano'*, de dwerg. Of onverklaarbare bijnamen zoals Antonio Di Fraia bijgenaamd *'u urpacchiello'*, wat staat voor een zweep die is gemaakt van een gedroogde ezelslul. En dan nog Carmine Di Girolamo bijgenaamd 'de smeris', vanwege zijn vermogen om politieagenten en carabinieri bij zijn operaties te betrekken. Ciro Monteriso 'de tovenaar', om wie weet welke reden. Pasquale Gallo uit Torre Annunziata werd vanwege zijn knappe gezicht *'o bellillo'*, schoonheid, genoemd, de leden van de familie Lo Russo werden met 'de grote palingen' aangeduid, zoals de Mallardo's de 'Carlantoni' werden genoemd, de Belfortes 'de Mazzacanes' en de familie Piccolo 'de Quaquaroni's', naar oude familienamen; Vincenzo Mazzarella, 'de gek', en Antonio Di Biasi, *'pavesino'*, naar het traditionele koekje uit Pavia, want als hij eropuit trok voor militaire operaties nam hij altijd de koekjes uit Pavia mee om op te knabbelen. Domenico Russo, de boss van de Spaanse wijken, bijgenaamd *'Mimì dei cani'*, werd zo genoemd omdat hij als jongen langs de Via Toledo puppy's verkocht. En dan Antonio Carlo D'Onofrio *'Carlucciello o mangiavatt'*, oftewel Kareltje de Katteneter, want het verhaal wil dat hij had leren schieten met zwerfkatten als schietschijf. Gennaro Di Chiara, die haast ontplofte zodra iemand zijn gezicht aanraakte, werd *'file scupierto'*, blootliggend elektrisch snoer, genoemd.

Dan zijn er nog de bijnamen die ontstaan zijn uit onvertaalbare onomatopeïsche uitdrukkingen zoals Agostino Tardi, bijgenaamd '*picc pocc*', of Domenico di Ronza '*scipp scipp*', of de familie De Simone bijgenaamd '*quaglia quaglia*', de Aversano's genaamd 'zigzag', Raffaele Ciuliano '*o zuì*', Antonio Bifone '*zuzù*'.

Hij hoefde alleen maar altijd hetzelfde drankje te bestellen en Antonio Di Vicino werd '*lemon*' genoemd, Vincenzo Benitozzi met zijn ronde gezicht werd '*Cicciobello*', knap dikkerdje, genoemd, Gennaro Di Lauro werd misschien vanwege zijn huisnummer 'dertien' genoemd, dan Giovanni Aprea '*punt 'e curtiello*', mespunt, omdat zijn grootvader in 1974 meedeed aan de film van Pasquale Squitieri, *I guappi*, waarin hij de rol van de oude camorrist speelde die de '*guaglioni*', de jongens, leerde het mes te trekken.

Er bestaan echter ook bijnamen op maat die onder invloed van de media een boss geluk of ongeluk kunnen brengen, zoals de beroemde bijnaam van Francesco Schiavone, bijgenaamd 'Sandokan', een wrede bijnaam die gekozen is vanwege zijn gelijkenis met Kabir Bedi, de acteur die Salgari's held speelde. Pasquale Tavoletta heeft de bijnaam 'Zorro', vanwege zijn gelijkenis met de acteur van de televisieserie, en Luigi Giuliano werd 'de koning', maar ook 'Lovigino' genoemd, een bijnaam die geïnspireerd was door zijn Amerikaanse minnaressen die hem bij het intieme samenzijn '*I love Luigino*' toefluisterden. De bijnaam van zijn broer Carmine was 'de leeuw', en die van Francesco Verde '*negus*', naar de keizer van Ethiopië vanwege zijn plechtstatigheid en omdat hij al zo'n lange tijd boss was.

Mario Schiavone werd 'Menelik' genoemd, naar de beroemde Ethiopische keizer die zich tegen de Italiaanse troepen verzette, en Vincenzo Carobene wordt 'Ghadaffi' genoemd om zijn buitengewone gelijkenis met de zoon van de Libische generaal. Boss Francesco Bidognetti staat bekend als 'Cicciotto di Mezzanotte', een bijnaam die is ontstaan uit het feit dat wie zich dan ook in zijn zaakjes mengde, de nacht over zich heen zou zien vallen, ook bij zonsopkomst. Iemand anders houdt vol dat hij zijn bijnaam kreeg omdat hij als jongen begonnen was de ladder naar de top van de clan te beklimmen als pooier. Zijn hele clan wordt nu omschreven als '*il clan dei Mezzanotte*'.

Bijna alle camorrabazen hebben een bijnaam: het is eigenlijk het enige kenmerk waarin ze zich onderscheiden. Zijn bijnaam is voor de boss wat stigma's voor een heilige zijn: het bewijs van deelname aan het Systeem. Iedereen kan Francesco Schiavone heten, maar er kan er maar één 'Sandokan' zijn, iedereen kan zich Carmine Alfieri noemen, maar er is er maar één die zich omdraait als er *'ntufato* wordt geroepen, iedereen kan zich Francesco Verde noemen, maar slechts één reageert op de naam *'o negus'*, en iedereen kan in de burgerlijke stand staan ingeschreven als Paolo Di Lauro, maar slechts één persoon kan Ciruzzo de miljonair zijn.

Ciruzzo had gekozen voor een geruisloze organisatie van zijn zaken met een fijnvertakt militair apparaat op de achtergrond. Hij was lange tijd zelfs voor de politie een onbekende. De enige keer dat hij, voordat hij onderdook, door de magistraten werd opgeroepen, had hij te danken aan zijn zoon, die een leraar had aangevallen die het had gewaagd hem een standje te geven.

Paulo Di Lauro stond rechtstreeks in verbinding met de Zuid-Amerikaanse kartels en zette via de bondgenootschappen met Albanese kartels grote afzetkanalen op. Het traject van de drugshandel kent de laatste jaren vaste routes. De coke vertrekt uit Zuid-Amerika, arriveert in Spanje en komt daar óf direct op de markt óf wordt over land naar Albanië doorgesluisd. De heroïne vertrekt uit Afghanistan en bereikt ten slotte de wegen van Bulgarije, Kosovo en Albanië; de hasj en marihuana vertrekken uit Noord-Afrika en hebben Turken en Albanezen als tussenpersonen in het Middellandse Zeegebied.

Di Lauro had het voor elkaar gekregen om direct toegang te krijgen tot iedere drugsmarkt, het was hem gelukt om met een nauwgezette strategie volwaardig ondernemer in leer en drugs te worden. Hij had in 1998 het beroemde bedrijf Confezioni Valent van Paolo Di Lauro & Co. opgericht, dat volgens de statuten zijn activiteiten in 2002 zou moeten beëindigen, maar waarop in november 2001 door het Gerechtshof van Napels beslag werd gelegd. Het bedrijf Valent had diverse aanbestedingen in heel Italië toegekend gekregen voor de bouw van cash-and-carrybedrijven. Het had als bedrijfsdoelstelling een enorm potentieel aan activiteiten: van de handel in meubelen en textiel, in verpakkingen en vlees tot de distributie van mineraalwater. Valent leverde maaltijden aan diverse openbare en privé-instellingen en voorzag in de slacht van alle mogelijke soorten vlees. Bovendien stelde de Valent van Paolo Di Lauro zich, nog altijd volgens hun bedrijfsdoelstelling, tot doel om in de hotelbranche te gaan, cateringbedrijven op te zetten en restaurants te openen, om alle mogelijke activiteiten te ontwikkelen die 'passen bij de vrijetijd'. Tegelijkertijd verklaarde hij: 'De vennootschap zal grond kopen en er direct of indirect winkelcentra of woningen voor burgers op bouwen.'

De bedrijfsvergunning werd afgegeven door de gemeente Napels in 1993 en de vennootschap werd gerund door de zoon van Di Lauro, Cosimo. Paolo Di Lauro was, wegens interne aangelegenheden, in 1996 van het toneel verdwenen en had zijn aandelen aan zijn vrouw Luisa gegeven. De familie Di Lauro is een dynastie die met zelfopoffering is opgebouwd. Luisa Di Lauro had tien kinderen voortgebracht en zoals de grote matrones van de Italiaanse industrie had ze geleidelijk aan op basis van het industriële succes haar kroost uitgebreid. Ze waren allemaal bij de clan gekomen: Cosimo, Vincenzo, Ciro, Marco, Nunzio, Salvatore en dan nog de kleintjes, die nog minderjarig zijn.

Paolo Di Lauro had een voorliefde voor investeringen in Frankrijk, zijn winkels bevonden zich in Nice, maar ook in Parijs op de Rue Charenton 129 en in Lyon op nummer 22 van de Quai Perrache. Hij wilde dat de Italiaanse mode in Frankrijk via zijn winkels aan de man werd gebracht, vervoerd in zijn vrachtwagens, en dat de Champs Elysées de geur van de macht van Scampia zou uitwasemen.

Maar in Secondigliano begon het enorme bedrijf van de Di Lauro's scheuren te vertonen. Het was snel en in ieder onderdeel volledig autonoom groot geworden, en op de *piazze* werd de sfeer steeds drukkender. In Scampia daarentegen heerste de hoop dat alles weer goed zou komen net zoals vroeger, toen iedere crisis nog met een drankje kon worden opgelost. Een bijzonder drankje dat gedronken werd toen Domenico, een van de zonen van Di Lauro, in het ziekenhuis voor zijn leven vocht. Domenico was een onrustige jongen. Vaak vervielen de zonen van bosses in een soort grootheidswaanzin en gingen ze ervan uit dat ze konden beschikken over hele steden en de mensen die erin woonden.

Volgens de politieonderzoeken overviel Domenico samen met zijn beveiliging en een groep vrienden een heel stadje, Casoria, waarbij ze ruiten, garages en auto's vernielden, vuilcontainers in brand staken, de deuren met spuitbussen bekladden en de plastic knopjes van de intercoms met aanstekers lieten smelten. De schade vergoedde zijn vader in stilte, op de diplomatieke wijze van families die iets moeten regelen voor de rampen die hun kroost veroorzaakt zonder dat ze aan autoriteit inboeten.

Domenico reed op zijn motor toen hij in een bocht de macht over het stuur verloor en viel. Na een paar dagen in het ziekenhuis in coma te hebben gelegen, stierf hij aan zijn zware verwondingen. Deze tragische gebeurtenis resulteerde in een topontmoeting, een straf en tegelijkertijd een amnestie. In Scampia kent iedereen dit verhaal, een legendarisch verhaal, misschien is het verzonnen, maar het is belangrijk om inzicht te krijgen in hoe er met conflicten binnen de dynamiek van de camorra wordt omgegaan.

Er wordt gezegd dat Gennaro Marino, bijgenaamd McKay, opvolger van Paolo Di Lauro, naar het ziekenhuis ging waar de jongen stervende was om de boss zijn steun te betuigen. Zijn steun werd geaccepteerd. Di Lauro nam hem terzijde en bood hem wat te drinken aan: hij piste in een glas en overhandigde dat aan McKay. De boss waren berichten ter ore gekomen over gedragingen van zijn favoriet die op geen enkele manier konden worden goedgekeurd. McKay had enkele economische beslissingen genomen zonder ze te bespreken, er waren sommen geld achterovergedrukt zonder dat er rekenschap over was afgelegd. De boss had gemerkt dat zijn opvolger verlangde naar zelfstandigheid, maar wilde het hem vergeven, als een uiting van overmoedigheid van iemand die te goed is in zijn eigen vak. Men beweert dat McKay alles opdronk, tot de laatste druppel. Een grote slok urine loste de eerste interne scheuring binnen het

bestuur van het kartel van de Di Lauro-clan op. Een labiele wapenstilstand, die in de toekomst door geen enkele nier zou kunnen worden afgewaterd.

De oorlog van Secondigliano

McKay en Angioletto hadden de knoop doorgehakt: ze wilden zelf een officiële groep formeren. De oudste leiders gingen er allemaal mee akkoord, ze hadden duidelijk te verstaan gegeven dat ze niet in conflict wilden raken met de organisatie, maar concurrenten wilden worden, eerlijke concurrenten op een grote markt. Naast elkaar, maar autonoom. En aldus werd – volgens de verklaringen van spijt-optant Pietro Esposito – een boodschap overgebracht aan Cosimo Di Lauro, de leider van het kartel: ze wilden Paolo spreken, zijn vader, de man aan de top, het kopstuk, de hoogste leidinggevende van het genootschap. Ze wilden hem persoonlijk spreken, hem zeggen dat ze niet achter zijn herstructureringsplannen stonden, dat ze zonen hadden gekregen, ze wilden hem recht in de ogen kijken en niet langer ieder woord mond tot mond doorgeven en de boodschappen met het speeksel van al die tongen laten doorkneden, aangezien mobiele telefoons niet bruikbaar waren omdat die zijn onderduikadres zouden verraden. Genny McKay wilde Paolo Di Lauro ontmoeten, de boss die hem de kans had gegeven om een zakelijke carrière op te bouwen.

Cosimo aanvaardt formeel het verzoek om een ontmoeting, en verder moeten alleen nog de kopstukken van de organisatie, de *capi*, en de bondgenoten, de *capizona*, bijeen worden geroepen. Weigeren kunnen ze niet. Cosimo heeft alles al uitgedokterd, of zo lijkt het tenminste. Het lijkt er echt op dat hij weet hoe hij de zaak aan moet pakken, en hoe hij deze kan beschermen. En daarom, zo komt uit de onderzoeken en verklaringen van personen die met justitie hebben samengewerkt naar voren, stuurt Cosimo geen ondergeschikten naar zijn afspraak. Hij stuurt niet '*il cavallaro*', de paardenman, Giovanni Cortese, zijn officiële woordvoerder, die altijd de contacten van de familie Di Lauro met de buitenwereld heeft onderhouden.

Cosimo stuurt zijn broers, Marco en Ciro, om de plaats van ontmoeting te verkennen. Zij gaan er rondkijken om te checken hoe de sfeer is en ze vertellen niemand over hun uitstapje. Ze gaan zonder escorte, misschien met de auto. Snel, maar niet al te snel. Ze observeren de uitgestippelde vluchtroutes, de wachten die op de uitkijk staan, zonder zelf in het oog te lopen. Ze brengen verslag uit aan Cosimo, vertellen hem de details. Cosimo weet genoeg. Alles was in gereedheid gebracht voor een hinderlaag, voor de moord op Paolo en wie er dan ook bij hem zou zijn. De ontmoeting was een valstrik, het was een kans om hem te vermoorden en een nieuw tijdperk in te luiden voor het bestuur van het kartel. Een imperium valt immers niet uiteen door een handdruk te laten verslappen, maar door deze met een mes los te snijden. Dit wordt er verteld, dit is wat de onderzoeken en de spijtoptanten zeggen.

Cosimo, de zoon aan wie Paolo de hoogste verantwoordelijkheid had gegeven over de drugshandel, moet een besluit nemen. Oorlog zal er komen, maar hij verklaart die niet, hij houdt het voor zich, spreekt zijn gedachten niet uit en wacht tot hij hun bewegingen doorziet, want hij wil geen slapende honden wakker maken. Hij weet dat ze op heel korte termijn boven op hem zullen springen, dat hij die klauwen in zijn vlees kan verwachten, maar hij moet geduld hebben, een nauwkeurige, onfeilbare, winnende strategie bepalen. Hij moet weten op wie hij kan rekenen, welke krachten hij kan mobiliseren, wie er voor hem en wie er tegen hem is. Een andere mogelijkheid op het schaakbord is er niet.

De Di Lauro's verklaren dat hun vader niet aanwezig kan zijn door diens beperkte bewegingsvrijheid, aangezien de politie hem op de hielen zit. Een voortvluchtige die meer dan tien jaar wordt gezocht. Verstek laten gaan bij een bijeenkomst weegt niet zwaar voor iemand die bij de dertig gevaarlijkste voortvluchtigen van Italië hoort. De grootste holding in de drugshandel, nationaal en internationaal, en een van de machtigste, staat, na decennialang perfect te hebben gefunctioneerd, aan de vooravond van zijn meest dodelijke crisis.

De Di Lauro-clan is altijd een perfect georganiseerde onderneming geweest. Hun boss heeft de clan gestructureerd naar het model van een multilevel-organisatie. De organisatie bestaat op het eerste niveau uit promotors en financiers – de leiders van de clan die ervoor zorgen dat er wordt toegezien op het verhandelen van de drugs via hun directe leden – en is, volgens de Antimaffiacommissie van Napels, opgericht door Rosario Pariante, Raffaele Abbinante, Enrico d'Avanzo en Arcangelo Valentino. Het tweede niveau beslaat de mensen die over de werkelijke drugshandel gaan, de inkoop en het verpakken, en die de contacten onderhouden met de dealers en instaan voor juridische bijstand bij een arrestatie. De kopstukken hiervan zijn Gennaro Marino, Lucio De Lucia, Pasquale Gargiulo. Het derde niveau wordt vertegenwoordigd door de *capipiazza*, oftewel de leden van de clan die in direct contact staan met de dealers, die de pali en de vluchtroutes onder hun hoede hebben en die ook zorgen voor de beveiliging van de pakhuizen waar de stuff wordt opgeslagen en van de plaatsen waar het wordt versneden. Het vierde en meest kwetsbare niveau bestaat uit de dealers. Ieder niveau heeft subniveaus die uitsluitend aan hun eigen leidinggevende rapporteren en niet aan de hele structuur. Deze organisatie maakt het mogelijk een winst te behalen van zo'n vijfhonderd procent van de oorspronkelijke investering.

Bij het ondernemersmodel van de Di Lauro's moest ik altijd denken aan het wiskundige concept van de fractal, zoals deze in de schoolboeken wordt uitgelegd, ofwel een tros bananen waarvan iedere banaan op zich een tros bananen is die op hun beurt weer trossen bananen zijn, enzovoort, tot in het oneindige. De Di Lauro-clan draait alleen met de handel in drugs al een omzet van 500.000 euro per dag. De dealers, magazijnbeheerders en koeriers maken vaak geen deel uit van de organisatie, maar zijn gewoon werknemers in loondienst. De input van de organisatie is enorm, er werken duizenden mensen aan mee, maar ze weten niet onder wiens leiding ze staan. Over het algemeen hebben ze wel een idee voor welke camorrafamilie ze werken, maar meer ook niet. Als een of andere arrestant mocht besluiten berouw te tonen, is zijn kennis van de structuur beperkt tot een miniem stukje, zonder dat hij erin slaagt het gehele organigram, de hele omvang van de economische en militaire macht van de organisatie, te kennen en te bevatten.

De financieel-economische afdeling heeft zijn eigen militaire team: meedogenloze commando's en een wijdvertakt netwerk van bondgenoten. In de groep killers zaten Emanuele D'Ambra, Ugo De Lucia, bijgenaamd 'Ugariello', Nando Emolo, bijgenaamd ''o schizzato', kort lontje, Antonio Ferrara, genaamd ''o tavano', de kakkerlak, Salvatore Tamburino, Salvatore Petriccione, Umberto La Monica, Antonio Mennetta. Daaronder de bondgenoten, oftewel de *capizona*: Gennaro Aruta, Ciro Saggese, Fulvio Montanino, Antonio Galeota en Giuseppe Prezioso, persoonlijke lijfwacht van Cosimo en Costantino Sorrentino. Een organisatie die alles bij elkaar ten minste driehonderd leden telde, allemaal in loondienst. Een complex raamwerk waarin alles precies in elkaar paste.

Men had als noodvoorziening een enorm wagen- en motorpark, dag en nacht, tot zijn beschikking. Er was een geheim wapendepot dat verbonden was met een netwerk van smeden die klaarstonden om de wapens direct nadat ze voor een moord waren gebruikt te vernietigen. Er was een logistiek netwerk dat de killers in staat stelde om direct na een aanslag te trainen op een schietbaan waar iedereen die binnenkomt wordt geregistreerd, om zo de kruitsporen te vermengen en een alibi te creëren voor eventuele tests op sporen. Iedere killer vreest het kruit het meest; het kruit dat je nooit van je handen krijgt en dat het meest verpletterende bewijs levert.

Er was zelfs een netwerk dat de commando's van kleding voorzag: onopvallende trainingspakken en motorhelmen die direct erna vernietigd moesten worden. Een onaantastbare onderneming met perfecte, of bijna perfecte, mechanismen. Er wordt niet geprobeerd een actie, een moord of een investering te verdoezelen, enkel om ze voor de rechtbank eenvoudigweg onbewijsbaar te maken.

Ik kwam al lange tijd in Secondigliano. Sinds Pasquale niet meer als kleermaker werkte, bracht hij me dagelijks op de hoogte van de stemming in de wijk, een stemming die snel omsloeg, met dezelfde snelheid waarmee kapitaal en financieel management veranderen.

Ik toerde op mijn Vespa door het noordelijke deel van Napels. Wanneer ik door Secondigliano en Scampia rijd, houd ik het meest van alles van het licht. De lange, brede straten, zuurstofrijk in vergelijking met de wirwar in het oude centrum van Napels, alsof onder het asfalt, naast de grote flatgebouwen, het weidse platteland nog dooraemde. Overigens ligt Scampia's ruimte ook in haar naam besloten. Scampia, een woord uit een uitgestorven Napolitaans dialect, beschreef het weidse land, de grond en wilde planten waarop halverwege de jaren zestig de wijk en de roemruchte Vele werden gebouwd, het verrotte symbool van een architectonisch delirium of misschien slechts een betonnen utopie die niets had in te brengen tegen de totstandkoming van het drugshandelapparaat dat zich heeft vertakt in het sociale netwerk van dit gebied. Een chronische werkloosheid en het volledig ontbreken van sociale projecten hebben ervoor gezorgd dat het een plek werd waar tonnen drugs konden worden opgeslagen, een laboratorium waar het geld dat werd omgezet in die handel kon worden witgewassen en verdwijnen in een bruisende en legale economie. Secondigliano is de plek waar je over de treden van de illegale markt naar het wettige ondernemerschap kan opklimmen.

In 1989 schreef het Osservatorio sulla Camorra in een van zijn publicaties dat in het noordelijke deel van Napels de verhouding drugdealers-aantal inwoners het hoogst was van heel Italië. Vijftien jaar later is deze verhouding de hoogste van Europa geworden en staat ze in de top vijf van de wereld.

Mettertijd was mijn gezicht bekend geworden, in de ogen van de wachters van de clans, de pali, een neutraal gezicht. Een gebied dat iedere seconde in de gaten wordt gehouden, kent een negatieve waarde – politieagenten, carabinieri, spionnen van rivaliserende families – en een positieve waarde: de kopers. Alles wat niet ongewenst is, wat geen obstakel vormt, is neutraal, nutteloos. Toetreden tot deze categorie betekent dat je niet bestaat. De plaatsen waar wordt gedeald hebben me altijd gefascineerd vanwege hun perfecte organisatie, die in schril contrast staat met het heersende beeld van totale verloedering. Het handelsmechanisme loopt als een Zwitsers uurwerk. Het is alsof de mensen zich precies hetzelfde bewegen als de radertjes die de tijd in gang zetten. De beweging van de een zet altijd weer een volgende in gang. Iedere keer als ik ernaar keek, werd ik er weer door betoverd.

De lonen worden wekelijks uitbetaald: honderd euro voor degenen die op de uitkijk staan, vijfhonderd voor de coördinator en kassier van de dealers van een piazza, een dealersplek, achthonderd voor de individuele pushers en duizend aan degenen die zich bezighouden met de opslagruimtes en drugs in huis verbergen. De diensten lopen van drie uur 's middags tot middernacht en van middernacht tot vier uur in de morgen. 's Morgens vroeg is het lastig dealen omdat er te veel politie op de been is. Iedereen heeft één rustdag en wie te laat op de piazza verschijnt, levert per uur vijftig euro in op zijn weekloon.

In de Via Baku is het een onophoudelijk komen en gaan. De klanten komen, betalen, nemen in ontvangst en gaan weer weg. Soms staan de auto's zelfs rijendik achter de dealers. Vooral op zaterdagavond. Dan worden van andere piazze nieuwe pushers gehaald en in deze wijk geplaatst. In Via Baku wordt maandelijks een half miljoen euro omgezet en de narcoticabrigade meldt dat er gemiddeld vierhonderd eenheden marihuana en vierhonderd eenheden cocaine worden verhandeld, iedere dag. Als de politie komt, weten de dealers in welke huizen ze terecht kunnen en waar ze het spul kunnen verstoppen. Er is bijna altijd wel een auto of scooter die zich voor de politieauto's opstelt wanneer die op het punt staan de piazza op te rijden, om ze te vertragen en de pali de kans te geven de dealers achter op hun scooters te laten springen en weg te rijden. Vaak hebben de pali geen strafblad en zijn ze ongewapend, waardoor ze nauwelijks risico lopen beschuldigd te worden als ze zijn aangehouden. Als er veel arrestaties onder de pushers plaatsvinden, worden er reserves ingeschakeld, vaak verslaafden of gebruikers uit de wijk die zich beschikbaar stellen om in noodgevallen als dealer in te springen. Voor iedere gearresteerde pusher wordt iemand anders gewaarschuwd die meteen ter plaatse is. De handel moet door. Ook op de kritieke momenten.

De Via Dante is nog zo'n straat waar flink wat kapitaal wordt omgezet. Hier zijn de pushers allemaal piepjong en deze dealersplek is een florerend distributiekanaal, een van de meest recente piazze die de Di Lauro's hebben opgezet, en dan heb je nog de Viale della Resistenza, een oude dealersplek voor heroïne, maar ook voor crack en cocaïne. De verantwoordelijken voor de markt hebben er heuse kantoren van waaruit het territorium wordt verdedigd. De pali geven via hun mobieltjes door wat er zich afspeelt. De coördinator die meeluistert met de plattegrond voor zich, kan op die manier zowel de bewegingen van de politie als van zijn klanten gelijktijdig volgen.

Een van de nieuwe dingen die door de Di Lauro-clan in Secondigliano werd geïntroduceerd, is de bescherming van de koper. Voordat zij als organisatoren van de piazze de zaken runden, zorgden de pali er alleen voor dat de pushers niet gearresteerd en geïdentificeerd konden worden. In de afgelopen jaren konden de kopers worden aangehouden, geïdentificeerd en weggevoerd naar het politiebureau. Maar Di Lauro liet de pali ook zijn kopers beschermen, zodat iedereen met een gerust hart naar de dealersplekken die door zijn mannen werden gerund kon gaan. Het toppunt van gemak voor de kleingebruikers, de eerste klanten van de Secondigliaanse drugshandel. Als je ze in de wijk Berlingieri opbelt, leggen ze het spul meteen voor je klaar. En dan is er nog de Via Ghisleri, het Parco Ises, de hele Don Guanella-buurt, sectie H van de Via Labriola en de Sette Palazzi. Allemaal gebieden die zijn veranderd in winstgevende markten, gecontroleerde straten, in plekken waar de bewoners hebben geleerd selectief te kijken, alsof hun ogen, wanneer ze op iets afschuwelijks stuiten, het object of de situatie verduisteren. Daar een gewoonte van maken, is een manier om door te kunnen leven in de enorme supermarkt van de drugs. Van alle drugs, elke soort. Er is geen verdovend middel dat in Europa op de markt wordt gebracht dat niet eerst langs de handelspost van Secondigliano is gegaan.

Als de drugs alleen voor Napels en de rest van Campania waren bestemd, zouden de statistieken krankzinnige resultaten opleveren. Dan zouden er feitelijk in iedere Napolitaanse familie ten minste twee mensen aan cocaïne verslaafd moeten zijn en één aan heroïne, de hasj en marihuana nog buiten beschouwing gelaten. Heroïne, crack, soft drugs en dan nog de pillen die sommigen nog steeds xtc noemen terwijl xtc in werkelijkheid 179 varianten kent – ze worden x-files, muntjes of snoepjes genoemd – die worden hier allemaal in Secondigliano in overvloed verkocht. Er wordt gigantisch verdiend aan pillen. Eén euro om ze te produceren, drie tot vijf euro inkoopprijs, en eenmaal doorverkocht in Milaan, Rome of andere delen van Napels komen ze op vijftig à zestig euro per stuk. In Scampia op vijftien.

De markt van Secondigliano is de oude, starre drugshandel ontstegen: men heeft zijn grenzen verlegd naar de cocaïne. Was het voorheen nog een elitedrug, vandaag de dag is het dankzij het nieuwe economisch beleid van de clans volledig toegankelijk geworden voor de massa, weliswaar met verschillen in kwaliteit, maar in staat om aan iedere vraag te voldoen.

Negentig procent van de cocaïnegebruikers is volgens de onderzoeken van Gruppo Abele werknemer of student. De coke is ontstegen aan zijn extravagante milieu en is een poedertje geworden dat altijd en overal wordt gebruikt, na gemaakte overuren, om zich te kunnen ontspannen, om vernieuwde krachten op te doen waardoor je weer springlevend en mens wordt, en niet vanwege de vermoeidheid een lege huls bent. Vrachtwagenchauffeurs gebruiken coke om 's nachts door te kunnen rijden, anderen gebruiken het om uren achter de computer te kunnen zitten of om weken achtereen te kunnen werken zonder enige vorm van pauze. Een oplosmiddel voor vermoeidheid, een pijnstiller, een geluksprothese.

Om een markt te verzadigen die behoefte aan drugs als middel op zich en niet alleen als verdoving heeft, moest men de handel veranderen, flexibeler maken, loskoppelen van de starre criminaliteit. Dit is de kwaliteitssprong die de Di Lauro-clan heeft gemaakt. Het vrijgeven van de handel en de bevoorrading van drugs. Van oudsher verkochten de Italiaanse criminele kartels liever grote dan middelgrote en kleine partijen. Di Lauro daarentegen heeft gekozen voor de verkoop van middelgrote partijen om overal een kleine groep handelaren neer te kunnen zetten om nieuwe klanten te werven.

Een kleine, vrije, zelfstandige groep ondernemers, die kan doen en laten met het spul wat ze wil, er de prijs aan kan hangen die ze wil en het waar en hoe ze maar wil kan distribueren. Iedereen heeft toegang tot de markt, voor iedere gewenste hoeveelheid, zonder tussenpersonen van de clan.

Cosa Nostra en 'ndrangheta staken overal hun tentakels uit, maar niet zonder het naadje van de kous te kennen. Om drugs te kopen en via hun bemiddeling door te verkopen, moet je worden voorgesteld aan de leden en bondgenoten van de clan. Ze willen precies weten waar je gaat verkopen en via welke organisatie de distributie wordt geregeld. Maar niet bij het Systeem van Secondigliano. Hier is de regel *laissez faire, laissez passer*. Een algeheel en absoluut vrijhandelstelsel. Het idee erachter is de zelfregulering van de markt. En zo wordt in *no time* iedereen die een handeltje onder vrienden wil beginnen, die voor vijftien wil inkopen en tegen honderd wil verkopen om een keer op vakantie te kunnen, om zijn opleiding af te kunnen ronden of een deel van zijn hypotheek af te lossen, naar Secondigliano gezogen. De absolute liberalisering van de drugsmarkt heeft geleid tot het kelderen van de prijzen.

De detailhandel buiten bepaalde dealersplekken kan verdwijnen. Nu heb je de zogenaamde circuits. Het circuit van artsen, piloten, journalisten en ambtenaren. De gegoede burgerij lijkt naadloos aan te sluiten bij deze informele en hyperliberale distributie van drugs. Een schijnbaar vriendschappelijke deal, de verkoop mijlenver bij de criminele organisaties vandaan, die doet denken aan hoe huisvrouwen crèmes en stofzuigers aan hun vriendinnen aanbevelen. Ideaal ook om je te bevrijden van overdreven morele verantwoordelijkheden. Geen pusher in synthetisch trainingspak die onder bescherming van de pali dagenlang op de hoeken van de straat staat te creperen. Niets anders dan product en geld. Meer is er niet nodig om de taal van de commercie te spreken.

Uit de gegevens, verstrekt door de grootste rechtbanken van Italië, heeft één op de drie arrestanten geen strafblad en totaal geen contacten in het criminele circuit. De cocaïneconsumptie is, volgens de gegevens van het Istituto Superiore di Sanità, naar een historische hoogte geschoten: in de periode 1999 tot 2002 tachtig procent meer! Het aantal mensen met een verslaving dat zich tot de verslaafdenzorg wendt, verdubbelt ieder jaar. De markt neemt gigantisch toe, door genetische manipulatie van de teelt kan er nu vier keer per jaar worden geoogst, problemen met de aanlevering van de grondstof zijn er dus niet en de afwezigheid van een leidende organisatie bevordert het eigen initiatief.

Robbie Williams, een beroemde, aan cocaïne verslaafde zanger, zei jarenlang dat 'cocaïne Gods manier is om te zeggen dat je te veel geld hebt'. Aan deze zin, die ik in een of andere krant had gelezen, moest ik weer denken toen ik bij de Case Celesti een paar jongeren had ontmoet die het product en de plek bejubelden: 'Als de coke van de Case Celesti bestaat, betekent het dat God geen enkele waarde aan geld heeft gegeven.'

De Case Celesti, die zo worden genoemd vanwege hun oorspronkelijke lichtblauwe kleur, staan langs de Via Limitone d'Arzano en zijn een van de succesvolste dealersplekken voor cocaïne van Europa geworden. Dat was vroeger wel anders.

De man die deze markt zo rendabel heeft gemaakt, is volgens de onderzoeken Gennaro Marino McKay. Hij is het aanspreekpunt van de clan in dit gebied. En niet alleen aanspreekpunt; de boss Paolo Di Lauro, die zijn aanpak waardeert, heeft hem de dealersplek in franchise gegeven. Hij kan helemaal zelfstandig werken en hoeft alleen een maandelijks bedrag in de kas van de clan te storten. Gennaro en zijn broer Gaetano worden de McKay's genoemd. Allemaal dankzij hun vader die op Sherrif Zeb McKay leek uit de televisieserie *How the West Was Won*. De hele familie heet daardoor niet langer Marino maar McKay.

Gaetano mist zijn handen. Hij heeft twee houten protheses, van die harde. Zwartgelakt. Hij verloor ze in de strijd van 1991, de oorlog tegen de Puca's, een oude familie aan de kant van Cutolo. Hij was bezig met een granaat die in zijn handen ontplofte, waardoor zijn vingers de lucht in vlogen. Gaetano McKay heeft altijd iemand bij zich, een soort butler die zijn handen vervangt, maar als hij zijn handtekening moet zetten lukt het hem de pen muurvast tussen zijn protheses te zetten als een pin, een spijker die vast op de bladzijde staat, en door zich in allerlei bochten te wringen met zijn hoofd en polsen, zet hij zijn handtekening met een handschrift waarvan je amper ziet dat het scheef is.

Genny McKay was er volgens de onderzoeken van het Antimaffiadienst in Napels in geslaagd een piazza op te zetten voor de opslag en verkoop. Overigens is de goede prijs die ze van hun leveranciers krijgen nu juist te danken aan die opslagcapaciteit en hierbij helpt de betonnen jungle van Secondigliano met zijn honderdduizend inwoners. Menselijke lichamen, hun huizen, hun dagelijkse leven vormen de enorme zware muur die de drugsdepots afbakent. Juist de Case Celesti hebben de prijzen van de coke zo ver laten zakken. Normaal gesproken begint het bij vijftig, zestig euro per gram en loopt het op tot honderd, tweehonderd euro. Hier is de coke gezakt tot vijfentwintig, vijftig, zonder af te doen aan de zeer hoge kwaliteit. Als je de onderzoeksrapporten van de DDA leest, komt daaruit naar voren dat Genny McKay een van de meest capabele Italiaanse ondernemers in de cocaïnebranche is, want het is hem gelukt overwicht te krijgen op een markt met een ongeëvenaarde, uitzonderlijke groei.

De organisatie van de marktplaatsen zou ook in Posillipo, in Parioli, in Brera kunnen plaatsvinden, maar gebeurde in Secondigliano. Op iedere andere plek zouden de arbeidskosten torenhoog zijn geweest. Hier zorgt de totale afwezigheid van werk, de onmogelijkheid om, behalve te emigreren, een andere uitweg te vinden, voor lage, zeer lage salarissen. Dat is het geheim. Je kunt je op geen enkele sociologie van armoede beroepen, op geen enkele gettometafysica. Een gebied dat in staat is om alleen al met de nevenproductie van een enkel gezin jaarlijks driehonderd miljoen euro om te zetten, kan geen getto zijn. Het is een territorium waar tientallen clans actief zijn en met winstcijfers die alleen vergelijkbaar zijn met financiële huzarenstukjes.

Het werk vereist nauwkeurigheid en de productiefases zijn duur. Een kilo cocaïne kost bij de producent duizend euro, zodra het naar de grossier gaat kost hij al dertigduizend euro. Dertig kilo wordt honderdvijftig kilo na de eerste versnijding: een marktwaarde van ongeveer vijftien miljoen euro. Als de versneden cocaïne meer dan drie kilo is, kun je er wel tweehonderd kilo van maken. Een goede versnijding van de coke met cafeïne, glucose, mannitol, paracetamol, lidocaïne, benzocaïne of amfetamine is van levensbelang. Maar als de nood hoog is ook talk en calcium voor de nitwits. De versnijding bepaalt de kwaliteit. Slecht versneden coke trekt dood, politie en arrestaties aan, en verstopt de handelsaders.

Ook hierin lopen de clans van Secondigliano voor op iedereen en het voordeel legt ze geen windeieren. Hier heb je de *Visitors*: de heroïneverslaafden. Ze zijn vernoemd naar de personages uit de televisieserie *V* uit de jaren tachtig die muizen met huid en haar verslonden en onder een schijnbaar menselijke opperhuid groenige en slijmerige schubben verborgen. De Visitors worden als proefkonijnen gebruikt, menselijke proefkonijnen, om de verschillende versnijdingen van de coke op uit te kunnen proberen, om te zien of een soort schadelijk is, welke effecten die heeft en tot hoever het poeder kan worden verdund.

Wanneer de 'snijders' veel proefkonijnen nodig hebben, verlagen ze de prijzen. Van twintig euro per shot zakken ze rustig naar tien. Het nieuws verspreidt zich als een lopend vuurtje en de heroïneverslaafden komen zelfs helemaal vanuit de Marken, vanuit Lucania, voor een paar shots. De heroïnemarkt is volledig ingeklapt. De heroïneverslaafden, de junks, nemen in aantal af. Ze zijn wanhopig. Wankelend stappen ze de bus in, stappen in en uit treinen, reizen 's nachts, liften, lopen kilometers. Maar de goedkoopste heroïne van het continent is iedere inspanning waard. De 'snijders' van de clan verzamelen de Visitors, ze regelen een gratis shot voor ze en wachten dan af.

In een telefoongesprek dat wordt geciteerd in een verordening tot voorlopige hechtenis uit maart 2005, vrijgegeven door de rechtbank van Napels, hebben twee gasten het met elkaar over het organiseren van een proefje, een test op menselijke proefkonijnen om de samenstelling van het spul te testen. Eerst bellen ze elkaar op om het te regelen: 'Heb je vijf T-shirts uitgetrokken voor de allergietests?'

Na een tijdje spreken ze elkaar weer: 'Heb je de auto geprobeerd?'

'Ja...' Waarmee hij uiteraard bedoelde dat hij had getest. 'Ja... allemachtig, te gek, we zijn de *number one*, maat, de rest kan wel inpakken.'

Ze juichten, blij dat de proefkonijnen niet dood waren gegaan. Sterker nog, ze waren er erg enthousiast over geweest. Goed versneden dope verdubbelt de verkoop. Als hij van uitstekende kwaliteit is, is er meteen vraag naar op de nationale markt en heeft de concurrentie het nakijken.

Pas nadat ik deze telefonische woordenwisseling had gehoord, begreep ik het schouwspel waarnaar ik enige tijd daarvoor had staan kijken. Ik kon echt niet bevatten wat er zich nu eigenlijk voor mijn ogen afspeelde. In de omgeving van Miano, niet ver van Scampia, waren er een stuk of tien Visitors. Ze waren bijeengeroepen op een open plek voor een paar loodsen. Ik was er niet toevallig terechtgekomen maar in de veronderstelling dat ik, als ik de hete adem van de werkelijkheid voelde, zo echt mogelijk, het wezen van de dingen kon doorgronden. Ik ben er niet zeker van of het noodzakelijk is om te observeren en bij gebeurtenissen aanwezig te zijn om de dingen te kunnen doorgronden, maar het is wel essentieel erbij aanwezig te zijn zodat de dingen jou leren kennen. Er liep een goedgeklede, beter gezegd een zeer goedgeklede vent rond, in een wit pak, een overhemd met een zweempje blauw en gloednieuwe, sportieve schoenen. Hij vouwde een leren lap open op de achterklep van zijn auto. Er zaten een paar spuiten in. De Visitors kwamen dichterbij en verdrongen zich om hem heen, het was net zo'n scène – identiek, als zovele, zoals je ze sinds jaar en dag ziet – zoals ze die over Afrika op het journaal laten zien wanneer er een vrachtwagen met zakken meel aankomt.

Een van de Visitors begon ineens te schreeuwen: 'Nee, ik doe het niet, al krijg ik het gratis, ik doe het niet... Jullie willen ons vermoorden...'

De achterdocht van één persoon was genoeg om de anderen

acuut te doen terugdeinzen. De kerel had blijkbaar geen zin ook maar iemand te overtuigen en wachtte af. Af en toe spuugde hij op de grond het stof uit dat de Visitors deden opwaaien bij het voorbij-lopen en dat op zijn tanden neerdaalde. Eentje kwam toch naar voren, of liever gezegd, een stelletje kwam naar voren. Ze beefden, ze konden echt niet meer. Ze hadden een cold turkey, zoals dat wordt genoemd. Bij hem waren de aders van zijn armen onbruikbaar en hij trok zijn schoenen uit, maar ook van zijn voetzolen was niet veel meer over. Het meisje pakte de naald van de lap en hield hem in haar mond, ondertussen knoopte ze zijn hemd los, langzaam, alsof er wel honderd knoopjes aan zaten en zette de naald onder in zijn hals. Er zat coke in de naald. Als je het direct in de bloedbaan spuit, zie je heel snel of de versnijding deugt of niet, of hij te zwaar is of van be-roerde kwaliteit.

Na een tijdje begon te jongen te wankelen, er liep wat schuim uit zijn mondhoek en toen viel hij. Op de grond begon hij schokkende bewegingen te maken. Vervolgens bleef hij languit op zijn rug lig-gen en sloot zijn ogen, hij was verstijfd.

De kerel in het wit pakte zijn mobieltje: 'Volgens mij is hij dood... Ja, oké dan, ik zal hem een massage geven...'

Hij begon met zijn halfhoge schoen op de borst van de jongen te trappen. Hij tilde zijn knie op en liet daarna met geweld zijn been op diens borst neerkomen. Hij gaf hem schoppend een hartmassage.

Het meisje naast hem brabbelde wat, de woorden bleven aan haar lippen kleven. 'Je doet hem pijn, je bent hem pijn aan het doen...' Ondertussen probeerde ze hem met de kracht van een muis bij het lichaam van haar vriend vandaan te trekken.

Maar de kerel walgde, was haast bang van haar en van de Visitors in het algemeen. 'Raak me niet aan, vies wijf... Waag het niet om in mijn buurt te komen... Raak me niet aan of ik schiet!'

Hij bleef op de borst van de jongen trappen; vervolgens greep hij, met zijn voet steunend op de borstkas, weer zijn mobiel: 'Deze is de pijp uit. O, het zakdoekje... wacht, effe kijken...'

Hij haalde een papieren zakdoekje uit zijn zak, maakte het nat met een flesje water en legde het opengevouwen op de lippen van de jongen. Zelfs als hij nog maar heel zwak had geademd was de tissue stukgegaan, wat betekende dat hij nog leefde. Een methode die hij gebruikte omdat hij dat lichaam met geen vinger wilde aanraken. Hij belde nog een laatste keer terug: 'Hij is dood. We moeten alles veel meer verdunnen...'

De kerel stapte weer in zijn auto waar zijn chauffeur onophoudelijk op zijn stoel heen en weer had zitten springen op muziek die ik niet eens kon horen, maar toch bewoog hij zich alsof het geluid op volle sterkte stond. In een paar minuten tijd liep iedereen over de stoffige grond bij het lijk vandaan. De jongen bleef op de grond achter. Samen met zijn snikkende vriendin. Ook haar geweeklaag bleef aan haar lippen kleven, alsof een schor gejammer de enige vorm van vocale expressie was die de heroïne toeliet.

Ik begreep niet waarom het meisje het deed, maar ze liet haar trainingsbroek zakken en recht boven hem gehurkt plaste ze in het gezicht van de jongen. Het zakdoekje plakte aan zijn lippen en neus. Even later leek de jongen weer bij zijn positieven te komen, hij haalde zijn hand over zijn neus en mond, zoals je doet wanneer je het water van je gezicht wist als je net uit zee komt. Deze Lazarus van Miano, opgewekt door god weet welke stoffen die in de urine zaten, kwam langzaam overeind.

Ik zweer dat ik als ik niet verdoofd was geweest door de situatie had uitgeroepen dat er een wonder was geschied. Maar ik kon alleen maar ijsberen. Dat doe ik altijd als ik iets niet begrijp, niet weet wat ik moet doen. Dan neem ik zenuwachtig de ruimte in beslag. Ik moet hiermee de aandacht hebben getrokken, want de Visitors begonnen naar mij toe te lopen, tegen mij te schreeuwen. Ze dachten dat ik iemand was die te maken had met die vent die bijna die jongen had vermoord. Ze brulden: 'Jij... je wilde hem vermoorden...'

Ze kwamen om me heen staan, ik hoefde alleen maar mijn pas te versnellen om ze af te schudden, maar ze bleven me achtervolgen, ze raapten allerlei rotzooi van de grond op die ze naar me toe gooiden. Ik had niets gedaan. Als je geen junkie bent, dan ben je vast een dealer.

Plotseling dook er een vrachtwagen op. Iedere ochtend kwamen ze in groten getale uit de opslagplaatsen naar buiten gereden. Hij remde vlak voor mijn neus en ik hoorde een stem die me riep. Het was Pasquale. Hij gooide het portier open en liet me instappen. Geen beschermengel die zijn beschermeling redt, maar eerder twee ratten die elkaar aan hun staart door hetzelfde riool trekken.

Pasquale keek me streng aan als een vader die het allemaal had zien aankomen, met een grijns die voor zich spreekt. Hij hoeft zijn tijd niet te verdoen met mij de les te lezen en te zeggen wat hij ervan vindt. Ik staarde naar zijn handen. Die werden steeds roder, kregen steeds meer kloofjes, gebarsten knokkels en steeds wittere handpalmen. Vingertoppen die gewend zijn aan het zijde en het fluweel van de haute couture kunnen maar moeilijk tien uur lang het stuur van een vrachtwagen omklemmen. Pasquale praatte, maar ik werd voortdurend afgeleid door de beelden van de Visitors. Apen. Zelfs nog minder dan apen. Proefkonijnen. Om een versnijding van een drug te testen die half Europa zal rondgaan en waaraan niemand dood mag gaan. Menselijke proefkonijnen die ervoor zorgen dat de gebruikers in Rome, Napels, de Abruzzen, Lucania en Bologna er niet onder bezwijken, dat het bloed niet uit hun neus en het schuim niet langs hun tanden loopt. Een dode Visitor in Secondigliano is gewoon de zoveelste desperado naar wie niemand onderzoek zal doen. Het zal al heel wat zijn als hij van de grond wordt opgeraapt, het braaksel en de urine van zijn gezicht worden geveegd en als hij wordt begraven. Elders zouden er tests, onderzoeken en gissingen naar de doodsoorzaak worden gedaan. Maar hier niks, gewoon: overdosis.

De vrachtwagen van Pasquale reed over de rijkswegen die aansluiten op het territorium ten noorden van Napels. Loodsen, opslagruimtes, plaatsen waar afval wordt opgeslagen en rondslingerend vuil, een en al roest, niemandsland. Er zijn geen industrieterreinen. Het stinkt er naar rokende schoorstenen, maar de fabrieken ontbreken. De huizen staan her en der langs de wegen verspreid en rondom de bars wordt wat rondgehangen. Een warrige, complexe woestijn.

Pasquale had door dat ik niet naar hem luisterde en remde

abrupt. Niet om te parkeren, maar gewoon om mij overeind te laten schieten en me door elkaar te schudden. Vervolgens keek hij me aan en zei: 'Het gaat de verkeerde kant op met Secondigliano... "*A vicchiarella*" zit in Spanje, met al onze centen. Je moet hier niet meer komen, de spanning is overal voelbaar. Zelfs het asfalt maakt zich los van de grond om hier weg te gaan...'

Ik had besloten om te volgen wat er in Secondigliano zou gaan gebeuren. Hoe meer Pasquale me voor het gevaar waarschuwde, des te meer ik ervan overtuigd raakte dat ik moest proberen de rampzalige elementen te doorgronden. En doorgronden betekende op zijn minst er deel van uitmaken. Ik had geen keus, want ik geloof niet dat er een andere manier was om gebeurtenissen te leren begrijpen. Neutraliteit en objectieve afstand zijn begrippen waarmee ik nooit uit de voeten heb gekund.

Raffaele Amato, '*a vicchiarella*', het oude wijf, verantwoordelijk voor de Spaanse piazze, leider op het tweede niveau van de clanstructuur, was naar Barcelona gevlucht met het geld uit de kas van de Di Lauro's. Dat zei men tenminste. In werkelijkheid had hij zijn bijdrage niet overgemaakt naar de clan. Daarmee liet hij zien dat hij geen enkele onderdanigheid meer voelde ten opzichte van degene die hem in loondienst wilde laten werken. De breuk was officieel. Voorlopig deed hij alleen zaken in Spanje, een territorium dat sinds jaar en dag onderworpen was aan de heerschappij van de clans. In Andalusië de Casalesi uit Caserta, op de eilanden de Nuvoletta's uit Marano, en in Barcelona de 'dissidenten'. Zo noemen sommigen, de verslaggevers die de zaak volgen, de misdaadverslaggevers, de mannen van de Di Lauro's die zich hebben gedistantieerd van de clan. Voor iedereen in Secondigliano zijn het gewoon de Spanjaarden. Ze worden zo genoemd omdat hun leiders ook echt in Spanje zitten en omdat ze niet alleen de piazze maar ook het handelsverkeer zijn begonnen te controleren; omdat Madrid een van de belangrijkste knooppunten is voor de handel in cocaïne afkomstig uit Colombia en Peru.

De mannen die al jarenlang verbonden waren aan Amato hadden

volgens de onderzoeken tonnen drugs door middel van een geniale list in omloop gebracht. Ze gebruikten vuilniswagens. Vuilnis bovenop en drugs onderop. Een feilloze methode om controles te ontlopen. Geen hond zou 's nachts een vuilniswagen aanhouden die afval ophaalt en wegbrengt en tegelijkertijd tonnen drugs vervoert.

Cosimo Di Lauro kreeg in de gaten – zo bleek uit onderzoek – dat de leiders steeds minder kapitaal in de kas van de clan stortten. De 'inzetten' waren met het kapitaal van de Di Lauro's gedaan, maar een flink deel van de winst die moest worden gedeeld was achtergehouden. De inzetten zijn de investeringen die iedere boss doet als hij een partij drugs koopt met het kapitaal van de Di Lauro's. Inzet. Het woord is afkomstig uit de illegale en hyperliberale economie van de pillen en de coke, die geen zekere factoren en ijkpunten kent. Je zet in, zoals bij roulette. Als je honderdduizend euro inzet en je hebt geluk, dan wordt het in veertien dagen driehonderdduizend.

Als ik me op deze cijfers van de economische versnelling stort, moet ik altijd denken aan het voorbeeld dat Giovanni Falcone gaf toen hij een school bezocht en dat vervolgens in honderden schoolschriftjes werd opgeschreven: 'Om te begrijpen hoe florerend de drugshandel is, moet je bedenken dat iedere duizend lire die op 1 september in drugs wordt geïnvesteerd, op 1 augustus van het jaar daarop honderd miljoen zijn.'

De bedragen die de leiders overmaakten naar de bankrekeningen van de Di Lauro's waren nog altijd astronomisch, maar werden allengs kleiner. Op de lange termijn zou een dergelijke gang van zaken sommigen ten koste van anderen sterker hebben gemaakt en de groep zou, zodra ze organisatorisch en militair sterk genoeg zou zijn, langzaamaan Paolo Di Lauro er met een schouderstoot uit hebben gewerkt, de definitieve schouderstoot waar geen kruid tegen gewassen is. Die bestaat uit lood en niet uit wedijver.

Daarom beveelt Cosimo dat iedereen een salaris krijgt. Hij wil dat iedereen bij hem in vaste loondienst komt, een keuze die indruist tegen de beslissingen die zijn vader tot dan toe had genomen, maar die noodzakelijk was om zijn eigen zaken, zijn eigen autoriteit, zijn eigen familie te beschermen. Geen zakenpartners meer die vrij zijn om te beslissen over de hoeveelheid geld die wordt geïnvesteerd, over de kwaliteit en de soorten drugs die op de markt worden gebracht. Geen vrije, zelfstandige niveaus meer binnen een multilevel-organisatie, maar werknemers in loondienst. Vijftigduizend euro per maand, zegt men. Een gigantisch bedrag. Maar nog altijd een salaris, nog altijd een ondergeschikte functie, nog altijd het einde van een ondernemersdroom ten koste van een leidinggevende functie.

En dat was nog niet het einde van de administratieve revolutie. Volgens de spijtoptanten had Cosimo een generatietransformatie doorgevoerd: de leiders mochten niet ouder dan dertig zijn. Verjonging dus, meteen, jonge mensen in de top, in het hier en nu. De markt verleent geen concessies aan menselijke meerwaarden, die is onvermurwbaar. Je moet winnen, handeldrijven. Iedere verbintenis, of het nu om vriendschap, wetten, rechten, liefde, emotie of religie gaat, iedere verbintenis geeft de concurrentie meer speling, belemmert de overwinning. Voor alles is er plaats, maar de economische victorie, het zekerstellen van de heerschappij, komt voor alles. Uit een laatste restje respect werd er ook naar de oude bosses geluisterd wanneer ze met antieke ideeën en onhandige opdrachten aan kwamen zetten, en hun beslissingen werden vaak uitsluitend in overweging genomen vanwege hun leeftijd. En met name hun leeftijd kon het leiderschap van Paolo Di Lauro's zonen op het spel zetten.

Maar nu zijn ze allemaal aan elkaar gelijk: niemand kan zich beroepen op een heroïsch verleden, op ervaringen van vroeger, afgedwongen respect. Iedereen moet zichzelf bewijzen met de kwaliteit van zijn eigen voorstellen, zijn leidinggevende capaciteiten, de kracht van zijn eigen charisma.

Toen de commando's uit Secondigliano hun eigen militaire macht begonnen te tonen, had de breuk nog niet plaatsgevonden. Daarvoor was de tijd nog niet rijp. Een van de eerste doelwitten was Fernando Bizzarro, '*bacchetella*' of ook wel 'Uncle Fester', naar het kleine, kruiperige en kale personage uit *The Adams Family*. Bizzarro was de potentaat van Melito. De term potentaat wordt gebruikt om aan te duiden dat iemand die een sterke, maar geen volledige autoriteit bezit, nog altijd ondergeschikt is aan de boss, aan de hoogste in rang. Bizzarro was niet langer een ijverige *capozona* van de Di Lauro's. Hij wilde zelf het geld beheren. En ook de belangrijke beslissingen, niet alleen op administratief vlak, wilde hij zelf nemen. Hij kwam niet op de gebruikelijke manier in opstand, hij wilde alleen maar opklimmen tot nieuwe, zelfstandige gesprekspartner. Hij promoveerde zichzelf dus maar.

De clans in Melito zijn meedogenloos. Het is het gebied van de clandestiene fabrieken, van de productie van de beste kwaliteitsschoenen voor winkels over de halve wereld. Deze fabrieken zijn essentieel voor de liquide middelen die geleend worden tegen woekerrentes. De eigenaar van de clandestiene fabriek steunt bijna altijd een politicus of een clanhoofd die die politicus laat verkiezen, omdat die veel minder controle op zijn activiteiten zal gaan uitvoeren. De camorraclans uit Secondigliano zijn nooit slaven van de politici geweest, ze hebben er nooit de lol van ingezien een planmatige overeenkomst te sluiten, maar het is in deze contreien wel van essentieel belang om vriendjes te hebben.

Uitgerekend Bizarro's contactpersoon bij de instanties werd diens engel des doods. Voor de moord op Bizzarro had de clan de hulp ingeroepen van een politicus, Alfredo Cicala, de oud-burgemeester van Melito, en bovendien ex-leider van de plaatselijke Margherita-partij. Volgens de onderzoeken van de DDA van Napels had de man nauwkeurige aanwijzingen gegeven waar Bizzarro te vinden was. Als je de afgetapte gesprekken leest, lijkt het helemaal niet over het plannen van een moord te gaan, maar gewoon over een wisseling van de wacht. Verschil is er niet. De zaken moeten doorgaan, het besluit van Bizzarro om voor zichzelf te beginnen vergrootte het risico dat de business zou verzuipen. Het doel heiligt alle middelen en iedere macht.

Toen Bizzarro's moeder overleed dachten de clanleden van Di Lauro erover naar de begrafenis te gaan om alles en iedereen overhoop te schieten. Om ze allemaal om te leggen, hemzelf, zijn zoon, zijn neven. Allemaal. Ze waren er klaar voor. Maar Bizzarro en zijn zoon kwamen niet opdagen op de begrafenis. Maar het voorbereiden van de hinderlaag gaat door, zo nauwgezet dat de clan zijn leden per fax laat weten wat er staat te gebeuren en wat er moet worden gedaan: 'Er is niemand meer bij uit Secondigliano, hij heeft iedereen weggejaagd... Hij gaat alleen dinsdags en zaterdags met vier auto's weg... en jullie, denk eraan dat je geen vin verroert, wat er ook gebeurt. Uncle Fester heeft laten weten dat hij met Pasen van iedere winkel 250 euro wil zien en dat hij voor niemand bang is. Deze week zal Siviero worden gemarteld.'

Via de fax worden de strategieën uitgestippeld. Een marteling wordt op de agenda gezet als een omzet, een bestelling, een reservering voor een vlucht. Acties tegen een verrader worden aangekondigd. Bizzarro, die onder begeleiding van vier auto's zijn huis uitging, had een *pizzo*, beschermgeld van 250 euro per maand, opgelegd. Siviero, een man van Bizzarro, zijn trouwe chauffeur, werd misschien wel gemarteld om de routes uit hem te krijgen die zijn capozona in de toekomst zou gaan afleggen.

Maar de lijst met veronderstellingen over de moord op Bizzarro eindigt hier niet. Ze denken erover om naar het huis van zijn zoon te gaan en 'niemand te sparen'. En dan een telefoontje: een killer is haast wanhopig vanwege een gemiste kans, want hij is te weten gekomen dat Bizzarro een frisse neus is gaan halen om nog maar eens te laten zien hoe machtig en onaantastbaar hij is. Hij is razend om de gemiste kans: 'Krijg nou de tering, wat zijn we toch een sukkels, die zak heeft de hele ochtend lekker buiten gezeten...'

Niets wordt verborgen gehouden. Alles lijkt zo klaar als een klontje, verweven met het dagelijkse bestaan. Maar de oud-burgemeester van Melito meldt in welk hotel Bizzarro zich samen met zijn vriendin heeft teruggetrokken, waar hij spanningen en sperma weg laat vloeien. De mens leert zich aan alles aan te passen. Aan leven met het licht uit om je aanwezigheid in huis niet te verraden, aan de deur uitgaan onder escorte van vier auto's, aan het niet bellen of gebeld worden, aan het niet naar de begrafenis van je eigen moeder gaan. Maar je dusdanig in te moeten houden dat je je eigen vriendin niet meer kunt zien, gaat te ver, voelt als het einde van al je macht.

Op 26 april 2004 zit Bizarro in hotel Villa Giulia, op de derde etage, en ligt met zijn vriendin in bed. Het commando komt het hotel binnen. Ze hebben politiejacks aan. In de lobby vragen ze de magneetkaart om de deur open te doen. De receptionist vraagt de zogenaamde agenten niet eens om hun penning. Ze kloppen op Bizzarro's deur. Hij is nog in zijn onderbroek, maar de commando's horen hem al naar de deur lopen. Ze openen het vuur. Twee pistoolsalvo's. Ze doorzeven de deur waarbij ze hem raken en daarna wordt de deur ontzet. Dan bezwijkt hij onder de schoten en maken ze Bizzarro af met een schot door het hoofd. Kogels en houtsplinters zijn het vlees binnengedrongen.

De slachtpartijen verlopen inmiddels volgens een vast patroon. Bizzarro was de eerste, of een van de eersten. Of ten minste de eerste op wie de kracht van de Di Lauro's is uitgetest. Een kracht die in een mum van tijd kan worden losgelaten op iedereen die het bondgenootschap, de zakelijke overeenkomst, durft te verbreken. Hoe het organigram van de dissidenten eruitziet is nog niet zeker, dat valt niet direct te doorzien. Iedereen houdt zijn adem in, het lijkt alsof er nog ergens op wordt gewacht. Maar om duidelijkheid te scheppen en het conflict in gang te zetten, komt een paar maanden na de moord op Bizarro iets wat op een oorlogsverklaring lijkt.

Op 20 oktober 2004 worden Fulvio Montanino en Claudio Salerno – volgens de onderzoeken de getrouwen van Cosimo en toezichthouders van enkele piazze – met veertien schoten vermoord. Doordat de zogenaamde vergadering, waarin Cosimo en zijn vader zouden worden omgelegd, was mislukt, was deze aanslag het begin van de vijandelijkheden. Als er doden vallen, zit er niets anders op dan terug te slaan. Alle capi hebben besloten om in opstand te komen tegen de camorrazonen van Di Lauro: Rosario Pariante, Raffaele Abbinante, en verder de nieuwe leiders Raffaele Amato, Gennaro Marino McKay, Arcangelo Abate en Giacomo Migliaccio. Degenen die trouw blijven aan Di Lauro zijn de familie De Lucia, Giovanni Cortese, Enrico D'Avanzo en een omvangrijke groep meelopers. Behoorlijk omvangrijk. Jongens aan wie een hoge positie, de buit en sociale en financiële groei binnen de clan is beloofd.

Cosimo, Marco en Ciro, de zonen van Paolo Di Lauro, nemen de leiding van de groep op zich. Cosimo vermoedde naar alle waarschijnlijkheid al dat hij de dood of de gevangenis riskeerde, arrestaties en economische crisis. Maar hij had geen keus: of eindeloos je ondergang afwachten door de groei van een clan in je eigen schoot of proberen de zaken te redden, of ten minste je eigen hachje. De ondergang van de economische macht betekent automatisch de ondergang van je eigen lijf en leden.

Het is oorlog. Niemand weet nog hoe er gevochten gaat worden, maar iedereen weet met zekerheid dat de strijd lang en pijnlijk zal zijn. De meest meedogenloze strijd die Zuid-Italië de afgelopen tien jaar heeft gekend. De Di Lauro's hebben minder mannen, ze zijn veel minder sterk en veel minder georganiseerd. In het verleden hebben ze altijd gewelddadig gereageerd op afscheidingen binnen in de groep, splitsingen ingegeven door het liberale bestuur dat door sommigen werd geïnterpreteerd als een vrijgeleide voor autonomie, voor het opzetten van hun eigen onderneming. Maar de vrijheid van de Di Lauro-clan was een vrijheid die je in bruikleen kreeg, een waarvan je nooit moest denken dat hij van jou was.

In 1992 maakte de oude garde in de bar Fulmine, waar ze gewapend met mitrailleurs en handgranaten naar binnen stapten, een einde aan de afscheiding van Antonio Rocco, de capozona van Mugnano. Ze maakten vijf mensen af. Om zijn hachje te redden, toonde Rocco berouw, en de staat, die blij was met zijn medewerking, plaatste bijna tweehonderd mensen onder bescherming, allemaal mensen op wie Di Lauro het had gemunt. Maar zijn berouw leverde niets op. Het bestuur van het genootschap was door de verklaringen van de spijtoptant niet aan het wankelen gebracht.

Deze keer echter begonnen de mannen van Cosimo Di Lauro zich zorgen te maken, zoals blijkt uit de verordening tot voorlopige hechtenis, afgegeven door de rechtbank van Napels op 7 december 2004. Twee leden, Luigi Petrone en Salvatore Tamburino, bellen elkaar op en hebben het over de oorlogsverklaring in de vorm van de moord op Montanino en Salerno.

Petrone: 'Ze hebben Fulvio vermoord.'

Tamburino: 'O...'

Petrone: 'Snap je?'

De oorlogsstrategie, volgens Tamburino gedicteerd door Cosimo Di Lauro, begint vorm te krijgen. Ze een voor een aanpakken en afslachten, indien nodig zelfs met bommen.

Tamburino: 'Met echte bommen toch, echte? Dat heeft ons Cosimootje gezegd, ik laat een voor een met ze afrekenen... Ik maak ze... als beesten, heeft hij gezegd... allemaal...'

Petrone: 'Die daar... Het gaat erom dat er lui zijn die "werken"...'

Tamburino: 'Gino, er lopen er hier wel duizend rond. Allemaal ettertjes... Allemaal ettertjes... Ik zal je laten zien wat die eikel allemaal uitvreet...'

Die strategie is nieuw. Jonge jongetjes bij de oorlog betrekken, hun de rang van soldaat geven om het perfecte mechanisme van de drugshandel, van investeringen, van macht over het territorium in een militair instrument te transformeren. Slagershulpjes, automonteurs, obers en werkloze jongetjes. Allemaal moesten ze de nieuwe en onverwachte strijdkracht van de clan worden. Op de dood van Montanino volgt een lange reeks van bloedige wederzijdse represailles, waarbij de doden zich opstapelen: één tot twee aanslagen per dag, eerst de soldaten van de twee clans, dan de familieleden, het in brand steken van hun huizen, de knokpartijen, de verdenkingen.

Tamburino: 'Cosimootje is een ijskouwe, hij zei: "We gaan eten, drinken en naaien." Niks meer aan te doen... gebeurd is gebeurd, we moeten verder.'

Petrone: 'De eetlust is me vergaan. Ik heb gegeten om het eten...'

De slagorde moet niet wanhopig zijn. Het is belangrijk dat je je als overwinnaar gedraagt, zowel voor een leger als voor een bedrijf. Wie laat zien dat hij het niet meer ziet zitten, wie vlucht, verdwijnt of in elkaar duikt, heeft bij voorbaat al verloren. Eten, drinken, naaien. Alsof er niets was gebeurd, alsof er niets gebeurde. Maar de twee mannen schijten in hun broek van angst, ze weten niet hoeveel leden er naar de Spanjaarden zijn overgelopen en hoeveel er nog aan hun kant staan.

Tamburino: 'Hoe moeten wij nou weten hoeveel er naar die lui zijn overgelopen... dat weten we helemaal niet!'
Petrone: 'O, hoeveel ze hebben meegesleept? Er zitten er nog zat hier, Totore! Ik volg het niet... moeten die lui dan niks hebben van de Di Lauro's?'
Tamburino: 'Weet je wat ik zou doen als ik Cosimootje was? Ik zou ze allemaal mollen. Zelfs als ik twijfelde... allemaal. Ik zou gaan ruimen... snap je! Eerst die drek weghalen...'

Iedereen vermoorden. Stuk voor stuk. Ook bij twijfel. Ook als je niet weet aan welke kant ze staan, ook als je niet weet of ze aan een kant staan. Gewoon knallen. Het is drek, drek, gewoon drek. Ten overstaan van de oorlog, van de dreigende nederlaag, zijn de rollen van bondgenoot en vijand inwisselbaar. Het zijn niet langer individuen, maar elementen waarop je je eigen kracht kunt uittesten en tastbaar kunt maken. Pas later ontstaan daaromheen de partijen, de bondgenoten, de vijanden. Maar voor het zover is, moet men eerst beginnen met schieten.

Op 30 oktober 2004 verschijnen ze bij het huis van Salvatore de Magistris, een zestigjarige heer die is getrouwd met de moeder van Biagio Esposito, een dissident, een Spanjaard. Ze willen weten waar hij zich schuilhoudt. De Di Lauro-clan moet ze allemaal te grazen nemen, voordat ze zich kunnen organiseren, voordat ze zich realiseren dat ze in de meerderheid zijn. Met een stok breken ze zijn armen en benen, verbrijzelen zijn neus. Voor iedere stokslag vragen ze informatie over de zoon van zijn vrouw. Hij geeft geen antwoord en bij ieder stilzwijgen valt er een volgende klap. Ze trappen hem helemaal verrot, hij moet wel praten, maar doet het niet. Of misschien weet hij echt niet waar de schuilplaats is. Na een doodsstrijd van een maand sterft hij.

Op 2 november wordt Massimo Galdiero vermoord op een parkeerplaats. Ze moesten eigenlijk zijn broer Gennaro doodschieten, de vermoedelijke vriend van Raffaele Amato. Op 6 november wordt Antonio Landieri vermoord in de Via Labriola. Om hem te pakken te krijgen schieten ze op de hele groep die bij hem was. Nog eens vijf mensen raken ernstig gewond. Allemaal beheerden ze een dealersplek waar cocaïne werd verhandeld en het lijkt erop dat het werknemers van Gennaro McKay waren.

Maar de Spanjaarden antwoorden en op 9 november laten ze een witte Fiat Punto midden op straat achter. Ze omzeilen wegblokkades en laten de auto in de Via Cupa Perrillo staan. Het is al in de middag als de politie drie lijken vindt: Stefano Maisto, Mario Maisto en Stefano Mauriello. Achter elk portier dat ze opendoen vinden de politieagenten een lijk. Voor, achter, in de kofferbak.

In Mugnano, op 20 november, vermoorden ze Biagio Migliaccio. Ze gaan hem vermoorden in de zaak van de autodealer waar hij werkt. Ze roepen: 'Dit is een overval' en schieten hem dan in zijn borst. Hun doelwit was zijn oom Giacomo. Diezelfde dag antwoorden de Spanjaarden met de moord op Gennaro Emolo, de vader van een vertrouweling van de Di Lauro's, die ervan werd verdacht deel uit te maken van de militaire tak.

Op 21 november schakelen de Di Lauro's Domenico Riccio en Salvatore Gagliardi uit, getrouwen van Raffaele Abbinante, terwijl ze sigaretten aan het kopen zijn. Een uur later wordt Francesco Tortora vermoord. De killers zitten niet op een motor, maar in een auto. Ze komen dichterbij, schieten en rapen hem dan als een zak van de grond op. Ze laden hem in de auto en brengen hem naar de buitenwijk van Casavatore waar ze de auto en het lichaam in brand steken. Twee vliegen in één klap. In de nacht van de 22e op de 23e treffen de carabinieri een uitgebrande auto aan. Een andere.

Om de vete op de voet te kunnen volgen, had ik een radio weten te bemachtigen waarmee ik de frequenties van de politieradio kon ontvangen. Op die manier kwam ik op mijn Vespa min of meer gelijktijdig aan met de politiewagens. Die avond was ik echter in slaap gevallen. Het krakende en ritmische lawaai van de centrales was voor mij een soort wiegeliedje geworden, daarom was het ditmaal een telefoontje dat mij midden in de nacht meldde wat er was gebeurd. Ter plaatse zag ik een volledig uitgebrande auto. Ze hadden hem met benzine overgoten. Liters benzine. Overal. Benzine op de zittingen voorin, benzine op de achterbank, benzine over de banden, over het stuur. De vlammen waren al gedoofd, de ruiten gesprongen, toen de brandweer arriveerde.

Ik weet niet waarom ik met mijn neus op dat autowrak ben gaan staan. Er hing een vreselijke stank van verbrand plastic. Er zijn weinig mensen bij, een stadswacht met een zaklamp tuurt tussen de staalplaten door naar binnen. Er ligt een lijk in, of iets wat erop lijkt. De brandweermannen openen de portieren en halen met een grimas van walging het lijk uit de auto. Een carabiniere wordt niet goed, leunend tegen een muur gooit hij de pasta en aardappels die hij een paar uur daarvoor heeft gegeten eruit. Het lichaam was niet meer dan een verstijfde romp, helemaal verkoold, het gezicht slechts een zwartgeblakerde schedel, de benen gevild door de vlammen. Ze pakten het lichaam bij de armen vast en legden het op de grond in afwachting van de lijkwagen.

Het lijkenbusje rijdt voortdurend rond, je ziet het altijd rijden tussen Scampia en Torre Annunziata. Het busje haalt de lijken op van doodgeschoten mensen, verzamelt ze en voert ze af. Campania is het gebied met het hoogste aantal moorden, en behoort tot de wereldtop. De banden van de lijkwagen zijn totaal versleten, je zou eigenlijk alleen maar een foto hoeven te maken van de kaalgevreten banden en hun grauwe binnenkant en je hebt een symbolisch plaatje voor deze streek. De kerels stapten uit het busje met hun smerige latex handschoenen, keer op keer gebruikt, en begonnen aan de klus. Ze stopten het lijk in een zak, zo'n zwarte, de bodybag waar normaal gesproken de lichamen van dode soldaten in worden geritst. Het lijk zag eruit als de lijken die onder de as van de Vesuvius waren gevonden nadat de archeologen gips hadden gegoten in de holten die de lichamen hadden achtergelaten.

Inmiddels was een hele menigte rond de auto komen staan, maar iedereen zweeg. Het was alsof er niemand stond. Zelfs neusgaten durfden niet luidruchtig te ademen. Sinds de camorra-oorlog is uitgebroken, stellen veel mensen geen grenzen meer aan hun eigen verdraagzaamheid. Ze staan erbij om te zien wat er nog meer zal gebeuren. Iedere dag leren ze hoeveel erger het nog kan, wat ze nog moeten ondergaan. Ze leren, nemen het mee naar huis en maken er het beste van.

De carabinieri beginnen foto's te maken, het busje met het lijk rijdt weg. Ik ga naar de rechtbank. Er zal toch wel iets worden gezegd over dit slachtoffer. In het perscentrum lopen de gebruikelijke journalisten rond en een paar politieagenten. Na een tijdje klinken de commentaren. 'Ze maken elkaar af, des te beter!' 'Kijk dan wat er gebeurt als je camorrist bent.' 'Je wilde toch zo graag verdienen, nu heb je pas echt je verdiende loon, stuk vullis.' De gebruikelijke opmerkingen, maar met steeds meer walging, getergd. Alsof het lijk daar lag en iedereen hem wel iets had te verwijten, in deze pestnacht, in deze oorlog waar maar geen eind aan komt, deze garnizoenen die de scherpe kantjes van Napels nog eens bijslijpen.

Het kost de artsen vele uren om het lijk te identificeren. Iemand noemt de naam van een clanhoofd, dat een paar dagen eerder is verdwenen. Een van de velen, een van de lichamen opgestapeld in de koelcellen van het Cardarelli-ziekenhuis, in afwachting van het moment waarop ze worden geïdentificeerd.

Iemand slaat zijn hand voor zijn mond, de journalisten slikken al hun speeksel in tot hun mond is uitgedroogd. De politieagenten schudden hun hoofd en kijken naar de neuzen van hun schoenen. De commentaren vallen stil, uit schuldgevoel. Het lichaam was van Gelsomina Verde, een meisje van tweeëntwintig. Ontvoerd, gemarteld, vermoord door een schot in de nek dat van dichtbij was afgevuurd en door haar voorhoofd weer naar buiten was gekomen. Vervolgens hadden ze haar in een auto gegooid, haar auto, en die in brand gestoken. Ze had verkering gehad met een jongen, Gennaro Notturno, die ervoor gekozen had zich op te houden met de clans en de Spanjaarden had benaderd. Ze had een paar maanden wat met hem gehad, een hele tijd daarvoor. Maar iemand had ze arm in arm gezien, misschien samen op een Vespa, samen in een auto.

Gennaro was ter dood veroordeeld, maar had weten te ontsnappen, god mag weten waarheen, misschien zat hij in een of andere garage in de buurt van de straat waar ze Gelsomina hebben vermoord. Hij had het niet nodig gevonden om haar te beschermen omdat hij geen relatie meer met haar had. Maar de clans moeten zich laten gelden en zo veranderen individuen, via hun kennissen, familieleden, zelfs hun liefdes, in briefjes. Briefjes waarop boodschappen worden geschreven. De allerslechtste boodschap die er bestaat. Er moet worden gestraft. Als iemand ongestraft blijft, is het risico van verraad, dat mogelijk nieuwe afsplitsingen rechtvaardigt, te groot. Toeslaan en zo hard mogelijk, zo luidt het bevel. Niks anders telt.

En dus zoeken de volgelingen van Di Lauro Gelsomina op, spreken met een smoesje met haar af. Ze ontvoeren haar, ze slaan haar tot bloedens toe, ze martelen haar, ze vragen haar waar Gennaro is. Zij antwoordt niet. Misschien weet ze niet waar hij zit, of ondergaat ze liever zelf datgene wat ze hem zouden hebben aangedaan. En dus maken ze haar af. De camorristen die eropuit waren gestuurd om de 'klus' te klaren, stonden misschien stijf van de coke of misschien moesten ze nuchter zijn om het miniemste detail op te kunnen merken. Maar het is algemeen bekend welke methodes ze hanteren om iedere vorm van verzet uit te schakelen, om korte metten te maken met zelfs maar het allerkleinste teken van menselijkheid.

Het feit dat het lichaam was verbrand leek mij een manier om de sporen van de martelingen uit te wissen. Het lichaam van een mishandeld meisje zou in iedereen een doffe woede hebben opgewekt, en vanuit de wijk wordt er geen instemming verwacht, maar men wil ook zeker geen vijandigheid oproepen. En dus maar verbranden, alles verbranden. De bewijzen van de dood zijn niet erg, niet erger dan iedere andere dood in tijden van oorlog. Maar je durft je niet voor te stellen hoe deze dood heeft plaatsgevonden, hoe die marteling is voltrokken. Door mijn neus zo diep op te halen dat het slijm uit mijn borst naar boven kwam en ik het uit kon spugen, slaagde ik erin die beelden uit mijn gedachten te bannen.

Gelsomina Verde, Mina, zoals ze in de buurt kortweg werd genoemd. Ook de kranten noemen haar zo wanneer ze haar liefkozen met het schuldgevoel van de dag erna. Het zou gemakkelijk zijn geen onderscheid te maken tussen haar en die anderen die elkaar onderling afmaken. Of, als ze nog leefde, haar als het liefje van een camorrist te blijven beschouwen, een van de velen die dit leven accepteren voor het geld of om het gevoel te krijgen belangrijk te zijn. Niets meer dan de zoveelste 'dame' die zich de rijkdom van haar camorra-echtgenoot laat welgevallen. Maar '*Il Saracino*', zoals Gennaro Notturno wordt genoemd, staat nog maar aan het begin. Als hij straks capozona wordt en de straatdealers controleert, komt hij op zo'n duizend tot tweeduizend euro, maar het is een lange carrière. 2500 euro lijkt de prijs te zijn voor een moord. En als je dan je biezen moet pakken omdat de carabinieri je op de hielen zitten, betaalt de clan een maand in Noord-Italië of in het buitenland. Ook hij droomde er misschien van om een boss te worden, om over half Napels te heersen en in heel Europa te investeren.

Als ik stilsta en op adem kom, kan ik me hun ontmoeting makkelijk voorstellen, ook al ken ik hun gezichten niet. Ze hebben elkaar zoals iedereen vast leren kennen in de bar, die vervloekte bars in de Zuid-Italiaanse voorsteden waar het bestaan van iedereen, jochies en oude, taaie negentigjarigen, als een draaikolk omheen draait. Of misschien hebben ze elkaar wel in een of andere discotheek ontmoet. Een ritje naar de Piazza Plebiscito, een kus voor het naar huis gaan. Dan de samen doorgebrachte zaterdagen, een pizza met vrienden, de deur van de slaapkamer op slot na de lunch op zondag wanneer de anderen uitgeteld van het eten in slaap vallen. Enzovoorts. Zoals dat altijd gaat, zoals iedereen dat gelukkig overkomt.

Dan treedt Gennaro toe tot het Systeem. Hij zal bij een van zijn camorravriendjes zijn langsgegaan, hij zal zich hebben laten voorstellen en vervolgens zal hij zijn gaan werken voor Di Lauro. Ik stel me voor dat het meisje er misschien wel van wist, dat ze heeft geprobeerd iets anders voor hem te vinden, zoals dat hier vaak met veel meisjes gebeurt, dat ze zich de benen uit hun lijf rennen voor hun vriendje. Maar misschien is ze uiteindelijk vergeten wat voor werk Gennaro doet. Eigenlijk is het gewoon een baan zoals alle andere. Autorijden, wat pakketjes wegbrengen, het begint met kleine dingen. Het stelt niks voor. Maar ze laten je wel leven, ze laten je werken en geven je soms het gevoel dat je iets hebt bereikt, dat je wordt gewaardeerd, een gevoel van voldoening. Toen zijn ze uit elkaar gegaan.

Maar die paar maanden waren genoeg. Genoeg om Gelsomina met Gennaro te associëren. Haar als een van zijn dierbaren aan zijn persoon te 'koppelen'. Ook al was hun relatie ten einde, misschien zelfs nooit echt begonnen. Dat doet er niet toe. Dat is maar giswerk en verbeelding. Wat overblijft is dat er een meisje is gemarteld en vermoord omdat ze haar hebben gezien terwijl ze iemand streelde en een kus gaf, een paar maanden daarvoor, ergens in Napels.

Ik vind het onvoorstelbaar. Gelsomina werkte zich drie slagen in de rondte, zoals iedereen hier. Vaak moeten vriendinnen, echtgenotes alleen hun families onderhouden omdat heel veel mannen in een depressie terechtkomen die jaren kan duren. Ook iemand die in Secondigliano woont, ook iemand die in de Derde Wereld woont, kan een psyche hebben. Jarenlang niet werken verandert je, als stront worden behandeld door je eigen meerderen, zonder contract, zonder respect, zonder geld, betekent je dood. Of je wordt een beest of je bevindt je op de rand van het einde. Daarom werkte Gelsomina zoals iedereen die minstens drie banen moet hebben om een salaris bij elkaar te sprokkelen dat voor de helft naar de familie gaat. Ze werkte ook als vrijwilligster met ouderen uit de buurt, iets waarover de kranten, die wel een wedstrijd leken te houden om haar te rehabiliteren, een en al lof waren, en die zo van haar verkoolde lichaam weer een persoon maakten over wie met onschuldig mededogen kon worden verteld.

In tijden van oorlog kun je geen liefdesrelaties meer hebben, geen banden, alles kan een zwakke plek worden. De emotionele aardbeving die zich manifesteert bij de jongste leden is geregistreerd in de door de carabinieri afgetapte telefoongesprekken, zoals het telefoongesprek tussen Francesco Venosa en Anna, zijn vriendinnetje, getranscribeerd in het aanhoudingsbevel, vrijgegeven door de Antimaffiadienst van Napels in februari 2006. Het is het laatste telefoongesprek voordat hij van nummer verandert; Francesco vlucht naar Lazio, hij waarschuwt zijn broer Giovanni met een sms dat hij het uit zijn hoofd moet laten om de straat op te gaan, ze hebben het op hem gemunt.

'Hoi lief broertje, blijf binnen wat er ook gebeurt. Oké?'

Francesco moet aan zijn vriendin uitleggen dat hij weg moet, en dat het leven van een man van het Systeem ingewikkeld is. 'Ik ben nu achttien... Zonder dollen... Die lui gooien je... ze maken je af, Anna!'

Maar Anna is koppig, ze wil meedoen aan het toelatingsexamen om sergeant van de carabinieri te worden, haar leven veranderen en ook dat van Francesco. De jongen vindt het helemaal niet erg dat Anna bij de carabinieri wil, maar hij voelt zich inmiddels te oud om zijn leven om te gooien.

Francesco: 'Ik heb toch gezegd, ik ben blij voor je... Maar mijn leven is totaal anders... En ik verander mijn leven niet.'

Anna: 'Goed zo, moet je vooral doen... Ga maar lekker zo door.'

Francesco: 'Anna, Anna... doe nou niet zo...'

Anna: 'Maar je bent achttien, je kunt alles nog veranderen... Waarom heb je je er al bij neergelegd? Ik snap het niet...'

Francesco: 'Ik verander mijn leven niet, voor geen goud.'

Anna: 'O, omdat je het zo wel goed hebt.'

Francesco: 'Nee, Anna, het gaat niet goed met me, maar we hebben nu genoeg moeten slikken... en we moeten ons verloren respect weer herstellen... Als we door de wijk liepen, durfden de mensen ons nooit aan te kijken... nu kijken ze allemaal.'

Voor Francesco, een Spanjaard, is het de ergst mogelijke belediging wanneer niemand ontzag heeft voor hun macht. Ze hebben te veel doden te verduren gekregen en daarom ziet iedereen in zijn wijk hem als aanhanger van een groep schofterige killers, mislukte camorristen. Dit is ontoelaatbaar, hier moet zelfs op gevaar van eigen leven op worden gereageerd. Zijn vriendin probeert hem tegen te houden, en hem niet het gevoel te geven dat hij al is veroordeeld.

Anna: 'Jij hoeft je niet in de nesten te werken, je hebt nog een heel leven voor je...'

Francesco: 'Nee, ik wil mijn leven niet veranderen...'

De piepjonge dissident is als de dood dat de Di Lauro's zich op haar zullen afreageren, maar hij stelt haar gerust door te zeggen dat hij veel vriendinnetjes heeft gehad, dus niemand zou Anna met hem in verband kunnen brengen. Dan biecht hij op, als romantische puber, dat zij nu de enige is.

'...Op het laatst had ik wel dertig vrouwen in de wijk... maar nu ben jij de enige om wie ik echt geef...'

Anna lijkt iedere angst voor represailles te verdringen, en denkt als het kleine meisje dat ze ook is alleen maar aan de laatste zin van Francesco.

Anna: 'Kon ik dat maar geloven.'

De oorlog gaat verder. Op 24 november wordt Salvatore Abbinante vermoord. Hij wordt in zijn gezicht geschoten. Hij was het neefje van een van de leiders van de Spanjaarden, Raffaele Abbinante, man uit Marano, het territorium van de Nuvoletta-clan. Om actief deel te kunnen nemen aan de markt van Secondigliano, lieten de Nuvoletta's veel mannen met hun gezinnen naar de wijk Monterosa verhuizen en Raffaele Abbinante is, volgens de beschuldigingen, de leider van dit maffia-onderdeel in het hart van Secondigliano. Hij was in Spanje een van de grote namen met het meeste charisma, waar hij de scepter zwaaide over de Costa del Sol.

Tijdens een monsteronderzoek in 1997 werd 2500 kilo hasj in beslag genomen, 1020 xtc-pillen, 1500 kilo cocaïne. De rechters bewezen dat de Napolitaanse kartels van de Abbinantes en de Nuvoletta's bijna de volledige synthetischedrugshandel in Spanje en Italië in handen hadden. Na de moord op Salvatore Abbinante werd gevreesd dat de Nuvoletta's zich ermee zouden gaan bemoeien, dat Cosa Nostra zou besluiten zijn steentje bij te dragen aan de vete van Secondigliano. Er gebeurde niets, tenminste niet op militair vlak. De Nuvoletta's gooiden de grenzen van hun territoria open voor voortvluchtige dissidenten, wat het punt van kritiek was dat de mannen van Cosa Nostra in Campania hadden op de oorlog van Cosimo.

Op 25 november vermoordden de Di Lauro's Antonio Esposito in zijn levensmiddelenzaak. Toen ik op de plek arriveerde, lag zijn lichaam tussen de flessen water en de pakken melk. Ze pakten hem beet, ze waren met z'n tweeën, tilden hem aan zijn jas en voeten op en legden hem in een metalen kist. Toen de lijkwagen wegreed, kwam er een vrouw de winkel in die de melkpakken op de vloer weer op hun plaats begon te zetten en de bloedspatten wegpoetste die op de vitrine met vleeswaren terecht waren gekomen. De carabinieri lieten haar haar gang gaan. De kruitsporen, de voetsporen, de aanwijzingen waren al verzameld. De nutteloze sporenalmanak was al volgeschreven. De hele nacht was dat mens bezig de winkel op orde te brengen, alsof opruimen het gebeurde zou kunnen uitwissen, alsof wanneer de melkpakken maar weer in het schap stonden en de versnaperingen keurig netjes naast elkaar lagen, het gewicht van de dood alleen naar die paar minuten waarin de aanslag had plaatsgevonden kon worden verbannen, alleen naar die paar minuten.

Ondertussen verspreidde zich in Scampia het gerucht dat Cosimo Di Lauro 150.000 euro uitloofde aan degene die bruikbare tips kon geven om Gennaro Marino McKay op te sporen. Een hoge beloning, maar voor een economisch imperium als het Systeem van Secondigliano niet al te hoog. Zelfs bij het vaststellen van de hoogte van de beloning was men zo slim om de vijand niet te overschatten. Maar de beloning werpt geen vruchten af, de politie is er sneller bij.

Alle leiders van de dissidenten die nog in wijk zaten, waren bijeengekomen in de Via Fratelli Cervi, op de dertiende verdieping van het flatgebouw. Uit voorzorg hadden ze het trapportaal geblindeerd. Boven aan de trap sloot een heel hekwerk de overloop af. De geblindeerde deuren beveiligden vervolgens de ontmoetingsplek. De politie omsingelde het pand. De afscherming voor mogelijke vijandige aanvallen veroordeelde hen nu tot een machteloos wachten, een wachten op hoe de decoupeerzagen de tralies zouden doorzagen en de geblindeerde deur zou worden ingetrapt.

In afwachting van hun arrestatie, gooiden ze een rugzak met een mitrailleur, pistolen en handgranaten uit het raam. Toen de mitrailleur op de grond viel, begon hij te ratelen. Een kogel vloog rakelings langs een politieagent die voor het gebouw op wacht stond, kietelde bijna zijn nek. Van pure zenuwen begon de agent rond te dansen, te zweten en schokkerig te hyperventileren. Het loodje leggen door een projectiel dat per ongeluk is uitgespuugd door een mitrailleur die afging toen hij van de dertiende verdieping werd gegooid, is een mogelijkheid die je niet serieus overweegt. Bijna in een delirium begon hij in zichzelf te praten, iedereen uit te schelden, namen te brabbelen en met zijn handen te wapperen alsof hij muggen uit zijn gezicht wilde houden, en hij raasde door: 'Ze hebben geluld. Omdat ze het zelf niet aankonden hebben ze geluld en ons eropaf gestuurd. We knappen hun zaakjes op, we redden het leven van die monsters. We kunnen ze beter in hun eigen sop laten gaarkoken, dan maken ze elkaar wel af, al maken ze iedereen af, wat kan ons dat verrotten?'

Zijn collega's gebaarden dat ik moest maken dat ik wegkwam.

Die avond arresteerden ze Arcangelo Abete en zijn zus Anna, Massimiliano Cafasso, Ciro Mauriello, Gennaro Notturno, de ex-verloofde van Mina Verde, en Raffaele Notturno in het huis aan de Via Fratelli Cervi. Maar het echte klapstuk van de arrestatie was Gennaro McKay, de dissidentenleider. De Marino's waren de eerste doelwitten van de vete geweest. Ze hadden hun eigendommen laten afbranden: restaurant Orchidea aan de Via Diacono in Secondigliano, een bakkerswinkel aan de Corso Secondigliano en een afhaalpizzeria in de Via Pietro Nenni in Arzano. Bovendien was het huis van Gennaro McKay, een houten villa in de stijl van een Russische datsja in de Via Limitone d'Arzano, aangestoken. Tussen de blokken gewapend beton, kapotte wegen, verstopt geraakte afvoerputten en schaarse verlichting was de boss van Case Celesti erin geslaagd een stuk territorium los te scheuren en het om te toveren in een berglandschap. Hij had er een villa van kostbaar hout neer laten zetten met in de tuin Libische palmen, de allerduurste. Er wordt beweerd dat hij voor zaken in Rusland had gezeten en in een datsja logeerde waar hij zijn hart aan had verpand. Liefde op het eerste gezicht. En dus kon niets of niemand hem ervan weerhouden om midden in het centrum van Secondigliano een datsja te laten bouwen, het symbool van zijn zakelijke macht en nog meer een belofte van succes aan zijn jongens die, als ze zich wisten te gedragen, vroeg of laat diezelfde luxe zouden bereiken, ook in de periferie van Napels, ook in de schemerigste marges van de Méditerranée.

Nu is er van de datsja niets meer over dan het betonnen skelet en de verkoolde planken. Gennaro's broer, Gaetano, werd door de carabinieri aangetroffen in een kamer van het luxueuze hotel La Certosa in Massa Lubrense. Om het vege lijf te redden had hij zich opgesloten in een kamer aan zee, een onverwachte manier om zich aan het conflict te onttrekken. De butler, de man die zijn handen verving, keek de aangekomen carabinieri recht in hun gezicht en zei: 'Jullie hebben mijn vakantie verpest.'

Maar de arrestatie van de groep Spanjaarden stelpte de bloedige vete niet. Giuseppe Bencivenga werd op 27 november vermoord. Op 28 november schoten ze op Massimo de Felice en vervolgens is het op 5 december de beurt aan Enrico Mazzarella.

De spanning wordt een soort scherm dat tussen de mensen in gaat staan. In oorlogstijd kijken ogen niet meer afwezig om zich heen. Ieder gezicht moet je iets vertellen. Je moet het ontcijferen. Je moet het aankijken. Alles verandert. Je moet weten welke winkel je binnen kunt gaan, zeker zijn van elk woord dat je uitspreekt. Voordat je besluit om met iemand een ommetje te maken, moet je weten wie die persoon is. Je moet eerst te weten zien te komen wat voor vlees je in de kuip hebt, iedere mogelijkheid uitvlakken dat diegene een pion op het schaakbord van het conflict is. Dicht naast elkaar lopen, het woord tot elkaar richten betekent dat je aan dezelfde kant staat. In oorlogstijd zijn al je zintuigen verhoogd actief, het is alsof je scherper waarneemt, alsof je grondiger kijkt, alsof je beter ruikt. Ook al heeft iedere opmerkzaamheid geen schijn van kans tegenover een voorgenomen bloedbad. Wanneer er wordt toegeslagen, wordt er niet opgelet wie wel gered moet worden en wie niet.

In een afgetapt telefoongesprek probeert Rosario Fusco, die ervan werd beschuldigd een capozona van de Di Lauro's te zijn, zijn zoon vol overtuiging toe te spreken. Zijn stem klinkt erg gespannen. '...Ga met niemand om, dat is een ding wat zeker is, ik heb het je ook geschreven: als je naar buiten wilt, maak dan alsjeblieft voor je oude vader een wandeling met een meisje, als je maar niet met jongens optrekt, want we weten niet aan welke kant ze staan of waar ze bij horen. Dus als ze zo'n jongen moeten hebben en je zit er te dichtbij, dan nemen ze jou ook te grazen. Snap je wat tegenwoordig het probleem is? Doe dit nou voor je oude vader...'

Het probleem is dat je niet buiten schot kunt blijven. Je kunt er niet maar gewoon van uitgaan dat je manier van leven je voor ieder gevaar behoedt. Je kunt niet meer tegen jezelf zeggen: 'Ze maken elkaar onderling wel af.' Tijdens een camorraconflict wordt alles wat met moeite is opgebouwd in gevaar gebracht, als een zandkasteel door de branding neergehaald. De mensen proberen zwijgzaam door te lopen, hun aanwezigheid op de wereld tot een minimum te beperken. Weinig make-up, onopvallende kleuren, maar dat niet alleen. Wie astma heeft en niet kan rennen, sluit zichzelf in huis op, maar met een smoes, door een reden te verzinnen, want bekennen dat je in huis opgesloten zit, zou weleens een schuldbekentenis kunnen betekenen: god mag weten van wat voor schuld, maar in ieder geval een angstbekentenis. De vrouwen dragen geen hoge hakken meer, daar kun je niet op wegrennen. Een oorlog die niet officieel is afgekondigd, die niet door regeringen wordt erkend en die niet door reporters wordt verslagen, is onlosmakelijk verbonden met een onuitgesproken angst, een angst die onder je huid kruipt.

Je voelt je opgeblazen als na een maaltijd of na het drinken van hele slechte wijn. Een angst die niet tot uitbarsting komt op de aanplakbiljetten op straat of in de dagbladen. Er zijn geen invasies of hemelen die zwart zien van vliegtuigen, het is een oorlog die je vanbinnen voelt. Bijna als een fobie. Je weet niet of je je angst moet tonen of juist verbergen. Je komt er maar niet achter of je overdrijft of de zaak onderschat. Er klinkt geen luchtalarm, maar je hoort de meest tegenstrijdige berichten. Er wordt gezegd dat de camorraoorlog tussen bendes wordt uitgevochten, dat ze elkaar onderling vermoorden. Maar niemand weet wie 'ze' zijn en wie niet. De busjes van de carabinieri, de politieblokkades, de helikopters die ieder uur rondcirkelen zijn niet geruststellend, het lijkt haast wel alsof ze het slagveld doen inkrimpen. Ze pikken ruimte in. Ze stellen niet gerust. Ze maken de dodelijke ruimte van de strijd nog benauwender. En je voelt je erin opgesloten, met de ruggen tegen elkaar staan, de onverdraaglijke warmte van de ander voelend.

Met mijn Vespa reed ik over deze deken van spanning. Als ik ten tijde van het conflict naar Secondigliano ging, werd ik minstens een keer of tien per dag gefouilleerd. Als ik alleen al zo'n Zwitsers zakmesje zou hebben gehad, hadden ze het me laten inslikken. Ik werd aangehouden door de politie, door de carabinieri, soms door de fiscale recherche, en vervolgens door de wachters van de Di Lauro's, en dan door die van de Spanjaarden. Allemaal met dezelfde onbeduidende autoriteit, dezelfde mechanische gebaren, dezelfde woorden. De ordehandhavers namen mijn papieren in en daarna fouilleerden ze me, de wachters daarentegen fouilleerden me en stelden meer vragen, herkenden een accent, scanden leugens. Zij die op de uitkijk stonden, fouilleerden op de hoogtijdagen van het conflict iedereen, ze gluurden in iedere auto naar binnen. Om gezichten te catalogiseren, om te kijken of de inzittenden gewapend waren. Eerst zag je brommers op je af komen, werd je priemend aangekeken, dan motoren, en uiteindelijk auto's die je volgden.

De verplegers verklaarden dat ze voordat ze naar binnen mochten om iemand te helpen, om het even wie, niet alleen mensen met een schotwond, maar ook een oud vrouwtje met een botbreuk in haar dijbeen of iemand met een infarct, eerst moesten uitstappen, zich moesten laten fouilleren, een wachter in de ambulance moesten laten die controleerde of het daadwerkelijk een voertuig met medische apparatuur was of dat er misschien wapens, killers of voortvluchtigen in verscholen zaten. Tijdens de camorra-oorlogen wordt het Rode Kruis niet erkend, geen enkele clan heeft het Verdrag van Genève ondertekend.

Ook de undercover overvalwagens van de carabinieri lopen risico. Eén keer werd een salvo afgevuurd op een auto waarin een groepje carabinieri in burger zat die voor rivalen werden aangezien, schoten die alleen gewonden opleverden. Een paar dagen later meldt zich een jongetje in de kazerne met een koffertje met schoon ondergoed dat maar al te goed weet hoe je je gedraagt tijdens een arrestatie. Hij biecht alles meteen op, misschien wel omdat de bestraffing die hij van de clan zou hebben gekregen voor het schieten op de carabinieri veel erger zou zijn geweest dan de gevangenis. Veel waarschijnlijker zal de clan, om geen bijzondere persoonlijke haat te kweken tussen de uniformen en de camorristen, hem hebben aangemoedigd zichzelf aan te geven door hem het nodige te beloven en de kosten van de verdediging op zich te nemen. Het jongetje dat zonder aarzeling de kazerne binnen is gelopen, heeft verklaard: 'Ik dacht dat het de Spanjaarden waren en heb geschoten.'

Ook op 7 december werd ik midden in de nacht gewekt door de telefoon. Een bevriende fotograaf vertelde mij over de bliksemactie. Niet over een bliksemactie, maar over dé bliksemactie. Dezelfde waar de plaatselijke en landelijke politici als reactie op de vete om vroegen.

De wijk de Derde Wereld wordt omsingeld door duizenden politieagenten en carabinieri. Een enorme wijk, waarvan de bijnaam een duidelijk beeld oproept van hoe het er daar aan toegaat, net als het opschrift op een muur aan het begin van de hoofdstraat: 'Wijk de Derde Wereld, betreden op eigen risico.' Het is een groot mediacircus. Na deze bliksemactie zullen Scampia, Miano, Piscinola, San Pietro a Paterno en Secondigliano worden overspoeld door journalisten en televisieploegen. De camorra begint na jaren van stilte weer te bestaan. Ineens. Maar de onderzoeksmethodes zijn oud, stokoud, er is nooit regelmatig aandacht voor geweest. Alsof een stel hersenen twintig jaar geleden in winterslaap is gegaan en nu pas wakker wordt. Alsof je te maken had met de camorra van Raffaele Cutolo en de maffiose logica die ertoe hebben geleid dat snelwegen werden opgeblazen en rechters vermoord. Nu is alles anders, behalve de ogen van de toeschouwers, deskundig of minder deskundig.

Onder de arrestanten bevindt zich ook Ciro Di Lauro, een van de zonen van de boss. Het commerciële brein van de clan, wordt ook wel gezegd. De carabinieri trappen de deuren in, fouilleren mensen en richten hun geweren op het gezicht van kleine jongetjes. Het enige tafereel dat ik te zien krijg, is een carabiniere die naar een jongetje schreeuwt dat hem met een mes bedreigt: 'Weg met dat ding! Gooi weg! Nu! Meteen! Gooi weg dat ding!'

Het jongetje laat hem vallen. De carabiniere schopt het mes weg dat tegen een plint slaat waardoor het lemmet terug in het heft schiet. Het is van plastic, een Ninja Turtle-mes. Ondertussen bezetten de militairen de wijk, maken foto's, kijken overal rond. Tientallen kleine forten worden omvergeworpen. Muren van gewapend beton, opgetrokken in de kelders van gebouwen om opslagplaatsen voor drugs te creëren, worden gesloopt, de hekken die hele delen van straten moesten afsluiten om pakhuizen voor drugs op te zetten, worden neergehaald.

Honderden vrouwen komen de straat op, steken afvalcontainers in brand, gooien dingen naar de politiewagens. Hun zonen, neefjes en buurjongetjes worden gearresteerd. Hun werkgevers. En toch lukt het me niet om op hun gezichten, in die woorden van razernij, in de heupen bekneld door zulke nauwsluitende joggingbroeken dat ze op springen lijken te staan, een criminele solidariteit te zien. De drugsmarkt is een bron van inkomsten, minimale inkomsten die voor het merendeel van de mensen in Secondigliano helemaal geen rijkdom betekenen. De ondernemers van de clans zijn de enigen wie het buitengewone winst oplevert. Alle mensen die in de nevenproductie werkzaam zijn, in de handel, de opslagplaatsen, de onderduikadressen, in het garnizoen, ontvangen maar gewone salarissen plus het risico van arrestaties, maanden en jaren gevangenisstraf. Die gezichten droegen maskers van razernij, een razernij die smaakt naar maagzuur. Een woede die zowel een verdediging van het eigen territorium is als een verwijt aan het adres van degene die deze plek altijd als niet-bestaand heeft beschouwd, verloren, om te vergeten.

Dit gigantische machtsvertoon van de ordehandhavers dat zich ontvouwt en plotseling opdoemt, pas na tientallen doden, pas na het verbrande en gemartelde lichaam van een meisje uit de buurt, lijkt in scène te zijn gezet. De vrouwen van hier hebben in de gaten dat er een luchtje aan zit. De arrestaties, de tanks lijken de situatie niet te wijzigen, maar alleen een operatie die vooral gunstig is voor een paar mensen die gebaat zijn bij wat arrestaties en gesloopte muren.

Alsof plotseling iemand de betekeniscategorieën had veranderd en zei dat hun hele leven een vergissing was. Ze wisten maar al te goed dat daar alles fout zat, er waren geen helikopters en tanks voor nodig om hen daaraan te herinneren, maar tot op dat moment was het hun primaire bron van bestaan, hun overlevingskracht. Bovendien zou niemand, na die uitbarsting die hun leven alleen maar ingewikkelder maakte, serieus hebben geprobeerd om het te verbeteren. En dus wilden die vrouwen zorgvuldig de vergetelheid van dat isolement, van dat mislukte leven bewaken en degene die ineens de duisternis heeft opgemerkt verjagen.

De journalisten lagen op de loer in hun auto's. Eerst lieten ze de carabinieri hun gang gaan, zonder hen voor de voeten te lopen en daarna begonnen ze de bliksemactie te verslaan. Aan het einde van de operatie werden er 53 mensen in de boeien geslagen, de jongste was van 1985. Ze waren allemaal opgegroeid in het Napels van de Renaissance, in de nieuwe fase die het lot van het individu had moeten veranderen. Terwijl ze de politiecellen binnen wandelen, terwijl ze door de carabinieri in de boeien worden geslagen, weten ze allemaal wat hun te doen staat: een of andere advocaat bellen, wachten tot op de 28e van de maand het salaris van de clan thuis aankomt, de pakken pasta voor echtgenotes of moeders. De mannen die zich het meest zorgen maken zijn degenen die thuis tienerzonen hebben, zij weten niet welke rol hun jongens wordt toegekend na hun arrestatie, maar daar mogen ze zich niet mee bemoeien.

Na de bliksemactie is de oorlog niet meer te stoppen. Op 18 december wordt Pasquale Galasso, naamgenoot van een van de machtigste bazen uit de jaren negentig, achter de tapkast in een café omgelegd, gevolgd door Vincenzo Iorio, op 20 december vermoord in een pizzeria. Op de 24e vermoorden ze Giusseppe Pezzella, 34 jaar. Hij probeert zich te verbergen in een café, maar er wordt een heel magazijn op hem leeggeschoten. Met kerst een pauze, de wapens zwijgen. De clans reorganiseren zich. Er wordt geprobeerd vast te houden aan regelmaat en strategie bij het meest ongeregelde conflict ooit. Op 27 december wordt Emanuele Leone vermoord door een schot in het hoofd. Hij was 21. Op 30 december vermoorden ze de Spanjaarden: ze doden Antonio Scafuro, 26 jaar, en schieten zijn zoon in een been. Hij was verwant aan de capozona van de Di Lauro's uit Casavatore.

Het ingewikkeldste was nog om het te begrijpen, begrijpen hoe het mogelijk was dat de Di Lauro's als overwinnaars uit de strijd naar voren kwamen. Toeslaan en verdwijnen. Zich verdekt opstellen tussen de mensen, zich verspreiden over de wijken. Lotto T, de Vele, Parco Postale, de Case Celesti, het Smurfendorp, de Derde Wereld worden een soort van jungle, een regenwoud van gewapend beton waarin je kunt opgaan, waar je veel makkelijker dan ergens anders kunt verdwijnen, waar het makkelijker is om een schim te worden. De Di Lauro's hadden al hun leiders en capizona verloren, maar ze waren erin geslaagd een meedogenloze oorlog te beginnen zonder al te zware verliezen. Net als een staat die een militaire coup heeft ondergaan, waarna de afgezette president – om zijn macht te behouden en zijn belangen te behartigen – schooljongetjes had bewapend en van de postbodes, ambtenaren en kantoorchefs de nieuwe lichting militairen gemaakt door ze toe te laten tot het nieuwe machtscentrum en ze niet langer te verbannen tot de lagere rangen in het raderwerk.

Ugo De Lucia, een getrouwe van de Di Lauro's, is door de DDA van Napels beschuldigd van de moord op Gelsomina Verde en wordt afgeluisterd, zoals te lezen is in de verordening uit december 2004, door een microfoontje verstopt in zijn auto. 'Zonder bevel steek ik geen vinger uit, zo ben ik!'

De perfecte soldaat toont zijn volledige gehoorzaamheid aan Cosimo. Vervolgens geeft hij commentaar op een geval waarbij iemand gewond is geraakt. 'Ik had hem vermoord, ik zou heus niet in een been schieten, als ik het had moeten doen, had ik z'n trommelvliezen aan flarden geschoten, dat weet je! Laten we in mijn wijk neerstrijken, daar kunnen we rustig werken...'

Ugariello, zoals ze hem in zijn buurt noemen, zou gedood hebben, nooit alleen maar verwond.

'Nou, ik zeg je, we staan er alleen voor, laten we allemaal ergens gaan zitten... we zetten er vijf in een huis hier in de buurt... vijf in een ander huis en stuur alleen iemand naar ons als we naar buiten moeten komen om iemand zijn harses aan flarden te knallen!'

Commando's van vijf man organiseren, ze in *safehouses* laten schuilen, alleen uit hun schuilplaatsen tevoorschijn laten komen als er moet worden gemoord. Meer niet. De commando's worden *paranze* genoemd. Maar Petrone, zijn gesprekspartner, is er niet gerust op: 'Ja, maar als een van die klootzakken ergens wat verborgen paranze vindt, en ze zien ons, volgen ons, knijpen onze strot dicht... laten we er tenminste een paar afknallen voordat we er zelf aan gaan, snap je wat ik bedoel? Laat me er ten minste vier of vijf omleggen!'

Petrone vermoordt het liefst iemand die niet in de gaten heeft dat hij ontdekt is. 'Het allermakkelijkst zijn je maten, ze stappen bij je in en je neemt ze mee...'

De Di Lauro's winnen omdat ze onvoorspelbaarder zijn in hun aanval, maar ook omdat ze hun lot al voorzien. Voor het einde moeten ze echter zoveel mogelijk verliezen aan de vijand toebrengen. Een kamikazelogica zonder vuurwerk, de enige logica waarmee je, ook als je in een minderheidspositie verkeert, kunt hopen op een overwinning. Nog voordat ze zich organiseren in paranze, beginnen ze al toe te slaan.

Op 2 januari 2005 wordt Crescenzo Marino, de vader van McKay, vermoord. Zijn hoofd hangt achterover in een voor een zeventigjarige man ongebruikelijke auto: een Smart, de duurste uit de serie. Misschien dacht hij dat het genoeg was om de jongens die op de uitkijk stonden om de tuin te leiden. Het leek erop dat hij één enkel schot midden in zijn voorhoofd had gekregen. Geen bloed, behalve een straaltje dat over zijn gezicht loopt. Waarschijnlijk dacht hij dat even een luchtje scheppen, een paar minuutjes maar, niet gevaarlijk zou zijn. Het was echter genoeg.

Diezelfde dag ruimen de Spanjaarden in een barretje in Casavatore Salvatore Barra uit de weg. Op dezelfde dag gaat de president van de republiek, Carlo Azeglio Ciampi, naar Napels om aan de stad te vragen te reageren, om hun formeel moed in te spreken, de be-

trokkenheid van de staat te tonen. Alleen al in de uren van zijn bezoek zijn er drie aanslagen gepleegd.

Op 15 januari wordt Carmela Attrice pal in haar gezicht geschoten. Ze is de moeder van de dissident Francesco Barone 'de Rus',
volgens onderzoeken de rechterhand van McKay. De vrouw ging al
tijden niet meer naar buiten en daarom gebruikten ze een jongetje
als lokaas om haar uit de weg te ruimen. Hij belt aan, de vrouw kent
hem en is zich van geen gevaar bewust. Nog in pyjama loopt ze naar
beneden, opent de deur en iemand richt de loop van zijn pistool op
haar gezicht en schiet. Bloed en hersenvocht lekken uit haar hoofd
als bij een gebroken ei.

Toen ik aankwam op de plaats van de aanslag, bij de Case Celesti,
hadden ze nog geen laken over het lichaam gelegd. De mensen liepen door haar bloed en lieten overal sporen achter. Ik slikte hevig
om mijn maag tot rust te brengen. Carmela Attrice was niet ontkomen. Ze was gewaarschuwd, ze wist dat haar zoon bij de Spanjaarden zat, maar dat is de onzekerheid van de camorra-oorlog: niets is
uitgesproken en helder. Alles wordt pas duidelijk wanneer het zich
voltrekt. Volgens de logica van de macht bestaat er alleen de con-
creetheid. Vluchten, blijven, ervandoor gaan of iemand aangeven
worden onzekere keuzes, want ieder advies heeft altijd een tegenad-
vies en alleen door een concrete gebeurtenis wordt er een besluit genomen. Als dat gebeurt, kan men niet anders dan de beslissing ondergaan.

Als je sterft op straat, eindig je te midden van een afgrijselijk lawaai. Het is niet waar dat je alleen sterft. Je eindigt met onbekende
gezichten voor je neus, mensen die benen en armen aanraken om te
weten of het lichaam al een lijk is of dat het de moeite loont een ambulance te bellen. Het gezicht van de zwaargewonden, het gelaat
van mensen die stervende zijn, ze schijnen allemaal bevangen te zijn
door dezelfde angst. En door dezelfde soort schaamte. Het lijkt gek,
maar vlak voordat het afloopt is er haast een soort van schaamte. 'Lo
scuorno' zeggen ze hier, zoiets als in je blootje op straat lopen. Diezelfde sensatie ervaar je wanneer je op straat wordt doodgeschoten.

Ik heb nooit kunnen wennen aan het beeld van vermoorde mensen. Verplegers, agenten, allemaal zijn ze rustig, onaangedaan, ze voeren hun ingestudeerde gebaren uit ongeacht wie ze voor zich hebben. 'Wij hebben eelt op onze ziel en een ijzeren maag,' zei een piepjonge chauffeur van een lijkauto tegen me. Als je er eerder dan de ambulance bent, is het moeilijk je ogen van de gewonde af te houden, ook al kijk je liever niet. Ik heb nooit begrepen dat je op die manier kunt sterven.

Ik was dertien toen ik voor de eerste keer iemand zag die was vermoord. Die dag staat in mijn geheugen gegrift. Ik werd wakker en schaamde me kapot want uit mijn pyjama, zonder onderbroek eronder, bengelde duidelijk een ongewilde erectie. De klassieke ochtenderectie, onmogelijk te verbergen. Ik herinner me deze gebeurtenis omdat ik onderweg naar school op een lijk stuitte dat in dezelfde situatie verkeerde als ikzelf die ochtend. We waren met zijn vijven, onze rugzakken vol boeken. Er was een Alfa Romeo Alfetta doorzeefd en op weg naar school zagen we hem ineens voor ons staan. Mijn vrienden vlogen er razend nieuwsgierig opaf om te kijken. Op de rugleuning van de autostoel waren omhooggestoken voeten te zien. De grootste durfal onder ons vroeg een carabiniere hoe het kwam dat de voeten op de plaats van de hoofdsteun zaten.

De carabiniere aarzelde geen moment met zijn antwoord, alsof hij niet in de gaten had hoe jong zijn vragensteller was. 'De hagelstenen hebben hem ondersteboven gezet...'

Ik was een klein jochie, maar ik wist dat hagelstenen mitrailleurschoten waren. Die camorrist had dusdanig de volle laag gekregen dat hij ondersteboven was komen te liggen, hoofd omlaag en voeten in de lucht. Toen de carabinieri het portier openden, viel het lijk als een gesmolten ijspegel op de grond. Wij keken ongestoord toe, zonder dat iemand tegen ons zei dat het bepaald geen kindervoorstelling was, zonder een morele hand die onze ogen afdekte.

De dode had een erectie. Door zijn strakke jeans was die duidelijk zichtbaar. En ik raakte ervan in de war. Ik staarde een hele tijd naar het tafereel. Dagenlang piekerde ik hoe dat nou mogelijk was. Waar had hij aan zitten denken, wat was hij aan het doen voordat hij stierf? Ik vulde hele middagen met het uitvogelen van wat er in zijn hoofd omging voordat hij stierf; ik werd erdoor gekweld totdat ik de moed kon opbrengen het te vragen en me werd verteld dat het een normale fysieke reactie was bij mannen die een gewelddadige dood sterven.

Die ochtend begon Linda, een meisje uit onze groep, zodra ze het lijk uit de auto naar buiten zag glijden, te huilen en ze stak twee anderen ook aan. Een gesmoord gehuil. Een jongeman in burger greep het lijk bij zijn haren en spuugde in zijn gezicht. Hij wendde zich tot ons en zei: 'Nee maar, waar huilen jullie om? Dit was een smeerlap, er is niets aan de hand. Huil maar niet...'

Sinds die keer geloof ik niet meer in het tafereel van de recherche die met handschoenen aan geruisloos rondloopt, ervoor wakend dat er geen stof en patroonhulzen worden verplaatst. Wanneer ik eerder dan de ambulance bij de lichamen ben en ik de laatste ogenblikken zie van iemand die weet dat hij doodgaat, schiet mij altijd het einde van de film *Heart of Darkness* binnen, waarin een vrouw aan Marlow, die inmiddels naar zijn vaderland is teruggekeerd, vraagt wat Kurtz heeft gezegd voordat hij stierf. En Marlow liegt. Hij antwoordt dat Kurtz naar haar heeft gevraagd, terwijl er in werkelijkheid geen enkel zoet woord over zijn lippen is gekomen en hij geen enkele waardevolle gedachte heeft gehad. Kurtz zei alleen maar: '*The horror!*'

Er wordt gedacht dat het laatst uitgesproken woord van iemand die op sterven ligt, zijn laatste gedachte is, de belangrijkste, de meest fundamentele. Dat men sterft en vertelt wat het leven de moeite waard heeft gemaakt. Dat is niet zo. Wanneer iemand doodgaat komt er niets uit, behalve angst. Iedereen of bijna iedereen spreekt dezelfde doodnormale, eenvoudige zin uit: 'Ik wil niet doodgaan.'

Gezichten die altijd over dat van Kurtz zijn heengeschoven, gezichten die verschrikking uitdrukken, de weerzin en de weigering om op een afgrijselijke manier te eindigen, op de ergste manier die bestaat. In verschrikking.

Nu ik tientallen vermoorde mensen heb gezien die, besmeurd met hun bloed dat zich vermengt met het vuil, misselijkmakende geuren uitwasemen, die worden bekeken met nieuwsgierigheid of met beroepsmatige onverschilligheid, die worden gemeden als chemisch afval of begeleid door krampachtig geschreeuw, heb ik één zekerheid gekregen, een gedachte die zo elementair is dat hij grenst aan idiotie: de dood is walgelijk.

In Secondigliano weten de jongens, de jochies, de kinderen beter dan wie ook hoe je doodgaat en hoe je beter dood kunt gaan. Ik wilde net wegrijden van de plaats van de aanslag op Carmela Attrice, toen ik een jochie met een van zijn vriendjes hoorde praten. Ze klonken bijzonder serieus.

'Ik wil sterven zoals die vrouw. In je kop pang, pang... en alles is voorbij.'

'In het gezicht, ze hebben haar in het gezicht geschoten, in het gezicht is erger.'

'Nee, dat is niet erger, het is toch maar heel even. Voor of achter, het blijft altijd je hoofd!'

Subtiel mengde ik me in de discussie door vragen te stellen en te proberen te zeggen hoe ik erover dacht. Ik vroeg de jochies: 'Is het niet beter om in je borst te worden geschoten? Een schot in je hart en het is over...'

Maar dat jongetje kende veel beter dan ik de werking van pijn en begon met de professionaliteit van een expert tot in detail te vertellen over de pijnen van de knal, oftewel van het schot van een vuurwapen. 'Nee, in de borst doet het pijn, vreselijk pijn en je gaat pas na tien minuten dood. De longen moeten zich eerst vullen met bloed en dan voelt het schot als een naald van vuur die in je wordt gestoken en wordt rondgedraaid. Dat doet ook pijn in je armen en benen. Het is net als een hele erge slangenbeet, een beet die je vlees nooit meer loslaat. Het hoofd is veel beter, dan pis je jezelf ook niet onder, en er loopt ook geen stront uit je. Je ligt niet een halfuur op de grond op apegapen...'

Hij had het allemaal gezien. En meer dan één lijk. Een schot in het hoofd zorgt ervoor dat je niet trilt van angst, dat je jezelf niet onderpist en dat de stank niet naar buiten komt, de stank van je ingewanden door de gaten in je buik. Ik ging verder met het stellen van gedetailleerde vragen over de dood, over de aanslagen. Alle mogelijke vragen behalve die ene die ik had moeten stellen: waarom hij op zijn veertiende erover nadacht hoe hij wilde sterven. Maar die vraag kwam geen moment bij me op.

Het joch stelde zich voor met zijn bijnaam. De naam kwam van *Pokémon*, de Japanse tekenfilmserie. Het joch was blond en gezet, genoeg reden om hem tot Pikachu om te dopen. Hij wees me twee kerels aan, ze stonden in de menigte die zich om het lichaam van de vermoorde vrouw had gevormd en bekeken het lijk.

Pikachu ging zachter praten: 'Kijk, die daar, dat zijn ze, zij hebben Pupetta vermoord...' Carmela Attrice werd Pupetta genoemd.

Ik probeerde in de gezichten te kijken van de jongens die Pikachu had aangewezen. Ze leken aangedaan, ze trilden, ze duwden hoofden en schouders opzij om de agenten die het lichaam bedekten beter te kunnen zien. Ze hadden de vrouw vermoord zonder hun gezicht te bedekken, vervolgens waren ze ergens in de buurt onder het beeld van Padre Pio gaan zitten en zodra er wat mensen om het lijk waren komen staan, waren ze ernaartoe gelopen om te kijken. Een paar dagen later werden ze opgepakt. Een groepje dat zich heel wat voelde door een aanslag op een weerloze vrouw die in haar pyjama en op pantoffels werd vermoord. Het was hun vuurdoop, een nevenactiviteit van de drugshandel die verandert in een gewapende bende. De jongste was zestien jaar, de oudste achtentwintig, de vermoedelijke moordenaar tweeëntwintig. Tijdens de arrestatie begon een van hen toen hij de flitsen en de televisiecamera's zag te lachen en te knipogen naar de journalisten.

Ook het vermoedelijke lokaas werd gearresteerd, de zestienjarige die had aangebeld om de vrouw naar beneden te laten komen. Zestien jaar, dezelfde leeftijd als de dochter van Carmela Attrice, die als ze schoten hoort het balkon op komt en begint te huilen, omdat ze de situatie meteen doorheeft. Ook waren de daders volgens de onderzoeken teruggekeerd naar de plaats van het misdrijf. Te nieuwsgierig. Het was als meespelen in je eigen film. Eerst in de rol van hoofdpersoon en dan in die van toeschouwer, maar allemaal in dezelfde film.

Het is vast waar dat degene die schiet zich zijn daad niet meer precies kan herinneren, want die jongens waren bloednieuwsgierig teruggekomen om te kijken wat ze hadden aangericht en hoe het gezicht van hun slachtoffer eruitzag.

Ik vroeg Pikachu of die kerels een paranza, een groep camorristen waren van Di Lauro, of dat ze er op zijn minst een vervingen. Het joch begon smakelijk te lachen: 'Een paranza, die is goed, dat zouden ze wel willen, dat ze een paranza waren... maar het zijn maar kleine etterjes, ik heb weleens een echte paranza gezien...'

Ik wist niet of Pikachu maar wat zat te lullen of dat hij me gewoon dingen vertelde die hij hier en daar in Scampia had opgepikt, maar zijn verhaal klopte als een bus. Een pietluttig ventje, dat desondanks alles zo gedetailleerd vertelde dat iedere twijfel werd uitgesloten. Hij vond het leuk mijn verbaasde gezicht te zien als hij aan het woord was.

Pikachu vertelde dat hij een hond had die Careca heette, zoals de Braziliaanse aanvaller van Napels, kampioen van Italië. Deze hond liep vaak over de balustrade van het huis. Op een dag hoorde het dier iemand achter de deur van het huis aan de overkant, dat gewoonlijk leeg stond, en hij begon met de nagels van zijn poten tegen de deur te krabben. Na een paar seconden ratelde er van achter de deur een mitrailleursalvo dat hem voluit trof.

Pikachu vertelde het voorval na en reproduceerde ook alle geluiden. 'Tratratra... Careca was gelijk dood... en de deur, pang... ging... boem, open.'

Pikachu ging bij een muurtje op de grond zitten, liet zijn voeten tegen het muurtje steunen en imiteerde met zijn armen de kolf van een handmitrailleur. Hij liet zien hoe de wacht die zijn hond vermoordde zat. De wacht die achter de deur zat. Hij zat met een kussen achter zijn rug en zijn voetzolen had hij aan weerszijden van de deur tegen de muur geplant. Een ongemakkelijke positie om ervoor te zorgen dat hij niet door slaap zou worden overmand en vooral omdat van onder naar boven schieten iedereen zou hebben geëlimineerd die zich voor de deur had geposteerd, zonder dat de wacht zelf zou worden geraakt.

Pikachu vertelde me dat toen de paranza de hond had gedood, ze ter verontschuldiging geld hadden gegeven aan zijn familie en die ook hadden uitgenodigd in het huis. In het huis hield een hele paranza zich schuil. Hij wist alles nog, de lege kamers met alleen bedden, een tafel en een televisie.

Pikachu praatte snel en met grote gebaren schetste hij de posities en bewegingen van de leden van de paranza. Ze waren nerveus en gespannen, en er was een figuur bij die 'ananassen' om zijn nek had hangen. Ananassen, dat zijn de handgranaten die de mannen van de paranza bij zich dragen. Pikachu vertelde dat er vlak bij een raam een mand vol ananassen stond. De camorristische clans koesterden altijd al een speciale voorkeur voor handgranaten. De arsenalen van de clans puilden uit van Oost-Europese handgranaten en antitank-projectielen.

Pikachu vertelde dat ze in die kamer uren met de Playstation speelden en dat hij alle leden van de paranza had uitgedaagd en ingemaakt. Hij won altijd en ze beloofden hem dat 'ze me een dezer dagen mee zouden nemen om me echt te laten schieten'.

Een van de legendes van de wijk, die steeds fantastischer wordt, verhaalde inderdaad dat Ugo De Lucia geobsedeerd was met *Winning Eleven* spelen, het meest bekende Playstation-spelletje. In vier dagen tijd pleegde hij – volgens de aantijgingen – niet alleen drie moorden, maar was hij ook de voetbalkampioen geworden van het videospelletje.

Het verhaal van spijtoptant Pietro Esposito, bijgenaamd 'Kojak', schijnt echter geen gerucht te zijn. Hij was een huis binnengegaan waar Ugo De Lucia op een bed voor de televisie lag en commentaar gaf op het nieuws: 'We hebben alweer twee stuks af! En de anderen hebben in de Derde Wereld een stuk af.'

De televisie was de beste manier om erachter te komen hoe het er op dat moment voorstond met de oorlog, zonder compromitterende telefoontjes te hoeven plegen. Vanuit dat oogpunt bezien was de media-aandacht die Scampia had gekregen vanwege de oorlog een militair-strategisch voordeel. Het meest van alles raakte me echter de term 'stuk'. 'Stuk' was de nieuwe manier om een moord te omschrijven. Ook Pikachu had het als hij het over de doden van de oorlog van Secondigliano had, over het afhebben van zoveel stuks door de dissidenten.

'Een stuk afhebben' is een uitdrukking afkomstig uit het tegen stukloon werken, het doden van een mens gelijkstellen aan de fabricage van iets, om het even wat. Een stuk.

Pikachu en ik gingen wandelen en hij vertelde over de jongens van de clan, de eigenlijke kracht van de Di Lauro-clan. Ik vroeg hem waar ze samenkwamen en hij stelde voor erheen te gaan, ze kenden hem allemaal en dat wilde hij laten zien. Ze ontmoetten elkaar in een pizzeria.

Voordat we ernaartoe gingen, haalden we een vriend van Pikachu op, die al een tijd deel uitmaakte van het Systeem. Pikachu aanbad hem, hij beschreef hem als een soort boss, maar hij was een aanspreekpunt voor de jongens van het Systeem, het was zijn taak om de voortvluchtigen te laven en volgens zijn zeggen deed hij rechtstreeks boodschappen voor de familie Di Lauro. Hij heette Tonino KitKat, omdat hij tonnen snacks verslond. KitKat gedroeg zich als een kleine boss, maar ik liet zien dat ik sceptisch was.

Ik stelde hem vragen waarop hij niets wist te antwoorden, en dus deed hij zijn trui omhoog. Zijn hele borst zat vol ronde plekken. In het midden van de paarse cirkels waren gele en groenachtige klodders van kapotgesprongen haarvaatjes te zien.

'Wat is er gebeurd?'

'Het vest...'

'Vest?'

'Ja, het kogelvrije vest...'

'Van dat vest krijg je toch niet zulke blauwe plekken?'

'Maar de aubergines zijn de dreunen die ik heb gekregen...'

De blauwe plekken, de aubergines, waren het resultaat van de pistoolschoten die het vest een centimeter voordat ze het vlees binnendrongen tegenhield. Om de jongens te leren geen angst voor vuurwapens te hebben, kregen ze een kogelvrij vest aangetrokken en werd er op hen geschoten. Een vest alleen was niet voldoende om een mens ervan te weerhouden te vluchten voor een wapen. Een vest is geen vaccin tegen angst. De enige manier om iedere angst te verdoven, was door te laten zien hoe de wapens onschadelijk konden worden.

De jongens vertelden me dat ze naar het platteland werden gebracht, net buiten Secondigliano. Ze lieten hen onder hun T-shirts de kogelvrije vesten aandoen en dan schoten ze per keer een half magazijn op ieder van hen leeg. 'Als de dreun komt, val je op de grond en krijg je geen adem meer, je doet je mond open om in te ademen, maar er komt niets binnen. Je kan het gewoon niet. Het is net als een dreun tegen je borst, het lijkt alsof je stikt... maar dan sta je weer op, en dat is het belangrijkste. Na de klap sta je weer op.'

KitKat was samen met anderen getraind op het incasseren van schoten, een training in sterven, of beter nog: in bijna sterven.

De jongens worden in de clan opgenomen zodra ze de clan trouw kunnen zijn. Ze zijn tussen de twaalf en zeventien jaar, velen van hen zijn zonen of broers van leden, veel andere jongens komen uit families van tijdelijke werkkrachten. Ze zijn het nieuwe leger van de Napolitaanse camorraclans. Ze komen uit de oude binnenstad, uit de wijk Sanità, uit Forcella, uit Secondigliano, uit de buurt San Gaetano, de Quartieri Spagnoli, uit Pallonetto. Ze worden via leden van de verschillende clans gerekruteerd.

Wat hun aantal betreft is het een echt leger. Dit heeft talrijke voordelen voor de clans, want een jongetje verdient minder dan de helft van het salaris van een volwassen lid in de laagste rang. Hij hoeft zelden zijn ouders te onderhouden, hij is geen kostwinner, hij heeft geen vaste uren, het is niet noodzakelijk dat hij zijn salaris precies op tijd krijgt en bovenal is hij bereid om altijd en eeuwig op straat rond te hangen.

De taken verschillen en de mate van verantwoordelijkheid ook. Ze beginnen met de handel in softdrugs, voornamelijk hasj. De jongens staan bijna altijd in de drukste straten. Na verloop van tijd gaan ze pillen verhandelen en krijgen ze bijna altijd een brommer cadeau. Uiteindelijk de coke, die ze rechtstreeks bezorgen bij universiteiten, voor de deur van kroegen, voor hotels, bij metrostations. De groepjes babydealers zijn van essentieel belang voor de flexibele dealerseconomie omdat ze minder in het oog lopen. Ze verkopen drugs tussen de trap tegen een voetbal en een ritje op hun brommer door, en vaak gaan ze rechtstreeks naar het huis van de klant.

De clan dwingt de jongens meestal niet 's morgens te werken, ze blijven op school zolang ze leerplichtig zijn, ook omdat ze makkelijker op te sporen zijn wanneer ze de leerplicht ontduiken. Na hun eerste paar maanden gaan de jongens van de clan meestal gewapend op pad, om zich te kunnen verdedigen en om zich te doen gelden, een veelbelovende promotie op het werkveld waardoor ze opklimmen naar de top van de clan; op de vuilnisbelten in de provincie of in de grotten van het ondergrondse Napels leren ze om te gaan met automatische en halfautomatische pistolen. Wanneer ze betrouwbaar blijken te zijn en het volledige vertrouwen genieten van een capozona, mogen ze een rol gaan vervullen die hoger is dan de taak van een pusher: ze worden palo. Ze houden een hun toevertrouwde straat van de stad in de gaten om te zien of de vrachtwagens die er komen om goederen te lossen bij supermarkten, winkels of delicatessenzaken wel de vrachtwagens zijn die de clan voorschrijft of signaleren in het tegenovergestelde geval wanneer de leverancier van een winkel niet de 'uitverkorene' is.

De aanwezigheid van pali is ook essentieel bij werkzaamheden op een bouwterrein. De bedrijven die de aanbesteding aannemen, nemen bouwbedrijven van de camorristen in onderaanbesteding, maar soms wordt het werk toegekend aan 'niet-aanbevolen' bedrijven. Om te weten te komen of de bouwterreinen het werk aan 'externe' bedrijven aanbesteden, hebben de clans voortdurend een onopvallend toeziend oog nodig. Het werk is toevertrouwd aan jochies die observeren, controleren en mondeling rapporteren aan de capozona en van hem orders ontvangen hoe ze moeten handelen in het geval dat het bouwterrein zich heeft 'vergist'.

Deze jongens van de clan gedragen zich als volwassen camorristen en hebben dezelfde verantwoordelijkheid. Ze beginnen al heel jong met hun carrière, verbranden alle schepen achter zich en hun jacht op machtsposities binnen de camorra heeft radicaal de structuur van de clan veranderd. Kindbazen van de camorra, piepjonge bosses worden onberekenbare en meedogenloze gesprekspartners die een nieuwe logica hanteren en die de gezagsdragers en de Antimaffiadienst beletten om hun werkwijze te begrijpen. Allemaal nieuwe en onbekende gezichten. Met de door Cosimo gewenste reorganisatie van de clan, worden er hele sectoren van de drugshandel geleid door vijftien- en zestienjarigen die orders geven aan veertig- en vijftigjarigen, zonder ook maar een ogenblik ontzag of ontoereikendheid te voelen.

Een jongen, Antonio Galeota Lanza, wordt afgeluisterd door de apparatuur van de carabinieri in een auto met de stereo op volle kracht, terwijl hij vertelt hoe het leven van een pusher eruitziet. '...Iedere zondagavond vang ik acht tot negenhonderd euro, ook al krijg je door het vak van pusher te maken met crack, cocaïne en vijfhonderd jaar gevangenis...'

Steeds vaker proberen de jochies van het Systeem alles wat ze willen te bemachtigen met hun 'schietijzer', zo noemen ze hun pistool, en het verlangen naar een mobieltje of een stereo, een auto of een brommer, leidt makkelijk tot een moord. In het Napels van de kindsoldaten hoort men niet zelden bij de kassa van een winkel opmerkingen als: 'Ik hoor bij het Systeem van Secondigliano', of: 'Ik hoor bij het Systeem van de Spanjaarden.' Magische woorden waarmee de jongetjes pakken wat ze willen en waardoor niet één winkelier hen zal vragen het verschuldigde te betalen.

In Secondigliano was deze nieuwe organisatie van jongens gemilitariseerd. De camorra had ze veranderd in soldaten. Pikachu en KitKat brachten me naar Nello, een pizzabakker uit de buurt die de taak had de jochies van het Systeem te eten te geven als hun ploegendienst erop zat. Ik was de pizzeria nog niet binnengegaan of er kwam een groepje binnen. Ze waren lomp, ontzettend lomp, hun truien opbollend over de kogelvrije vesten heen. Ze lieten hun brommers op de stoep achter en kwamen binnen zonder iemand te groeten. In hun bewegingen en met hun opgevulde borst waren het net Amerikaanse football-spelers. Kindergezichtjes, een enkeling had wat beginnend dons op de wangen; ze waren tussen de dertien en de zestien jaar.

Pikachu en KitKat lieten me tussen hen in zitten en niemand scheen dat vervelend te vinden. Ze aten, maar vooral dronken ze: water, Coca-Cola, Fanta. Ze hadden een ongelooflijke dorst. Ook met de pizza leken ze hun dorst te willen lessen, ze lieten een fles olie brengen en goten meer en meer ervan over iedere pizza, want ze hielden vol dat die te droog waren. Alles in hun mond was opgedroogd, speeksel en woorden.

Ik zag meteen dat ze van een nacht op wacht terugkwamen en dat ze pillen hadden geslikt. Ze kregen MDMA-pillen zodat ze niet in slaap zouden vallen en om te voorkomen dat ze twee keer hun werk zouden onderbreken om te eten. Overigens hadden de Merck-laboratoria in Duitsland het patent op MDMA, dat in de Eerste Wereldoorlog werd gegeven aan soldaten in de loopgraven, de Duitse soldaten die *Menschenmaterial* werden genoemd, die zo honger, vorst en verschrikking konden doorstaan. Later werden ze door de Amerikanen gebruikt voor spionageactiviteiten. En nu hadden ook deze kleine soldaatjes hun hoeveelheid kunstmatige moed en weerstand gekregen.

Ze aten door op de klein afgesneden stukjes pizza te zuigen. Er steeg een geluid van de tafel op dat leek op het geslurp van oudjes die soep van hun lepel zuigen. De jongens begonnen weer te praten en bestelden voortdurend flessen water. En toen deed ik iets wat met geweld afgestraft had kunnen worden, maar ik wist dat ik het kon maken, ik voelde dat ik te maken had met kleine jongetjes, ingepakt in loodplaten, maar nog altijd jongetjes.

Ik zette een cassetterecorder op tafel en richtte me met luide stem tot iedereen: 'Vooruit, praat hier maar in, vertel wat je te zeggen hebt...'

Niemand vond mijn voorstel raar, bij niemand kwam het op dat ze een smeris of een journalist voor zich hadden. Eentje begon wat beledigingen in de recorder te schreeuwen, en toen begon een jongetje, aangemoedigd door mijn vraag, over zijn carrière te praten. Het was alsof hij ernaar snakte het te kunnen vertellen.

'Eerst werkte ik in een bar en verdiende ik 200 euro per maand; met de fooien erbij kwam ik op 250 euro en ik vond het geen leuk werk. Ik wilde in een werkplaats gaan werken bij mijn broer, maar ze namen me niet aan. Bij het Systeem krijg ik 300 euro per week, maar als ik goed verkoop, krijg ik ook een percentage op iedere *mattone* en kom ik op 350 tot 400 euro. Ik moet me de pleuris werken, maar op het laatst geven ze me altijd wel wat meer.'

Na een mitrailleursalvo van geboer dat twee jongens wilden opnemen, ging het jongetje dat Satore werd genoemd, iets tussen Sasà en Totore in, verder: 'Vroeger was ik altijd op straat, ik baalde ervan dat ik geen brommer had en moest lopen of de bus moest nemen. Ik vind het leuk werk, iedereen respecteert me en ik kan doen en laten wat ik wil. Maar nu hebben ze mij een schietijzer gegeven en moet ik altijd hier blijven. Derde Wereld, het Smurfendorp. Altijd hierbinnen opgesloten, heen en weer lopen. En dat vind ik niks.'

Satore lacht naar me en dan brult hij lachend in de recorder: 'Laat me eruit! Zeg dat maar tegen de baas!'

De camorra had hen bewapend, had hun een schietijzer gegeven en een beperkt territorium om te werken. KitKat praatte in de recorder, zijn lippen tegen de microfoon aan om ook zijn ademhaling op te nemen. 'Ik wil een bedrijf opzetten om huizen op te knappen, of anders een warenhuis of een winkel, het Systeem moet me geld geven om te kunnen beginnen, de rest bepaal ik zelf wel, ook met wie ik ga trouwen. Ik wil niet trouwen met iemand van hier, maar met een zwart of een Duits model.'

Pikachu haalde een pak kaarten uit zijn zak, vier jongens begonnen te spelen. De anderen stonden op en rekten zich uit, maar niemand trok zijn kogelvrije vest uit. Ik bleef Pikachu naar de paranze vragen, maar hij begon geïrriteerd te raken door mijn vasthoudendheid. Hij zei dat hij een paar dagen ervoor bij een paranza thuis was geweest en dat ze alles hadden ontmanteld, er was alleen nog een mp3-speler waar ze naar luisterden als ze stukken gingen afmaken.

De mp3 waarnaar de mannen van de paranza luisterden als ze gingen moorden, de verzameling muziekfiles, hing nu om de nek van Pikachu. Met een smoesje vroeg ik of ik hem een paar dagen kon lenen. Hij barstte in lachen uit, alsof hij wilde laten weten dat hij niet beledigd was dat ik hem aanzag voor een stommeling, voor een idioot die dingen uitleent. Toen heb ik de speler van hem gekocht. Ik pakte vijftig euro uit mijn zak en kreeg hem. Ik stopte meteen de dopjes in mijn oren, ik wilde weten welke muzikale achtergrond bij een slachting hoorde. Ik verwachtte rap, zware rock, heavy metal, maar het was juist een voortdurende opeenvolging van moderne nummers in het Napolitaans en popmuziek. In Amerika schiet je opgehitst door rap, de killers van Secondigliano gingen uit moorden terwijl ze naar liefdesliedjes luisterden.

Pikachu begon de kaarten te delen en vroeg of ik mee wilde doen, maar ik ben nooit goed geweest in kaarten, dus ik stond op van tafel. De kelners van de pizzeria waren even oud als de jongens van het Systeem en keken bewonderend naar ze op, ze durfden het zelfs niet aan hen te bedienen. Dat deed de eigenaar zelf. Hier was werken als knecht, ober of op een bouwterrein een schande. Nog afgezien van de aloude redenen: zwartwerk, vakantie en ziekte niet doorbetaald, gemiddeld tien uur werken per dag, geen hoop op verbetering van je situatie. Het Systeem geeft je tenminste de illusie dat je bezigheden worden erkend, dat je de kans krijgt om carrière te maken. Een lid wordt nooit voor knecht aangezien, de meisjes zullen nooit denken dat ze door een loser worden versierd.

Deze opgevulde jochies, deze belachelijke pali die eruitzien als marionetten van het Amerikaanse football, waren niet van plan om een Al Capone te worden, maar een Flavio Briatore, geen gunman, maar een businessman omgeven door modellen: ze wilden succesvolle ondernemers worden.

Op 19 januari wordt de vijfenveertigjarige Pasquale Paladini vermoord. Acht schoten in de borst en in zijn hoofd. Een paar uur later schieten ze in de benen van Antonio Auletta, negentien jaar. Maar 21 januari lijkt een keerpunt te zijn. Als een lopend vuurtje gaat het rond, zonder dat de pers eraan te pas hoeft te komen. Cosimo Di Lauro is gearresteerd, de heerser van de bende, de leider van het bloedbad. Volgens de beschuldigingen van de Antimaffiadienst van Napels hield de commandant zich schuil in een hok van veertig vierkante meter en sliep hij op een bijna doorgezakt bed.

De erfgenaam van een criminele organisatie die alleen al met de handel in verdovende middelen 500.000 euro per dag weg kon schrijven, en die zich een villa van 5 miljoen euro kon veroorloven in het hart van een van de meest armzalige wijken van Italië, was genoodzaakt zich terug te trekken in een stinkend, minuscuul kot niet ver van zijn veronderstelde imperium. De villa was uit het niets verrezen in de Via Cupa dell'Arco, dicht bij het huis van de familie Di Lauro. Een fraai boerenbedrijf uit de achttiende eeuw, gerestaureerd als een villa uit Pompeï. Met impluvium, zuilen, ornamenten en stucwerk, verlaagde plafonds en statige trappen. Een villa waarvan niemand het bestaan vermoedde. Niemand kende de officiële eigenaars, de carabinieri waren het aan het uitzoeken, maar in de wijk twijfelde niemand eraan: de villa was voor Cosimo.

De carabinieri ontdekten de villa per toeval. Toen ze over de dikke ommuring klommen, troffen ze wat werklui aan die de benen namen zodra ze de uniformen zagen. Door de oorlog kon de villa niet worden voltooid, kwamen er geen meubels en schilderijen in, werd het niet het imperium van de heerser, niet het gouden hart in het verdorde lichaam van de bouwwereld in Secondigliano.

Wanneer Cosimo het geluid van de legerschoenen van de carabinieri die hem komen arresteren hoort, wanneer hij het geluid hoort van de geweren, doet hij geen poging te ontsnappen, hij bewapent zich niet eens. Hij gaat voor de spiegel zitten. Hij maakt zijn kam nat, kamt de haren van zijn voorhoofd naar achteren, bindt ze ter hoogte van zijn nek in een staartje en laat zijn krullende manen in zijn hals vallen. Hij trekt een donkere, strakke coltrui aan en een zwarte regenjas. Cosimo Di Lauro kleedt zich als een misdadige clown of als een nachtelijke krijger en loopt met gekamde haren de trappen af.

Hij is mank, een paar jaar geleden is hij ongelukkig gevallen met zijn motor en heeft aan dat ongeluk een mank been overgehouden. Maar als hij de trappen afloopt, heeft hij ook daaraan gedacht. Steunend op de onderarmen van de carabinieri die hem escorteren, lukt het hem zijn handicap te verbergen en normaal te lopen. De nieuwe militaire vorsten van de criminele Napolitaanse organisaties presenteren zich niet als een *guappo*, een maffioso uit de wijk, ze hebben geen wijd opengesperde ogen zoals Cutolo, ze denken niet dat ze zich moeten gedragen als Luciano Liggio of als een karikatuur van Lucky Luciano en Al Capone. *The Matrix*, *The Crow*, *Pulp Fiction* maken beter en sneller duidelijk wat ze willen en wie ze zijn. Het zijn voorbeelden die iedereen kent en die geen extra uitleg nodig hebben. De show is belangrijker dan het mysterieuze geknipoog of de beperkte criminele mythologie van de beruchte wijk.

Cosimo kijkt in de televisiecamera's en in de lenzen van de fotografen, hij richt zijn kin omlaag en zijn voorhoofd naar voren. Hij heeft zich niet zoals Brusca laten vinden in versleten jeans en een overhemd dat onder de tomatensaus zit, hij is niet net zo bang als Riina, die rennend naar een helikopter werd gebracht, is niet met een slaperig hoofd overvallen zoals Misso, de boss van de wijk Sanità, is overkomen. Hij is een man die is gevormd in de maatschappij van de showwereld en die weet hoe hij zich in de schijnwerpers moet gedragen. Hij presenteert zich als een krijger die ongeslagen is in de eerste ronde. Het is net alsof hij moet boeten voor het hebben van te veel moed, te veel ijver in de oorlog die hij heeft aangevoerd. Dat vertelt zijn gezicht. Het lijkt niet op een arrestatie, maar gewoon op de verplaatsing van zijn commandopost.

Toen hij tot oorlog aanzette, wist hij dat hij zijn arrestatie tegemoet ging. Maar hij had geen keuze. Oorlog of de dood. Zijn arrestatie moet zijn overwinning demonstreren, zijn moed die iedere soort van zelfbescherming veracht symboliseren, om zo het Systeem van de familie te redden.

De mensen uit de wijk staan in vuur en vlam zodra ze hem zien. Het oproer begint: ze vernielen auto's, ze vullen flessen met benzine, om ermee te gooien. De hysterische crisis is er niet zoals je misschien zou denken om de arrestatie te verijdelen, maar om vergelding af te zweren. Om iedere mogelijkheid tot verdenking uit te wissen. Om Cosimo te laten weten dat niemand hem heeft verraden. Dat niemand uit de school heeft geklapt, dat de hiëroglief van zijn onderduikadres niet is ontcijferd. Het is haast een gigantisch ritueel, een verontschuldiging, een metafysische kapel van boetedoening die de mensen uit de wijk willen bouwen met verbrande autosturen van de carabinieri, met opeengestapelde afvalcontainers, met de zwarte rook van autobanden. Als Cosimo iemand verdenkt, dan zouden ze niet eens tijd hebben hun biezen te pakken, zijn militaire beulsbijl zal als de zoveelste meedogenloze veroordeling op hen inhakken.

Een paar dagen na de arrestatie van deze telg van de clan staat zijn arrogante kop die recht de televisiecamera's in kijkt op de screensavers van de mobieltjes van veel jongens en meisjes van de scholen in Torre Annunziata, Quarto en Marano. Een provocerend gebaar, gewoon puberaal gedrag. Zeker. Maar Cosimo heeft dit geweten. Zo moest je optreden om als capo erkend te worden, om het hart van het individu te raken. Je moest het televisiescherm weten te gebruiken, de drukinkt van de kranten, je moest zelf een staartje in je haar kunnen maken.

Cosimo vertegenwoordigt duidelijk de nieuwe generatie ondernemers van het Systeem. Het beeld van de nieuwe bourgeoisie zonder enige remming, gedreven door de absolute wil de markt op alle terreinen te domineren, om overal zijn handen op te leggen. Nergens van af te zien. Een keuze maken betekent niet je eigen bewegingsruimte inperken, jezelf iedere andere mogelijkheid ontnemen. Niet voor wie het leven beschouwt als een ruimte waarin je alles kunt kopen, op het gevaar af dat je ieder ding weer kwijt kunt raken. Het betekent incalculeren dat je kunt worden gearresteerd, dat het slecht met je afloopt, dat je kunt sterven. Het betekent niet ervan afzien, maar alles willen, en wel meteen en zo snel mogelijk. Dat is de kracht en de aantrekkingskracht waar Cosimo Di Lauro de personificatie van is.

Iedereen, ook mensen die hun eigen veiligheid op de eerste plaats zetten, komt terecht in de kooi van het pensioen, iedereen voelt zich vroeg of laat genaaid, iedereen komt terecht bij een Poolse verzorgster. Waarom zou je onder een depressie bezwijken terwijl je naar werk zoekt dat je doet verstikken, waarom zou je als een parttimer die de telefoon aanneemt eindigen? Beter ondernemer worden. Een echte. Een die in staat is om alles te verhandelen en zelfs met niks zaken te doen.

Ernst Jünger zou zeggen dat hoge bomen veel wind vangen. Datzelfde herhalen de bosses, de ondernemers van de camorra. Het middelpunt zijn van iedere actie, het middelpunt van de macht. Alles als middel gebruiken en zichzelf als doel. Wie zegt dat het amoreel is, dat er zonder ethiek geen leven kan zijn, dat de economie zijn grenzen kent en regels die je moet volgen, zegt dat omdat hijzelf het bevel niet voert, omdat hijzelf door de markt is verslagen. De ethiek is de grens van de loser, de bescherming van de overwonnene, de morele rechtvaardiging voor hen die er niet in zijn geslaagd om alles in te zetten en alles te winnen.

De wet kent vaste codes, maar geen gerechtigheid. Dat is wat anders. Gerechtigheid is een abstract begrip waar iedereen mee te maken heeft, dat aanvaardbaar is afhankelijk van de uitleg die men aan de wet geeft om ieder mens vrij te spreken of te veroordelen: schuldig zijn de ministers, schuldig de pauzen, schuldig de heiligen en de kluizenaars, schuldig de revolutionairen en de reactionairen. Schuldig is iedereen die heeft verraden, heeft gedood of heeft gedwaald. Schuldig omdat je oud bent geworden en bent gestorven. Schuldig is hij die is ingehaald en verslagen. Schuldig is iedereen voor de universele rechtbank van de historische moraal, maar we worden vergeven door de moraal van de noodzakelijkheid. Recht en onrecht hebben alleen betekenis als ze aan de praktijk worden getoetst. Overwinning en nederlaag hebben alleen betekenis bij een actie die je hebt uitgevoerd of ondergaan.

Wanneer iemand je beledigt, je slecht behandelt, doet hij je onrecht aan. Als hij je daarentegen een voorkeursbehandeling geeft, doet hij je recht. Als je de clan wilt bestuderen, moet je deze maatstaven in gedachten houden. Deze simpele wet. Dat is genoeg. Dat moet genoeg zijn. Dit is de enige echte vorm van recht. De rest is alleen maar godsdienst en biechtstoel.

De economische gebiedende wijs is aan deze logica ontsnapt. Het zijn niet de camorristen die achter de zaken aan gaan, het zijn de zaken die achter de camorristen aan gaan. De logica van het criminele ondernemerschap, de gedachtegang van de boss valt samen met het meest gedreven neoliberalisme. De voorgekauwde regels, de opgelegde regels zijn de regels van de zakenwereld, van de winst, van de overwinning op iedere concurrent. De rest is geen stuiver waard. Verder bestaat er niets. Kunnen beslissen over het leven en de dood van iedereen, een product kunnen promoten, een marktaandeel monopoliseren, investeren in de laatste snufjes, het is een macht die wordt betaald met de gevangenis of met het leven. Macht hebben voor tien jaar, voor een jaar, voor een uur. De duur doet er niet toe: leven, echt heersen, dat is wat telt.

Winnen in de handelsarena en recht in de zon kijkend eindigen in de gevangenis, zoals Raffaele Giuliano, boss van Forcella, die de zon trotseerde, en bewees dat zijn blik niet werd verblind door het ochtendlicht. Raffaele Giuliano, die er meedogenloos genoegen in schepte om het lemmet van zijn mes in te wrijven met Spaanse peper voordat hij er een familielid van een vijand aan reeg, zodat die helse brandende pijnen zou voelen terwijl het mes centimeter voor centimeter het vlees binnendrong. In de gevangenis werd hij niet gevreesd om dit bloedige venijn, maar omdat hij zich goed hield toen hij de uitdaging aanging om in de zon te kijken. Je ervan bewust zijn dat je een businessman bent die is voorbestemd voor de dood of voor levenslang, maar met de meedogenloze wil de machtige en onbegrensde economie te beheersen.

De boss wordt vermoord of gearresteerd, maar het economisch systeem dat hij heeft voortgebracht blijft. Het blijft veranderen, zich transformeren, het blijft zich verbeteren en winst maken. Dit samoerai-geweten van vrijhandelaren, die weten dat als je de absolute macht wilt krijgen, daarvoor betaald moet worden. Ik vond dit kort samengevat in een brief van een jongetje dat in de gevangenis zat. Een brief die hij aan een priester gaf en die op een congres werd voorgelezen. Ik ken de inhoud nog, uit mijn hoofd:

> Iedereen die ik ken is dood of zit in de gevangenis. Ik wil
> een boss worden. Ik wil supermarkten, winkels en fabrieken
> hebben, ik wil vrouwen hebben. Ik wil drie auto's, ik wil dat
> wanneer ik een winkel binnenkom, ik word gerespecteerd,
> ik wil over de hele wereld warenhuizen hebben. En dan wil

ik sterven. Maar als een echte boss, als iemand die het echt
voor het zeggen heeft. Ik wil worden vermoord.

Dit zijn de nieuwe leuzen die door het criminele ondernemerschap
worden uitgedragen. Dit is de nieuwe macht van de economie, die
koste wat het kost wil domineren. Macht gaat voor alles. De economische overwinning als het meest waardevolle in het leven. In het
leven van om het even wie en zelfs dat van jezelf.

De jongens van het Systeem begonnen ze zelfs de 'sprekende doden' te noemen. In een afgeluisterd telefoongesprek in het aanhoudingsbevel uitgegeven door de Antimaffiacommissie in februari
2006, legt een jongen aan de telefoon uit wie de capizona van Secondigliano zijn: 'Het zijn *guagliuncelli*, sprekende doden, dode leven-
den, doden die bewegen... ze pakken alles wat los- en vastzit en maken je af, maar in feite is je leven toch al voorbij...'

Kindbazen, de kamikazesoldaten van de clans die niet sterven
voor een religie, maar voor geld en macht, koste wat kost, als enige
manier van leven die de moeite waard is.

In de nacht van 21 januari, dezelfde nacht waarop Cosimo Di Lauro
werd gearresteerd, werd het lichaam van Giulio Ruggiero gevonden. Ze vonden het in een verbrande auto, een lichaam op de plek
van de bestuurder. Een onthoofd lichaam. Het hoofd lag op de achterbank, het was eraf gesneden. Niet met een bijlslag, maar met een
decoupeerzaag: de gekartelde cirkelzaag die door smeden wordt gebruikt om lasnaden af te zagen. Het allerergste werktuig dat er bestaat, maar in dit geval het meest vanzelfsprekende. Eerst het vlees
doorsnijden en daarna het bot van de nek versplinteren.

Ze moesten de klus ter plekke hebben verricht, aangezien er op
de grond flarden vlees lagen, alsof het ingewanden waren. De onderzoeken waren nog niet eens begonnen of iedereen was er zeker
van dat het een boodschap was. Een symbolische. Cosimo Di Lauro
kon niet zonder een verklikker zijn gearresteerd. Dat verminkte lichaam was in de verbeelding van iedereen de verrader. Alleen iemand die voor een paar centen een boss heeft verlinkt kan op zo'n

manier zijn toegetakeld. Het vonnis is al geveld voordat de onderzoeken zijn opgestart. Het is van weinig belang of de waarheid wordt gesproken of dat het maar een suggestie betreft.

Zonder van mijn Vespa af te stappen, bekeek ik die auto en dat hoofd die in de Via Hugo Prattis waren achtergelaten. Via mijn trommelvliezen bereikten mij de details over hoe ze zijn mond vol met benzine hadden laten lopen en een prop katoen tussen zijn tanden hadden gedaan en hoe ze, nadat ze hem hadden aangestoken, het moment afwachtten waarop zijn hele gezicht explodeerde. Ik startte de Vespa en ging ervandoor.

Toen ik op 24 januari 2005 aankwam, lag hij dood op de plavuizen. Een zwerm carabinieri beende zenuwachtig voor de winkel waar de aanslag had plaatsgevonden heen en weer. De zoveelste. 'Zo langzamerhand is het één dode per dag hier in Napels,' zegt een bloednerveuze jongen die langsloopt. Hij blijft staan en neemt zijn hoed af voor de dode die hij niet kan zien, en weg is hij.

Toen de killers de winkel binnenkwamen, hadden ze hun pistolen al getrokken. Het was duidelijk dat ze niet wilden roven maar doden, straffen. Attilio probeerde zich achter de toonbank te verschansen. Hij wist dat het niets uithaalde, maar misschien hoopte hij te seinen dat hij ongewapend was, dat hij nergens wat mee te maken had, dat hij niets had gedaan. Misschien wist hij dat die twee camorrasoldaten waren van de door de Di Lauro's gewenste oorlog.

Ze schoten op hem. Ze schoten hun magazijnen leeg en na de 'klus' vertrokken ze volgens een getuige rustig, alsof ze een mobieltje hadden gekocht, niet alsof er een mens was omgelegd.

Daar ligt Attillio Romano. Overal bloed. Het lijkt haast of zijn geest is weggesijpeld door die kogelgaten die zijn hele lichaam hadden gebrandmerkt. Als je zoveel bloed op de vloer ziet, begin je aan jezelf te voelen, check je of je zelf niet gewond bent geraakt, of er bij dat bloed niet ook jouw bloed zit, je begint in een psychotische angst te raken, je probeert jezelf ervan te verzekeren dat er op jouw lichaam geen wonden zitten, dat je je niet per ongeluk hebt verwond zonder dat je het merkte. Hoe dan ook, je gelooft het niet, dat er in één enkel mens zoveel bloed kan zitten, je bent er zeker van dat in jou veel minder bloed zit. Als je je ervan hebt verzekerd dat jij dat bloed niet hebt verloren, is het niet genoeg: je voelt je leeggelopen, ook al is de bloeding niet van jou. Jij zelf wordt de bloeding, je voelt je benen ontbreken, je plakkerige tong, je voelt je handen oplossen in dat stroperige meer, je zou willen dat iemand naar de binnenkant van je oogleden keek om de ernst van je bloedarmoede op te meten. Je zou een verpleegster willen aanhouden en een bloedtransfusie willen vragen, je maag zou minder dicht moeten zitten om een biefstuk te kunnen eten, als het lukt om niet over te geven.

Je moet je ogen sluiten maar niet ademen. De geur van gestold bloed dat nu ook al is doorgedrongen tot in het stucwerk van de kamer, is die van roestig ijzer. Je moet weg, naar buiten, de buitenlucht in voordat ze zaagsel over het bloed gooien, want dat mengsel veroorzaakt zo'n vreselijke stank dat iedere weerstand om niet over te geven wegvalt.

Eigenlijk begreep ik niet dat ik er weer voor had gekozen naar de plek van de misdaad te gaan. Van één ding was ik zeker: het is niet belangrijk om in kaart te brengen hoe het is afgelopen, om de afschuwelijke scène van het gebeurde te reconstrueren. Het heeft geen nut de krijtcirkels om de restjes van de patroonhulzen te bekijken, die haast een kinderachtig knikkerspelletje lijken. Het is wel belangrijk om te begrijpen of er iets is achtergebleven. Dat ben ik misschien wel aan het achterhalen. Ik probeer te begrijpen of er nog iets menselijks ronddobbert; of er een pad is, een onderaardse gang, gegraven door de menselijke redelijkheid, die op een oplossing kan uitkomen, op een antwoord dat zin geeft aan het gebeurde.

Het lichaam van Attilio ligt nog op de grond als de familie aankomt, twee vrouwen, misschien zijn moeder en zijn vrouw, ik weet het niet. Onderweg grijpen ze elkaar stevig beet, ze klampen zich aan elkaar vast, hun schouders tegen elkaar aan geplakt. Ze zijn nog de enigen die hopen dat het niet is wat ze al hebben begrepen, wat ze uitstekend hebben begrepen. Ze zitten aan elkaar vast, ze ondersteunen elkaar, een moment voordat ze voor de tragedie staan. Op die momenten voel je in de stappen van de echtgenotes en van de moeders een irrationeel, idioot, dwaas vertrouwen in het menselijke verlangen. Ze hopen, hopen en hopen nog eens dat er een fout is gemaakt, een leugen bij het doorgeven, een misverstand van de sergeant van de carabinieri die de aanslag en de moord kwam melden. Alsof het volharden in absolute hoop echt de loop van de gebeurtenissen kan veranderen. Op dat moment bereikt de bloeddruk van de hoop zijn absolute hoogtepunt zonder enkele onderdruk.

Maar er is niets aan te doen. Het geschreeuw, het gehuil bewijzen de zwaartekracht van de werkelijkheid. Attilio ligt daar op de vloer. Hij werkte in een telefoonzaak die hij wilde uitbreiden tot een callcenter. Hij en zijn vrouw Natalia hadden nog geen kinderen. Het was er nog niet de tijd voor, misschien waren de financiële mogelijkheden beperkt en misschien wachtten ze de mogelijkheid af om hun kinderen elders te laten opgroeien. De dagen gingen op aan uren werk en toen de mogelijkheid er was en wat spaargeld, dacht Attilio dat het een goed idee was om aandeelhouder te worden van die winkel waar hij de dood heeft gevonden. De andere compagnon echter was verre familie van Pariante, de boss van Bacoli, een kolonel van Di Lauro, een van de lui die zich tegen hem hadden gekeerd. Attilio weet dat niet of onderschat het, hij vertrouwt zijn compagnon, hij vindt het genoeg om te weten dat het iemand is die van zijn werk leeft, die veel werkt, te veel. Kortom, op deze plekken beslis je niet over je eigen lot, werk lijkt een privilege te zijn, iets wat je, als je het eenmaal bereikt hebt, bij je houdt, bijna als een geluk dat je is overkomen, een je goedgezind lot dat je een duwtje wilde geven, ook al bracht dit werk je dertien uur per dag buiten de deur, heb je een halve zondag vrij en ontvang je duizend euro per maand waarmee je net de hypotheek kunt betalen. Toch is er werk gekomen, daarvoor moet je dankbaar zijn en niet te veel vragen stellen aan jezelf en aan het lot.

Maar iemand laat de verdenking op hem vallen. En dan loopt het lichaam van Attilio Romano het risico te worden opgeteld bij de lichamen van de camorrasoldaten van de afgelopen maanden. De lichamen zijn hetzelfde, de redenen van de dood zijn echter verschillend, ook al vallen ze aan hetzelfde oorlogsfront. De clans beslissen wie je bent, aan welke kant je staat bij een dreigend conflict. De partijen zijn onafhankelijk van de wil bepaald. Wanneer de legers de straat op gaan, is het onmogelijk een externe dynamiek buiten hun strategie te ontdekken, zij bepalen de zin ervan, de motieven, de oorzaken. Op dat moment was de winkel waar Attilio werkte uiting van een economie die gebonden was aan de groep van de Spanjaarden en die economie werd verslagen.

Natalia, Nata zoals Attilio haar noemde, is een meisje dat door de tragedie is verdoofd. Ze was nauwelijks vier maanden getrouwd, maar ze wordt niet getroost, bij de begrafenis is geen president van Italië of minister of burgemeester aanwezig die haar hand vasthoudt. Misschien wel beter, de officiële staatsopvoering blijft haar bespaard. Maar het onterechte wantrouwen omtrent Attilio's dood waart nog rond. En het wantrouwen is de stilzwijgende goedkeuring aan het bevel van de camorra. De zoveelste goedkeuring over het doen en laten van de clan.

Maar de collega's van het callcenter van Attila, zoals ze hem noemden vanwege zijn vurige levenslust, organiseerden fakkeloptochten en ze bleven doorlopen, ook al konden er op de route van de manifestatie nog meer hinderlagen zijn, en liggen er nog bloedsporen op straat. Ze blijven lopen, steken de fakkels aan, laten de mensen begrijpen, doen iedere schande verdwijnen, halen een streep door iedere verdenking. Attila is gestorven op zijn werk en met de camorra had hij niets te maken.

De realiteit is dat na iedere aanslag iedereen wordt verdacht. De machine van de clans werkt te perfect. Er wordt geen fout gemaakt, er wordt gestraft. En zo wordt er aan de clan vertrouwen gegeven, niet aan de familieleden die het niet begrijpen, niet aan zijn collega's die hem kennen, niet aan het levensverhaal van een individu. In deze oorlog worden mensen vermorzeld zonder dat ze ergens schuldig aan zijn, ze worden genoteerd onder de rubriek bijeffecten of onder de mogelijk schuldigen.

Een jongen, Dario Scherillo, zesentwintig jaar, vermoord op 26 december 2004; terwijl hij op zijn brommer reed, werd hij geraakt in gezicht en borst, hij werd op de grond achtergelaten waar hij stierf, liggend in zijn eigen bloed dat de tijd had gekregen om zijn overhemd volledig te doordrenken. Een onschuldige jongen. Het was voldoende dat hij uit Casavatore kwam, een dorp dat leed onder dit conflict. Voor hem was er nog meer stilte, onbegrip. Geen enkel grafschrift, geen naamplaat, geen herinnering.

'Als je vermoord bent door de camorra, dan weet je het maar nooit,' zegt een oude man die een kruisteken maakt in de buurt van de plek waar Dario is gevallen.

Het bloed op de grond heeft een dieprode kleur. Niet al het bloed heeft dezelfde kleur. Het bloed van Dario is purperrood, het lijkt nog te stromen. De hoopjes zaagsel absorberen het slecht. Na een tijdje profiteert een auto van de lege ruimte en parkeert op de bloedvlek. En alles is voorbij, alles wordt bedekt.

Hij is vermoord om het dorp een boodschap te geven, een boodschap van vlees in een envelop van bloed. Zoals in Bosnië, zoals in Algerië, zoals in Somalië, zoals in bijna iedere verwarrende burgeroorlog, wanneer je niet weet waar je staat hoef je maar je buurman, de hond, de vriend of een familielid van je te vermoorden. Een gerucht over verwantschap, een gelijkenis is voldoende om doelwit te worden. Je hoeft maar in een bepaalde straat te komen om gelijk een loden identiteit te krijgen. Het belang daarvan is zoveel mogelijk leed, tragedie en verschrikking te concentreren. Het enige doel is het demonstreren van de absolute macht, het onbetwiste domein, de onmogelijkheid je te verzetten tegen de werkelijke, reële, alom aanwezige macht. Tot je eraan went om zoals zij te denken aan de gevolgen die je zou kunnen ondervinden van een beweging of van een woord. Oplettend zijn, behoedzaam, stil, om je leven te redden, om niet het schrikdraad van de wraak aan te raken.

Toen ik terugging, terwijl Attilio Romano werd weggedragen, begon ik het te begrijpen, te begrijpen waarom er geen moment is dat mijn moeder niet bezorgd naar me kijkt, en niet begrijpt waarom ik niet wegga, waarom ik niet wegvlucht, waarom ik door blijf leven op deze helse plek. Ik probeerde me te herinneren hoeveel er gevallen, vermoord, neergeschoten waren sinds ik was geboren.

Het was niet nodig de doden te tellen om de economie van de camorra te begrijpen, ze geven zelfs het minst aanwijzingen over hun werkelijke macht, maar ze zijn het meest zichtbare spoor dat meteen op de laagste instincten inwerkt. Ik begin te tellen: in 1979 honderd doden, 140 in 1980, 110 in 1981, 264 in 1982, 204 in 1983, 155 in 1984, 107 in 1986, 127 in 1987, 168 in 1988, 228 in 1989, 222 in 1990, 223 in 1991, 160 in 1992, 120 in 1993, 115 in 1994, 148 in 1995, 147 in 1996, 130 in 1997, 132 in 1998, 91 in 1999, 118 in 2000, 80 in 2001, 63 in 2002, 83 in 2003, 140 in 2004 en 90 in 2005.

Zesendertighonderd doden sinds ik ben geboren. De camorra heeft meer gemoord dan de Siciliaanse maffia, meer dan de 'ndrangheta, meer dan de Russische maffia, meer dan de Albanese families, meer dan de som van de doden die gemaakt zijn door de ETA in Spanje en de IRA in Ierland, meer dan de Rode Brigades, dan de NAR, Nuclei Armati Rivoluzzionari, en meer dan alle bloedbaden van de staat in Italië. De camorra heeft het meest gemoord van iedereen.

Er komt een beeld in mijn hoofd op van de wereldkaart die vaak in de kranten staat. Die altijd in het oog springt in een nummer van *Le Monde Diplomatique*, de kaart waar met felle vlammen alle plekken op aarde worden aangegeven waar brandhaarden zijn: Koerdistan, Soedan, Kosovo, Oost-Timor. Automatisch werp je een oog op Zuid-Italië, tel je de bergen vlees op die zich in iedere oorlog van de camorra, de maffia, de 'ndrangheta, de Sacristi in Puglia of de Basilischi in Lucania opstapelen. Maar geen spoor van een lichtje te zien, er is geen vonkje getekend.

Dit is het hart van Europa. Hier neemt het grootste deel van de landseconomie zijn gedaante aan. Welke extractiestrategieën er worden gehanteerd is van weinig belang. Van belang is dat het kanonnenvlees in de modder van de periferie blijft steken, vermorzeld wordt in de wirwar van beton en afval, in de illegale fabrieken en in de cokedepots. En dat niemand iets doet, dat alles een oorlog tussen bendes is, een oorlog tussen schooiers. En dan begrijp je ook de grijns van je vrienden die zijn geëmigreerd, die terugkeren uit Milaan of uit Padua en niet weten wie jij bent geworden. Ze nemen je van top tot teen op om je in te schatten en te raden of je een *chiachiel-*

lo of een *bbuono* bent, een sukkel of een camorrist. En voor de splitsing weet je al op welke weg je zit en zie je niets goeds aan het eind van het traject.

Ik ging naar huis, maar kon niet stil blijven zitten. Ik ging naar buiten en begon te rennen, hard, steeds harder, mijn knieën verdraaiden zich, mijn hielen trommelden tegen mijn bilspieren, mijn armen leken te slingeren als de armen van een marionet. Rennen, rennen en nog eens rennen. Mijn hart pompte, het speeksel in mijn mond verdronk mijn tong en overspoelde mijn tanden. Ik voelde het bloed dat mijn halsslagader deed opzwellen, mijn borst overstroomde, ik had geen adem meer, door mijn neus snoof ik zoveel mogelijk lucht naar binnen die ik gelijk weer als een stier naar buiten stootte. Ik begon weer te rennen, en voelde mijn ijskoude handen, mijn gloeiende gezicht en sloot mijn ogen. Ik voelde hoe al dat bloed dat ik op de grond had zien liggen, dat verloren was gegaan als uit een zo ver opengedraaide kraan dat hij was dolgedraaid, in mij terug was gekomen, ik voelde het in mijn lijf.

Eindelijk kwam ik bij zee. Ik sprong over de rotsen, de duisternis was dik van de mist en de lichten van de schepen die door de Golf voeren waren niet eens te zien. De zee klotste, sommige golven begonnen op te komen, ze leken het slib van de strook land die steeds door golven wordt overspoeld niet te willen aanraken, maar keerden ook niet terug naar de geul, ver weg op volle zee. Ze bleven onbeweeglijk in het opkomende en terugtrekkende water, ze bleven koppig overeind staan in een onveranderlijkheid die niet mogelijk was, waarbij ze zich vastklemden aan hun schuimkoppen, stilstaand, niet meer wetend waar de zee nog zee was.

Na een paar weken begonnen de journalisten te komen. Overal vandaan. Plotseling bestond de camorra weer in de regio waarvan inmiddels werd gedacht dat er alleen maar bendes en tasjesdieven waren. Secondigliano werd in een paar uur tijd het centrum van aandacht. Speciale gasten, fotoreporters van de belangrijkste bureaus, zelfs een speciaal garnizoen van de BBC, een jongetje dat zich laat fotograferen naast een cameraman die op zijn schouder een televisiecamera heeft waarvan hij het CNN-logo goed in het zicht houdt.

'Dezelfden die bij Saddam zitten,' gniffelen ze in Scampia. Opgenomen door die televisiecamera's voelen ze zich meegezogen worden naar het middelpunt van de wereld, aandacht die voor de eerste keer een werkelijk bestaansrecht aan die plekken lijkt te geven. De slachting van Secondigliano trekt een aandacht die twintig jaar niet gold voor de camorra. Ten noorden van Napels vermoordt de oorlog in korte tijd, uit eerbied voor de journalistieke criteria, *for the record*, in iets meer dan een maand tijd honderden slachtoffers. Het lijkt expres te zijn gedaan om iedere gastjournalist zijn eigen dode te geven. Succes voor iedereen dus.

Hordes stagiaires werden uitgenodigd om ervaring op te doen. Overal doken microfoons en camera's op om dealers te interviewen, om het duistere hoekige profiel van de Vele op te nemen. Iemand slaagt er zelfs in om een vermoedelijke pusher te interviewen en neemt hem op de rug op. Bijna iedereen geeft wat geld aan de heroïneverslaafden die hun verhaal brabbelen. Twee meiden, twee journalisten, laten zich door hun cameraman fotograferen voor een uitgebrand autokarkas dat nog niet is weggehaald. Hun eerste kleine oorlog als verslaggever heeft nu een souvenir. Een Franse journalist belt me op om te vragen of hij een kogelvrij vest aan moet omdat hij de villa van Cosimo Di Lauro wil gaan fotograferen.

De troepen rijden rond in auto's, ze maken foto's en opnames als verkenners in een oerwoud waar alles zich in decor aan het veranderen is. Een andere journalist had bewaking genomen. De slechtste manier om iets te weten te komen over Secondigliano was je door de politie laten escorteren. Scampia is geen ontoegankelijke plek, de kracht van deze piazza van de drugshandel is de volledige, gegarandeerde toegankelijkheid voor iedereen. De journalisten die onder bewaking staan kunnen niet meer verzamelen dan je kunt vinden in ieder willekeurig persbericht. Het is net als voor je pc op de redactie zitten, met het verschil dat je nu rondloopt.

Meer dan honderd journalisten in iets minder dan twee weken. Ineens begint de drugspiazza van Europa te bestaan. Dezelfde politieagenten worden overspoeld met aanvragen, iedereen wil meedoen aan de operaties, ten minste een gearresteerde dealer zien, een doorzocht huis. Allemaal willen ze in vijftien minuten zendtijd een paar opnames proppen van handboeien en van wat in beslag genomen mitrailleurs. Veel officiers lossen dit probleem van een aantal reporters en beginnende journalisten op door ze politieagenten in burger te laten fotograferen die zich uitgeven voor pushers. Een manier om ze te geven wat ze willen, zonder er te veel tijd mee kwijt te zijn. Het ergste in zo min mogelijk tijd. Het slechtste van het slechtste, het hoogtepunt van de verschrikking, de tragedie uitzenden, het bloed, de ingewanden, de mitrailleurschoten, de doorzeefde schedels, het verbrande vlees. Het ergste dat ze vertellen is slechts het afval van het ergste. Vele verslaggevers denken in Secondigliano het getto van Europa te vinden, de allerergste misère. Als het ze lukt niet weg te lopen, zouden ze ontdekken dat ze voor de pijlers van de economie staan, de verborgen mijn, de duisternis waarvandaan het kloppende hart van de markt zijn energie krijgt.

Ik kreeg de meest ongelooflijke voorstellen van de televisiejournalisten. Er werd me gevraagd een microfoontje in mijn oor te doen en door de straten te lopen 'die ik kende' en personen te achtervolgen 'van wie ik wist'. Ze droomden ervan om van Scampia een reality-aflevering te maken waarin ze een moord en een drugsdeal konden opnemen. Een scenarioschrijver gaf me een getypt manuscript waarin een verhaal stond van bloed en dood, waarin de duivel van de Nieuwe Eeuw werd verwekt in de wijk de Derde Wereld. Een maand lang at ik iedere avond gratis, werd ik uitgenodigd door televisieteams om me aan absurde initiatieven te onderwerpen, om te proberen aan informatie te komen.

In Secondigliano en Scampia werd een nevenindustrie gecreëerd van begeleiders, vertrouwensmensen, indianengidsen in het camorrareservaat. Veel jongens hadden een bepaalde techniek: ze zwierven rond bij de cameraopstellingen van de journalisten en deden net alsof ze aan het dealen waren of een palo waren. Zodra iemand de moed had om ze te benaderen, waren ze onmiddellijk bereid om te vertellen, uit te leggen en zich te laten filmen. De tarieven werden meteen meegedeeld. Vijftig euro voor een getuigenis, honderd euro voor een rondje langs de marktplaatsen van de drugshandel, tweehonderd om het huis binnen te gaan van een dealer die in de Vele woonde.

Om de cyclus van het goud te begrijpen, moet je niet alleen kijken naar de goudklomp en de mijn. Je moest bij Secondigliano vertrekken en dan het spoor volgen van de emporiums van de clans. De camorra-oorlogen zetten de dorpen die door de families worden gedomineerd op de kaart; het binnenland van Campania, het land van de beenderen, territoria die sommigen het *Far West* van Italië noemen, waar volgens een bloedige legende meer mitrailleurs dan vorken zijn. Behalve het geweld dat in bepaalde fases de kop opsteekt, ontstaat hier een buitengewone rijkdom waarvan deze gebieden niets anders zien dan een vage glimp in de verte. Maar daarover wordt niets verteld; de tv's, de genodigden, hun werk, alles blijft ondergeschikt aan de esthetiek van de Napolitaanse buitenwijken.

Op 29 januari wordt Vincenzo De Gennaro vermoord. Op 31 januari vermoorden ze Vittorio Bevilaqua in een delicatessenzaak. Op 1 februari worden Giovanni Orabona, Giuseppe Pizzone en Antonio Patrizio afgeslacht. Ze vermoorden hen met een ouderwetse maar efficiënte list: de killers doen zich voor als politieagenten. Giovanni Orabona was de drieëntwintigjarige aanvaller van Real Casavatore. De drie waren een wandeling aan het maken toen een auto hen aanhield. De sirene stond op het dak. Er stapten twee mannetjes uit met politiepenning. De jongens probeerden niet weg te lopen of weerstand te bieden. Ze wisten hoe ze zich moesten gedragen, lieten zich in de handboeien slaan en in de auto zetten. Plotseling stond de auto stil en moesten ze uitstappen. Ze hadden het misschien niet meteen in de gaten, maar toen ze de pistolen zagen, werd alles duidelijk. Het was een valstrik. Het waren geen politieagenten, maar de Spanjaarden, de rebellerende groep.

Twee werden er op hun knieën in het hoofd geschoten en waren meteen dood, de derde had, zo bleek uit sporen die ter plekke zijn teruggevonden, geprobeerd te ontsnappen met zijn handen op zijn rug en zijn hoofd als enige spil van evenwicht. Hij viel. Hij stond weer op. Hij viel weer. Ze haalden hem in en stopten een automatisch pistool in zijn mond. Het lijk had gebroken tanden, de jongen had geprobeerd in de loop van het pistool te bijten, instinctmatig, alsof hij het wilde breken.

Op 27 februari kwam uit Barcelona het bericht van de arrestatie van Raffaele Amato. Hij was in een casino blackjack aan het spelen om van zijn contanten af te komen. De Di Lauro's hadden alleen zijn neef Rosario kunnen aanpakken door diens huis af te branden. Volgens de beschuldigingen van de Napolitaanse rechters was Amato de charismatische capo van de Spanjaarden. Hij was opgegroeid in via Cupa dell'Arco zelf, de straat van Paolo Di Lauro en zijn familie. Amato was een leider van formaat geworden, hij bemiddelde bij de drugshandel en deed de investeringsinzetten. Volgens de aantijgingen van de spijtoptanten en de onderzoeken van de Antimaffiacommissie genoot hij een onbeperkt krediet bij de internationale handelaren en sleepte tonnen coke binnen.

Voordat de politieagenten met bivakmutsen hem voorover op de grond smeten, had Raffaele Amato al eens een klopjacht meegemaakt: namelijk toen hij gearresteerd werd in een hotel in Casandrino samen met een ander kopstuk van de groep en een grote Albanese handelaar, die zich bij zijn zaken liet bijstaan door een uitstekende tolk, het neefje van een minister uit Tirana.

Op 5 februari is het de beurt van Angelo Romano. Op 3 maart wordt Davide Chiarolanza vermoord in Melito. Hij had de killers herkend, misschien hadden ze zelfs een afspraak met hem gemaakt. Hij werd afgemaakt toen hij naar zijn auto probeerde te ontsnappen. Noch de rechterlijke macht, noch de politie en de carabinieri lukt het de vete te stoppen. De handhavers van de orde tamponneren, kappen wat tentakels van de clans af, maar schijnen er niet in te slagen de militaire bloeding te stoppen.

Terwijl de pers de misdaadrubrieken volgt en zich vastklampt aan interpretaties en waardeoordelen, verslaat een Napolitaans dagblad het nieuws over een wapenstilstand tussen de Spanjaarden en de Di Lauro's, een kortstondig vredesakkoord, gesloten door bemiddeling van de Licciardi-clan. Een akkoord dat door de overige clans van Secondigliano was gewenst en misschien ook door andere camorra-kartels, die vreesden dat de rustige machtsperiode van tien jaar onderbroken zou kunnen worden door het conflict. Opnieuw moest de openbare ruimte toestaan dat grenzen van de misdaad werden genegeerd. De wapenstilstand was niet door een paar charismatische bosses 's nachts in een cel op papier gezet. Hij was niet stiekem verspreid, maar gepubliceerd in een krant, een dagblad. Op 27 juni 2005 was het in de krantenkiosk mogelijk het akkoord te lezen, en te vatten. Hieronder volgen de gepubliceerde punten van het akkoord:

1) De dissidenten hebben teruggave geëist van de tussen november en januari ontruimde woningen in Scampia en Secondigliano. Ongeveer achthonderd mensen zijn toen door het commando van de Di Lauro's gedwongen hun huizen te verlaten.

2) Het monopolie van de Di Lauro's op de drugsmarkt is doorbroken. Daarop wordt niet teruggekomen. Het territorium moet gelijkwaardig verdeeld worden. De provincie voor de dissidenten, Napels voor de Di Lauro's.

3) De dissidenten zullen eigen kanalen gebruiken voor de drugsinvoer, zonder verplichte bemiddeling van de Di Lauro's.

4) De privé-afrekeningen worden gescheiden van de zaken, omdat zaken voorgaan op persoonlijk kwesties. Wanneer na verloop van tijd een afrekening plaatsvindt die gerelateerd is aan de vete, zal dit niet de vijandelijkheden weer doen oplaaien, maar zal het in de privé-sfeer blijven.

De boss der bosses van Secondigliano moet zijn teruggekomen. Hij is overal gesignaleerd, van Puglia tot in Canada. Maandenlang zijn de geheime diensten bezig geweest hem te pakken te krijgen. Paolo Di Lauro laat sporen na, hoe klein en onzichtbaar dan ook, zoals zijn invloed op de vete. Het schijnt dat hij zich heeft laten opereren in een kliniek in Marseille, dezelfde kliniek waar de boss van Cosa Nostra, Bernardo Provenzano, zich heeft laten behandelen. Hij is teruggekomen om de vrede te bezegelen of om de schade te beperken. Hij is hier, je begint zijn aanwezigheid te voelen, de sfeer is veranderd. De boss die tien jaar was verdwenen, dezelfde die in het telefoongesprek van een lid 'moest terugkomen, ook al riskeerde hij de gevangenis'. De spookboss, zijn gezicht is zelfs niet bekend bij zijn leden.

'Ik smeek je, laat me hem zien, even maar, maar één blik en dan ga ik,' had een lid gevraagd aan de boss Maurizio Prestieri.

Paolo Di Lauro werd opgepakt in Via Canonico Stornaiuolo op 16 september 2005. Hij hield zich schuil in het bescheiden huis van Fortunata Liguori, de vrouw van een lid van een lage rang. Een anoniem huis, net zoals het huis waarin zijn zoon Cosimo zich had schuilgehouden toen hij werd gezocht. In een woud van beton kun je makkelijker opgaan, in ieder huis leef je zonder gezicht en zonder geluid. De afwezigheid in een stad is vollediger, veel anoniemer dan je verstoppen onder een luik of tussen dubbele muren.

Paolo Di Lauro was heel dicht bij een arrestatie geweest op zijn verjaardag. De grootste uitdaging voor hem was om thuis bij zijn familie te gaan eten terwijl de politie van heel Europa hem op de hielen zat. Maar iemand waarschuwde hem net op tijd. Toen de carabinieri de villa van de familie binnenkwamen, vonden ze de tafel gedekt, maar zijn plaats was leeg. Dit keer echter spelen de speciale afdelingen van de carabinieri op zeker. Als ze het huis binnenkomen, zijn ze heel erg opgewonden. Het is vier uur 's morgens na een hele nacht van observatie.

De boss reageert echter niet, hij kalmeert ze zelfs. 'Kom binnen... ik ben rustig... er is niets aan de hand.'

Twintig politieauto's escorteren de auto waar hij is ingestapt en vier snelle motoren rijden vooruit op de route en checken of alles rustig is. De stoet schiet ervandoor, de boss zit in de geblindeerde wagen. Er zijn drie routes om hem naar de kazerne te rijden: de Via Capodimonte oversteken om vervolgens langs de Via Pessina en Piazza Dante te stuiven, of door iedere toegang naar de Corso Secondigliano af te zetten en de ringweg op te gaan richting Vomero.

In het uiterste geval kunnen ze ook nog een helikopter inzetten en hem door de lucht vervoeren.

Zij die vooraan rijden geven door dat er langs de route een verdachte auto staat. Iedereen verwacht een aanslag, maar het is vals alarm. De boss wordt overgebracht naar de kazerne van de carabinieri in Via Pastrengo in het hart van Napels. De helikopter daalt en het stof en vuil van het bloemperk in het midden van het plein vliegen in de lucht rond in een draaikolk vol plastic zakken, papieren zakdoekjes en stukken krant. Een draaikolk van vuilnis.

Er dreigt geen enkel gevaar, maar de arrestatie moet uitgeschreeuwd worden, men wil laten zien dat men erin geslaagd is het onmogelijke voor elkaar te krijgen: de boss arresteren. Wanneer de carrousel van geblindeerde en politiewagens aankomt en de carabinieri zien dat de journalisten al bij de ingang van de kazerne staan, gaan ze schrijlings op het portier van hun auto zitten. Autoramen als zadels, ze houden hun pistool goed in het zicht, dragen een bivakmuts en doen de beschermstukken van de carabinieri aan. Na de arrestatie van Giovanni Brusca is er geen carabiniere of politieman meer die zich niet in die positie wil laten vereeuwigen. Ze willen zich uitleven na de nachten op wacht staan, voldoening voelen over de gevangen prooi, over het persbureau dat slim genoeg was om de eerste pagina's vrij te laten.

Wanneer Paolo Di Lauro uit de kazerne komt, toont hij niet de bravoure van zijn zoon Cosimo: hij buigt voorover, gezicht op de grond gericht, hij laat alleen zijn kale achterhoofd zien aan de tv-camera's en de fotografen. Misschien is het alleen om zichzelf te beschermen. Als hij zich vanuit iedere hoek zou laten fotograferen door honderden objectieven, zich door tientallen televisiecamera's zou laten vastleggen, zijn gezicht aan heel Italië zou laten zien, zouden de voorheen onwetende buren misschien melden hem te hebben gezien, verklaren dat ze bij hem in de buurt zijn geweest. Beter is het de onderzoeken niet te vergemakkelijken, de eigen clandestiene trajecten niet te onthullen. Maar zijn gebogen hoofd kan ook betekenen dat hij gehinderd wordt door het flitslicht en de televisiecamera's, dat hij zich eraan ergert te worden gereduceerd tot een tentoongesteld beest.

Na een paar dagen werd Paolo Di Lauro rechtszaal 215 binnengeleid. Ik nam plaats tussen de aanwezige familieleden. Het enige woord dat de boss uitsprak, was 'aanwezig'. Verder gaf hij alles geluidloos aan. Gebaren, knipogen, grimassen en lachjes werden de stomme syntax waarmee hij vanuit zijn kooi communiceerde. Hij groette, antwoordde, kalmeerde. Een dikke grijze man ging achter me zitten. Ze keken elkaar even aan en de boss gaf hem een knipoog.

Het scheen dat veel mensen nadat ze van zijn arrestatie hadden gehoord, waren gekomen om de boss te begroeten die ze jarenlang, omdat hij voortvluchtig was, niet meer hadden gezien.

Paolo Di Lauro droeg jeans en een donker poloshirt. Aan zijn voeten had hij Paciotti, de schoenen die alle clanleiders uit deze streek dragen. De bewakers bevrijdden zijn polsen van zijn ketenen en deden zijn handboeien af. Voor hem was er een kooi alleen.

De kopstukken van de clans van Noord-Napels kwamen de aula binnen: Raffaele Abbinante, Enrico D'Avanzo, Giuseppe Criscuolo, Arcangelo Valentino, Maria Prestieri, Maurizio Prestieri, Salvatore Britti en Vincenzo Di Lauro. Mannen en ex-partners in crime van de boss, nu verdeeld over twee kooien: getrouwen en Spanjaarden. De bestgeklede man is Prestieri, met een blauw colbert en een azuurblauw Oxford-overhemd aan. Hij komt als eerste vanuit de grote kooi naar de kogelvrije ruit die hem van de boss scheidt lopen. Ze groeten elkaar. Enrico D'Avanzo komt er ook bij, het lukt hem zelfs om iets tussen de kieren van de kogelvrije ruit door te fluisteren.

Veel leiders hadden Di Lauro jaren niet gezien. Hij had zijn zoon Vincenzo niet meer gezien sinds hij in 2002 voortvluchtig werd en zich schuilhield in Chivasso in Piemonte waar hij in 2004 werd gearresteerd.

Ik kon mijn blik niet losmaken van de boss. Ieder gebaar, iedere frons leek me voldoende om hele bladzijden te vullen met interpretaties, om geheime nieuwe codes van de grammatica van de gebarentaal vast te leggen. Met zijn zoon echter had hij een vreemde geluidloze dialoog. Vincenzo wees met zijn wijsvinger naar de ringvinger van zijn linkerhand als om zijn vader te vragen: 'Je trouwring?'

De boss streek met zijn handen langs de zijkanten van zijn hoofd, toen beeldde hij een stuur uit alsof hij aan het rijden was. Ik kon de gebaren niet goed ontcijferen. De interpretatie die de kranten gaven was dat Vincenzo aan zijn vader had gevraagd hoe het kwam dat hij zijn trouwring niet om had en dat zijn vader hem had laten weten dat de carabinieri hem al zijn goud hadden afgenomen. Na de gebaren, de grimassen, het snelle liplezen, de knipoogjes en de handen op de geblindeerde ruit, bleef Paolo Di Lauro glimlachen terwijl hij zijn zoon aankeek. Ze gaven elkaar een kus door het glas.

De advocaat van de boss vroeg aan het eind van de audiëntie of een omhelzing tussen de twee mogelijk was. Het werd toegestaan. Zeven politieagenten schermden hen af.

'Je bent bleek,' zei Vincenzo en zijn vader keek hem recht in de ogen en antwoordde: 'Dit gezicht heeft al vele jaren geen zon gezien.'

De voortvluchtigen waren vaak bijna aan het eind van hun Latijn tegen de tijd dat ze werden opgepakt. Het voortdurend op de vlucht zijn maakt het onmogelijk van je eigen rijkdom te genieten en dit leidt ertoe dat de bosses nog meer waarde hechten aan hun eigen hoge status, dat die de enige echte maatstaf wordt van hun economische en sociale succes. De beschermingssystemen, de ziekelijke en obsessieve noodzaak om iedere stap te plannen, het grootste deel van de tijd opgesloten zitten in een kamer om hun zaken te regelen en hun ondernemingen te coördineren, dat alles maakt dat de voortvluchtige bosses als levenslange gevangenen van hun eigen zaak leven.

Een vrouw in de rechtszaal vertelde me een voorval uit het leven van de voortvluchtige Di Lauro. Ze leek qua uiterlijk op een lerares, en ze had meer geel dan blond geverfd haar met duidelijke uitgroei bij de scheiding. Toen begon ze met een rauwe, zware stem te praten. Ze vertelde dat toen Paolo Di Lauro nog door Secondigliano rondzwierf, hij gedwongen was zich volgens nauwkeurig uitgekiende strategieën te verplaatsen. Het was net of ze de ontberingen erg vond voor de boss. Ze vertrouwde me toe dat Di Lauro vijf auto's had van dezelfde kleur, hetzelfde merk en met hetzelfde nummerbord. Hij liet ze allemaal wegrijden als hij ergens naartoe moest, maar uiteraard zat hij maar in een ervan. Alle vijf auto's werden geëscorteerd en niemand van zijn mannen wist zeker of hij wel of niet in hun auto zat. De auto reed de villa uit en zij gingen erachteraan om hem te escorteren. Het was een goede manier om verraad te vermijden, en ook om te signaleren dat de boss onderweg was.

De vrouw vertelde dit op een toon van diep mededogen met het lijden en de eenzaamheid van een man die altijd rekening moet houden met het feit dat hij kan worden vermoord.

Na de tarantella van gebaren en omhelzingen, na de groeten en de grimassen van de mensen die deel uitmaken van de meest meedogenloze macht van Napels, was de geblindeerde ruit die de boss van de anderen scheidde vol sporen van een heel ander type: handafdrukken, vetstrepen, afdrukken van lippen.

In minder dan 24 uur na de arrestatie van de boss werd op de rotonde van Arzano een Poolse jongen gevonden, trillend als een rietje terwijl hij moeizaam een enorme bundel in de vuilniscontainer probeerde te gooien. De Pool was besmeurd met bloed en zijn angst bemoeilijkte iedere beweging. De bundel was een lichaam. Een gemarteld, gefolterd lijk dat zo gruwelijk was misvormd dat het onmogelijk leek dat een lichaam zo toegetakeld kon worden. Iemand een mijn laten inslikken en die dan in zijn maag laten exploderen, zou minder verminkingen toegebracht hebben.

Het was het lichaam van Edoardo La Monica, maar de gelaatstrekken waren niet meer te onderscheiden. Van het gezicht waren alleen de lippen nog over, de rest was weggeslagen. Het lichaam, dat barstensvol gaten zat, was helemaal overdekt met bloedkorsten. Ze hadden hem vastgebonden en met een stok vol spijkers langzaam, urenlang gefolterd. Iedere slag op het lichaam werd een gat, slagen die niet alleen botten braken maar ook gaten in het vlees sloegen, spijkers die naar binnen drongen en weer naar buiten werden getrokken. Zijn oren waren afgesneden, zijn tong afgehakt, zijn polsen verbrijzeld, zijn ogen met een schroevendraaier uitgestoken, levend, bij bewustzijn. En toen, om hem af te maken, werd zijn gezicht met

154

een hamer ingeslagen en met een mes werd een kruis in zijn lippen gesneden.

Het lichaam werd in de vuilnis gedumpt om gevonden te worden als het al verrot was, tussen het afval op een stortplaats. De boodschap die op het vlees was geschreven wordt door iedereen met gemak ontcijferd, want behalve de marteling zijn er geen andere aanwijzingen. Snijd de oren af waarmee hij heeft gehoord waar de boss zich schuilhield, verbrijzel zijn polsen waarmee hij zijn handen heeft opgehouden om geld te ontvangen, steek de ogen uit waarmee hij heeft gezien, snijd de tong af waarmee hij heeft gepraat. Het ingeslagen gezicht betekent dat je voor het Systeem hebt afgedaan door je acties. Verzegel de lippen met een kruis: voor altijd gesloten door het vertrouwen dat je hebt beschaamd.

Edoardo La Monica had geen strafblad. Een zeer beladen achternaam, de naam van een van de families die van Secondigliano een camorragebied hadden gemaakt en een goudmijn van zaken. De familie waarin Paolo Di Lauro zijn eerste stappen zette. De dood van Edoardo La Monica lijkt op die van Giuglio Ruggiero. Beiden met een overdreven nauwgezetheid uiteengereten, gefolterd, een paar uur na de arrestaties van de bosses. Opengereten, verbrijzeld, in stukken gesneden, gevild.

Sinds jaren waren er geen moorden meer geweest die gepaard gingen met zoveel zorgvuldige en bloedige symboliek: de laatste vonden plaats tijdens het eind van de macht van Cutolo en zijn killer Pasquale Barra, bijgenaamd '*o nimale*', het beest, die berucht was omdat hij in de gevangenis Francis Turatello zou hebben vermoord en, nadat hij diens hart met zijn handen uit zijn borst had gerukt, dat verslonden zou hebben.

Deze rituelen bestonden niet meer, maar de vete van Secondigliano had ze weer opgewekt en maakte iedere beweging, iedere centimeter vlees, ieder woord een instrument van oorlogscommunicatie.

Tijdens de persconferentie verklaarden de officiers van de speciale gevechtseenheden van de carabinieri, de ROS, dat ze hem konden arresteren omdat de fourageur die de lievelingsvis van Di Lauro inkocht, de *pezzogna*, een soort zeebrasem, was herkend. Het verhaal leek geschikt om het imago te verpulveren van een uiterst machtige boss, die het bevel had over honderden schildwachten, maar zich uiteindelijk heeft laten oppakken door zijn gulzigheid.

In Secondigliano werd er geen seconde geloofd in het spoor van de pezzogna waar ze achteraan waren gegaan. Veel mensen wezen de SISDE aan als verantwoordelijke van de arrestatie. De SISDE had ingegrepen, dat werd ook door de ordehandhavers bevestigd, maar Di Lauro's aanwezigheid in Secondigliano was uiterst moeilijk te traceren geweest. Het spoor van iets wat gevaarlijk dicht de hypothese naderde van vele verslaggevers, oftewel dat de SISDE verschillende mensen in het gebied geld had gegeven in ruil voor informatie of voor non-interventie, ving ik op uit verschillende flarden van praatjes aan de bar. Mannen die een espresso of cappuccino aan de bar namen en zinnen uitspraken als: 'Aangezien jij geld aanneemt van James Bond...'

In die dagen hoorde ik tot tweemaal toe steels zinspelen op 007, een te klein en te belachelijk feit om iets uit af te kunnen leiden, maar tegelijk te ongewoon om aan me voorbij te laten gaan.

De strategie die de geheime diensten bij de arrestatie van Di Lauro gevolgd zouden kunnen hebben, is mogelijk het opsporen geweest van de personen die verantwoordelijk waren voor de mensen die op de uitkijk moesten staan, en die in te huren zodat ze alle pali en schildknapen naar andere zones verplaatsten om te voorkomen dat ze alarm zouden slaan en de boss zou vluchten.

De familie van Edoardo La Monica ontkent iedere mogelijke betrokkenheid van hem, en bevestigt dat de jongen nooit deel heeft uitgemaakt van het Systeem, dat hij bang was voor de clans en hun zaken. Misschien heeft hij in de plaats van een ander familielid geboet, de chirurgische foltering lijkt te zijn uitgevoerd om via hem iemand anders te treffen.

Op een dag zag ik ver weg van waar het lichaam van Edoardo La Monica was gevonden een groepje mensen staan. Een jongen begon naar zijn eigen ringvinger te wijzen en toen hij zijn hoofd aanraakte, bewogen zijn lippen zonder geluid voort te brengen. Meteen schoot me als een kaarsje dat voor mijn oogleden werd aangestoken het gebaar van Vincenzo Di Lauro in de rechtszaal te binnen, dat vreemde, ongebruikelijke gebaar, dat als eerste vragen naar de ring van zijn vader, na al die jaren dat hij hem niet had gezien. De ring, in het Napolitaans *aniello*. Een boodschap om Aniello aan te wijzen en de ringvinger als symbool van trouw. Beschaamde trouw dus, alsof hij de stamfamilie van het verraad aangaf, aangaf waar de verantwoordelijkheid vandaan kwam. Wie er gepraat had.

Aniello La Monica was de patriarch van de familie, de familie La Monica werd in de wijk jarenlang de *anielli*, de ringen, genoemd, zoals de familie Gionta uit Torre Annunziata de *valentini* werden genoemd, naar boss Valentino Gionta. Aniello La Monica was volgens de verklaringen van de spijtoptanten Ruocco en Luigi Giuliano, uit de weg geruimd door zijn stiefzoon Paolo Di Lauro. Zeker is dat de mannen van de familie La Monica allemaal op de zwarte lijst staan van de familie Di Lauro. Deze wrede moord zou de wraak kunnen zijn voor die moord twintig jaar daarvoor, een koud opgediende wraak, ijskoud, met een gewelddadiger lading dan een salvo schoten. Het gaat hier om een heel lang geheugen, een geheugen dat gedeeld lijkt te worden door de machtigste clans in Secondigliano en door de wijk waar ze over heersen zelf. Dat alles blijft gebaseerd op roddels, hypothesen en verdenkingen die misschien gevolgen kunnen hebben zoals een sensationele arrestatie of een gefolterd lijk, maar nooit tot een absolute waarheid zullen leiden. Een waarheid die steeds weer moet worden uitgelegd, als een hiëroglief die je, zo wordt je geleerd, beter niet kunt ontcijferen.

Secondigliano is weer teruggekeerd naar het leven volgens zijn aloude economische mechanismen. Alle leiders van de Spanjaarden en de Di Lauro's zaten in de bak. Nieuwe capizona waren aan het opkomen, nieuwe kind-leiders deden hun eerste stappen in de commandosfeer. Het woord vete verdween in de loop der maanden en begon 'Vietnam' te heten.

'Hij daar... heeft Vietman meegemaakt. Ik moet me dus effe gedeisd houden.'

'Na Vietnam is iedereen bang hier.'

'Is Vietnam nou afgelopen of niet?'

Het zijn flarden van zinnen die worden uitgesproken via de mobieltjes van de nieuwe clanlichting. Door de carabinieri afgetapte telefoongesprekken die uitkomen bij de arrestatie van Salvatore Di Lauro op 8 februari 2006, de achttienjarige zoon van de boss die een legertje kinderen was gaan coördineren voor de handel. De Spanjaarden hebben de veldslag verloren, maar het lijkt erop dat ze hun doel om zelfstandig te worden hebben bereikt met een eigen kartel dat door kleine jongens wordt geleid.

De carabinieri hebben een sms'je onderschept dat een meisje naar een piepjonge *capopiazza* die tijdens de vete was gearresteerd en was teruggekeerd in de handel zodra hij de gevangenis uitkwam had gestuurd: 'Gefeliciteerd met het werk en je terugkeer naar de wijk, ik ben trots op je overwinning, proficiat.'

Er werd de militaire overwinning mee bedoeld, en de felicitaties waren omdat ze het vanuit de juiste hoek hebben aangepakt. De Di Lauro's zitten in de gevangenis, maar ze hebben hun huid en hun business gered. In ieder geval die van de familie.

Na de onderhandelingen tussen de clans en na de arrestaties werd het plotseling rustig. Ik reed door het afgematte Secondigliano, dat was platgelopen door te veel mensen, gefotografeerd, opgenomen, misbruikt. Uitgeput door alles. Ik bleef stilstaan voor de fresco's van Felice Pignataro, voor de gezichten van de zon, voor de koppen die half schedel, half clown waren. Fresco's die aan het gewapende beton een lichtheid en een onverwachte schoonheid gaven. Plotseling ontplofte er vuurwerk in de lucht en het oorverdovende kabaal van de rotjes hield maar niet op. De troepen journalisten die na de arrestatie van de boss hun posten aan het afbreken waren, rolden over elkaar heen om te kunnen zien wat er aan de hand was. De laatste waardevolle uitzending, twee hele flatgebouwen waren aan het feesten. Ze deden de microfoons aan, de schijnwerpers verlichtten de gezichten, ze belden de hoofdverslaggevers om aan te kondigen dat er een uitzending kwam over de feestelijkheden van de Spanjaarden naar aanleiding van de arrestatie van Paolo Di Lauro.

Ik ging ernaartoe om te vragen wat er aan de hand was. Een jongen die blij was dat ik het vroeg, antwoordde: 'Het is voor Peppino, hij is uit zijn coma ontwaakt.'

Peppino ging een jaar daarvoor naar zijn werk toen zijn Ape, het autootje met drie wielen waarmee hij naar de markt ging, slipte en omsloeg. De straten van Napels zijn oplosbaar in water: na twee uur regen begint het basalt te drijven en lost het asfalt op alsof het in zuur ligt. De driewieler was over de kop geslagen en Peppino had er zeer ernstig hersenletsel aan overgehouden. Om de driewieler uit de talud te krijgen waar hij in terecht was gekomen, werd een tractor gebruikt die van het platteland afkomstig was. Na een jaar in coma was hij ontwaakt en na enkele maanden in het ziekenhuis mocht hij naar huis. De wijk vierde zijn terugkomst.

Zodra hij uit de auto kwam, terwijl ze nog bezig waren hem in de rolstoel te zetten, waren de eerste vuurpijlen al de lucht in geschoten. De kinderen lieten zich fotograferen terwijl ze hem over zijn volledig kaalgeschoren hoofd aaiden. Peppino's moeder beschermde zijn uitgemergelde lichaam tegen de al te stevige knuffels. De verslaggevers ter plekke belden weer met de redacties, ze blokkeerden alles, de avond van de misdaad die ze hadden willen filmen, was vervlogen in een feest voor een jongen die uit zijn coma was ontwaakt. Ze gingen weer terug naar hun hotels, ik ging verder.

Ik slipte het huis van Peppino binnen als een blije spijbelaar die dat vrolijke feest niet wilde missen. De hele nacht proostte ik met iedereen uit de flat op de gezondheid van Peppino. Ik dwaalde over traptreden, tussen balustrades en open deuren zonder te begrijpen van wie die huizen waren, met tafels die vol lagen waren met van alles en nog wat. Straalbezopen van de wijn begon ik met de Vespa een estafette tussen een nog geopende bar en het huis van Peppino om iedereen van rode wijn en Coca-Cola te voorzien. Die nacht was Secondigliano doodstil en uitgeput. Zonder journalisten en helikopters. Zonder uitkijkposten en pali. Een stilte waarvan je zin kreeg om te slapen, zoals 's middags in het zand met je armen onder je hoofd gevouwen, zonder nog ergens aan te denken.

Vrouwen

Er hing een onbeschrijflijke geur om me heen. Zoals de stank die in je jas dringt als je een friettent binnengaat en die langzaam minder wordt wanneer je weer buiten komt en hij zich met giftige uitlaatgassen vermengt. Je kunt wel honderd keer douchen, je lijf urenlang in de week leggen in een tobbe met badzouten en heftig geurende balsems, maar je raakt hem niet meer kwijt. En niet omdat het je vlees is binnengedrongen, zoals het zweet van een verkrachter, maar omdat de geur die om je heen hangt uit jezelf komt; alsof hij werd uitgescheiden door een klier die hiervoor nooit was gestimuleerd, een klier die plotseling was gaan werken, eerder nog geactiveerd door angst dan door een gevoel van waarheid. Alsof er in je lijf iets bestaat wat in staat is je te waarschuwen wanneer je de waarheid ziet. Met alle zintuigen. Zonder omwegen. Niet een uitgesproken, gerapporteerde of gefotografeerde waarheid, maar een die er is, die zich manifesteert. Een begrip van hoe dingen werken, hoe het traject van het heden loopt. De gedachte die de waarheid bewijst van wat je hebt gezien, bestaat niet.

Nadat een camorra-oorlog zich heeft vastgezet op mijn netvlies, wordt mijn herinnering overspoeld door een te groot aantal beelden, die niet een voor een in je hoofd opkomen maar allemaal tegelijk, over elkaar en door elkaar heen. Je kunt niet vertrouwen op je ogen. Na een camorra-oorlog zijn er geen ruïnes en trekt het bloed snel in het zaagsel. Alsof jij de enige bent die het heeft gezien of ondergaan, alsof er iemand klaarstond die je aanwees en zei: 'Het is niet gebeurd.'

De clanoorlog die afwijkt van andere oorlogen – de elkaar trotserende kapitalen, de elkaar afmakende investeringen en verslindende financiële hypotheses – vindt altijd een beweegreden die troost biedt, een gevoel dat het gevaar opzij kan duwen, dat het mogelijk

160

maakt het conflict ver weg te laten lijken, heel ver weg, ook al komt het via de achterdeur je huis binnen.

Je kunt alles naar betekenis rangschikken in een register dat je langzaam opbouwt, maar geuren kunnen niet in hokjes worden geplaatst, ze zijn er. Daar. Als het laatste en enige spoor van een verloren gegaan erfgoed van een ervaring. Er waren geuren in mijn neus blijven hangen; niet alleen de geur van zaagsel en bloed, of van aftershave op de onbehaarde wangetjes van de kindsoldaten, maar vooral vrouwelijke geuren. In mijn neusgaten hing nog de zware geur van deodorants, haarlak, zoete parfums.

Vrouwen horen bij de machtsdynamiek in een clan. Het is geen toeval dat tijdens de vete van Secondigliano te zien was hoe twee vrouwen werden geliquideerd met een wreedheid die gewoonlijk is voorbehouden aan de bosses. Zoals de honderden vrouwen die de straat waren opgegaan om de arrestaties van dealers en wachters te verhinderen, die vuilniscontainers in brand staken en de carabinieri aan hun ellebogen rukten geen toeval waren.

Iedere keer als er een camera op straat verscheen, zag ik meisjes eropaf rennen en voor de lens schieten. Ze lachten, begonnen te zingen, vroegen om te worden geïnterviewd, cirkelden om de cameraman heen om te zien welk logo er op de camera stond, om te weten welke televisiezender opnamen van hen stond te maken. Je weet maar nooit, iemand zou ze kunnen zien en ze in een of andere uitzending kunnen oproepen. De gelegenheden doen zich hier niet voor, maar worden er met de haren bij gesleept, worden gekocht, opgegraven. Ze gebeuren onder dwang.

Hetzelfde geldt voor jongens: niets wordt bij de eerste ontmoeting aan het toeval overgelaten, aan het lot van de verliefdheid. Iedere verovering is een strategie. En de meisjes zonder tactiek riskeren het te worden aangezien voor lichtzinnige wezens met overal handen op zich en tongen die zo volhoudend zijn dat ze de stijf op elkaar gehouden tanden doorboren. Nauwsluitende jeans, strakke t-shirts: alles moet de schoonheid tot lokaas maken. Schoonheid lijkt op bepaalde plaatsen een strik te zijn, ook al is het de meest aangename van alle valstrikken. Dus als je eraan toegeeft, als je het plezier van het moment volgt, weet je niet wat je te wachten staat. Het meisje is veel beter af als ze zich door de beste laat versieren en als die eenmaal in de valstrik is terechtgekomen, ze hem daar laat, vastpakt, verduurt, hem doorslikt met haar neus dicht, maar hem voor zichzelf houdt, helemaal.

Op een dag kwam ik langs een school. Er stapte een meisje van haar brommer af. Ze stapte langzaam af om iedereen de tijd te geven naar haar motor, haar helm, de motorhandschoenen en haar puntlaarzen te kijken die nauwelijks de grond raakten.

Een van die eeuwige conciërges die vele generaties jongens en meisjes onder ogen krijgt kwam op haar af lopen en zei: 'France, doe je al aan de liefde? En dan nog wel met Angelo, je weet toch wel dat die in Poggioreale terechtkomt?' 'Aan de liefde doen' betekent niet met iemand naar bed gaan, maar verkering hebben.

Deze Angelo was pas bij het Systeem gekomen en scheen onbeduidende opdrachten te vervullen. Volgens de conciërge zou hij gauw in de gevangenis Poggioreale belanden. In plaats van dat het meisje haar vriendje probeerde te verdedigen, had ze haar antwoord al klaar. Een voor de hand liggend antwoord. 'Nou, en wat dan nog, de *mesata* krijg ik toch wel! Die jongen is hartstikke gek op me...'

De mesata. Het eerste succes van het meisje. Als haar vriend de gevangenis in gaat, krijgt zij een toelage. De mesata is het maandelijkse salaris dat de clans geven aan de families van de leden. Als ze verkering hebben, wordt de mesata aan het meisje uitbetaald, ook al is in verwachting zijn een betere verzekering dat ze het geld krijgt. Trouwen is niet nodig, een kind is genoeg, al zit het alleen nog maar in de buik. Met alleen verkering loop je het risico dat zich nog een meisje meldt bij de clan, dat zich misschien tot dat moment had schuilgehouden en niet van de ander afwist. In dat geval beslist de buurtverantwoordelijke van de clan of de mesata moet worden verdeeld tussen twee vrouwen – een riskante aangelegenheid omdat het spanning oproept tussen de families – of de beslissing wordt overgelaten aan het gevangen clanlid.

In de meeste gevallen wordt besloten om de mesata aan geen van beide meisjes te geven en hem direct door te spelen naar de familie van de gevangene om zo het probleem rigoureus op te lossen. Huwelijk of kraambed verzekeren je van een salaris.

Het geld wordt bijna altijd persoonlijk afgegeven, om geen sporen achter te laten op spaarrekeningen. Het wordt gebracht door 'onderzeeërs'. De onderzeeër is degene die de maandelijkse salarissen uitbetaalt. Ze worden zo genoemd omdat ze als slangen langs het wegdek schuiven. De onderzeeërs laten zich nooit zien, ze mogen niet makkelijk te achterhalen zijn omdat ze gechanteerd kunnen worden, onder druk kunnen worden gezet of worden ontvoerd. Ze duiken plotseling op en komen altijd via andere routes bij dezelfde huizen uit. De onderzeeër zorgt voor de laagste salarissen van de clan. De leiders daarentegen vragen wat ze nodig hebben direct aan de kassier.

De onderzeeërs maken geen deel uit van het Systeem en worden geen lid. Ze zouden, omdat ze de salarissen beheren, die belangrijke rol kunnen uitbuiten en proberen binnen de clan door te groeien. Het zijn bijna altijd gepensioneerden, winkelaccountants, oude boekhouders, die met hun werk voor de clan een aanvulling op hun pensioen krijgen en bovendien hun huis uit kunnen en niet voor de televisie wegrotten.

Ze kloppen de 28e van iedere maand aan, zetten hun plastic tassen op tafel en halen uit de volgepropte binnenzak van hun jasje een papieren envelop waarop de achternaam staat van het dode of in bewaring gestelde clanlid, en overhandigen die aan de echtgenote, of als zij er niet is aan het oudste kind. Bijna altijd brengen ze behalve de mesata ook wat etenswaar mee. Ham, fruit, pasta, eieren, wat brood. Ze lopen met de zakken langs de muren ritselend de trappen op. Dat aanhoudende ruisende geluid, die zware stappen vormen de identiteit van de onderzeeër. Ze zijn altijd bepakt als ezels, doen alle boodschappen bij dezelfde comestibleszaak en bij dezelfde groenteboer, ze hebben een grote vracht bij zich die ze vervolgens naar alle families brengen. Uit de lading die de onderzeeër bij zich heeft kun je opmaken hoeveel echtgenotes van gevangenen of camorraweduwes er in een straat wonen.

Don Ciro was de enige onderzeeër die ik heb leren kennen. Vanuit de oude binnenstad zorgde hij voor de salarissen van een clan die nu is uit elkaar is maar langzaam, in een nieuwe, vruchtbare fase zich weer probeert te reorganiseren. Hij werkte voor de clans van de Quartieri Spagnoli en sinds enkele jaren ook voor die van Forcella en van de wijk Sanità.

Don Ciro was in staat om in het labyrint van de Napolitaanse steegjes alle huizen te vinden, of het nou kelderwoningen waren die half ondergronds lagen of flats zonder huisnummer, appartementen verscholen in de hoeken van het trapportaal. De postbodes, die voortdurend verdwaalden, vertrouwden hem soms de post toe om bij de geadresseerden te bezorgen.

De schoenen van Don Ciro waren aftands, zijn grote teen had een bult in de punt gemaakt en de hakken waren versleten. Die schoenen waren het authentieke symbool van de onderzeeër en stonden voor de vele te voet afgelegde kilometers door steegjes en hellingen in het hart van Napels, routes die door angst voor achtervolgingen en ontvoeringen veel langer waren geworden. Don Ciro had een sleetse broek aan, hij leek schoon maar was niet gestreken. Hij had geen vrouw meer en zijn nieuwe vriendin uit Moldavië was veel te jong om zich echt om hem te bekommeren. Als een angstig muisje keek hij altijd naar de grond, ook als hij tegen mij sprak. Hij had een gele snor, verkleurd door de nicotine, net als de wijsvinger en middelvinger van zijn rechterhand.

De onderzeeërs geven de mesata ook aan mannen wier vrouwen achter slot en grendel zitten. Het is voor hen vernederend de mesata van hun opgesloten vrouw te ontvangen, maar al roept zo'n man meestal op de trap al met veel misbaar dat de onderzeeër weg moet gaan, hij vergeet nooit eerst de envelop met het geld aan te pakken. Om deze zogenaamde uitbranders te vermijden, gaan de onderzeeërs liever naar het huis van de moeders van de vrouwelijke clanleden om het maandelijkse geld te overhandigen dat de moeders weer doorgeven aan het gezin van de in bewaring gestelde vrouw.

De onderzeeërs horen iedere klacht aan van de echtgenotes van de leden, over de verhoging van de energierekening, van de huur, over de kinderen die blijven zitten of naar de universiteit willen. Ze luisteren naar ieder verzoek, naar iedere insinuatie over vrouwen van andere leden die meer geld krijgen omdat hun slimmere mannen erin zijn geslaagd hogerop te klimmen in de clan. Terwijl ze praten herhaalt de onderzeeër voortdurend: 'Ik weet het, ik weet het, ik weet het.' Alsof de vrouwen zo nog beter hun hart kunnen luchten, en aan het eind van de woordenstroom spreekt hij een van twee mogelijke antwoorden uit: 'Dat is niet van mij afhankelijk', of: 'Ik breng alleen maar het geld, ik beslis er niet over.' De vrouwen weten donders goed dat de onderzeeërs niets beslissen, maar ze hopen dat door hen met beklag te overladen er vroeg of laat iets via de onderzeeër terechtkomt bij een capozona, die misschien besluit de salarissen te verhogen en andere gunsten te verlenen.

Don Ciro was er zo aan gewend om 'ik weet het' te zeggen, dat iedere keer als ik hem sprak hij bij welk onderwerp dan ook 'ik weet het, ik weet het, ik weet het' mompelde. Hij had de mesata bij honderden camorravrouwen gebracht, hij zou nauwkeurige herinneringen kunnen ophalen van generaties vrouwen, van echtgenotes en vriendinnen en ook van mannen alleen. Hij was een bron voor geschiedschrijving en zou kritisch commentaar kunnen geven op bosses en politici, maar Don Ciro was een stille, melancholische man die van zijn hoofd een lege ruimte had gemaakt waarin ieder gehoord woord weerkaatste zonder er ook maar iets achter te laten.

Terwijl ik met hem sprak, sleepte hij me van het centrum van Napels naar de periferie, toen zei hij gedag en nam een bus die hem terug zou brengen naar waar we vandaan waren gekomen. Het maakte allemaal deel uit van zijn strategie om je op een verkeerd spoor te zetten, om te voorkomen dat je zou raden, ook al was het maar in de verste verte, waar hij woonde.

Voor veel vrouwen is het huwelijk met een camorrist zoiets als het ontvangen van een lening, als de verovering van een kapitaal. Als het lot en zijn capaciteiten als camorrist het hem toestaan, werpt het kapitaal vruchten af en worden de vrouwen ondernemers, leiders, generaals met een onbeperkte macht. Als het slecht gaat brengen ze alleen maar uren door in de wachtkamers van gevangenissen en moeten ze, concurrerend met Slavische vrouwen, smeken om hulp in de huishouding te mogen worden om de advocaten te kunnen betalen en de kinderen te eten te kunnen geven als de clan uit elkaar valt en de mesata niet meer binnenkomt.

De vrouwen van de camorra geven via lichaamstaal een fundament aan allianties, hun gelaat en hun gedrag houden de familie bij elkaar en tonen hun macht. In het openbaar zijn zij herkenbaar aan hun zwarte sluiers bij begrafenissen, hun kreten tijdens arrestaties en hun kussen die ze door de tralies werpen bij de zittingen in de rechtszaal.

Het imago van camorravrouwen lijkt te zijn opgebouwd uit clichés: vrouwen die alleen maar weerklank kunnen geven aan verdriet en aan de wil van de mannen – broers, echtgenoten, zoons. Dat is niet zo. De verandering van de wereld heeft ook een metamorfose teweeggebracht in de rol van de vrouw die van een moederlijke persoonlijkheid, van een jammerende toeschouwster, een heuse manager is geworden die bijna exclusief ondernemersinitiatieven en financiële activiteiten ontplooit, en de militaire operaties en illegale handel aan anderen delegeert.

Een bekende camorraleidster uit de geschiedenis is zonder twijfel Anna Mazza, weduwe van de peetvader van Afragola en een van de eerste vrouwen in Italië die als hoofd van een van de machtigste criminele ondernemersorganisaties veroordeeld werd voor lidmaatschap van een criminele organisatie.

Anna Mazza maakte in het begin gebruik van de uitstraling van haar echtgenoot Gennaro Moccia, die in de jaren zeventig was vermoord. De 'zwarte weduwe van de camorra', zoals zij werd herdoopt, was twintig jaar lang het echte brein van de Moccia-clan en slaagde erin haar macht wijdverbreid te vertakken. Zij ging hier zo ver mee dat ze in de jaren negentig in de buurt van Treviso – waar ze volgens verschillende onderzoeken naartoe verbannen was – contacten aanging met de maffia van de Brenta en zelfs in volledig isolement haar machtsnetwerk nog probeerde te consolideren.

Direct na de dood van haar echtgenoot werd Mazza ervan beschuldigd haar nog geen dertienjarige zoon te hebben bewapend om de opdrachtgever van de moord op haar man uit de weg te ruimen. Door gebrek aan bewijs moest deze beschuldiging worden ingetrokken.

Anna Mazza had een hiërarchisch gestructureerd beleid, dat zeer afwijzend stond ten aanzien van militaire ingrepen, en ze was in staat de mensen in haar territorium volledig naar haar hand te zetten, zoals blijkt in 1999 als de gemeenteraad van Afrogola wordt ontbonden wegens camorra-infiltratie. De politici volgden haar, ze zochten haar steun. Anna Mazza was een pionierster.

Voor haar kenden we Pupetta Maresca, de knappe killer-wreekster die in de jaren vijftig in heel Italië beroemd werd toen ze besloot de dood van haar man Pascalone 'e Nola te wreken terwijl ze zes maanden in verwachting was.

Anna Mazza was meer dan een wreekster. Ze begreep dat het veel eenvoudiger was de achtergebleven cultuur van de camorrabazen uit te buiten en van een soort onschendbaarheid te genieten die aan vrouwen is voorbehouden. Een ouderwetse cultuur die haar immuun maakte voor aanslagen, afgunst en conflicten. In de jaren tachtig en negentig lukte het haar de familie te leiden waarbij ze blijk gaf van een uitgesproken aanleg om haar eigen ondernemingen tot bloei te brengen en met veel doorzettingsvermogen en uiterst omzichtig op te klimmen in de bouwwereld.

De Moccia's werden een van de belangrijkste clans bij het binnenslepen van bouwaanbestedingen, bij het beheer van de steengroeves en de aankoopbemiddeling van bouwterreinen. De hele provincie Napels, de strook Frattamaggiore, Crispano, Sant'Antimo, Frattaminore, Caivano, werd overheerst door capizona die verbonden waren met de Moccia's. In de jaren negentig werden ze een van de pijlers van de Nuova Famiglia, het uitgebreide kartel van clans dat zich verzet tegen de Nuova Camorra Organizzata van Raffaele Cutolo en dat in de zakenwereld en op politiek gebied de kartels van Cosa Nostra weet te overtreffen. Toen de partijen die geprofiteerd hadden van de samenwerking met de clan ineenstortten, waren de bosses van de Nuova Famiglia de enigen die gearresteerd werden en levenslang kregen. Ze wilden niet boeten voor de politici die ze hadden geholpen en ondersteund. Ze wilden niet worden aangezien voor de kanker van een systeem dat ze zelf levend en productief overeind hadden gehouden, ook al was het crimineel. Ze besloten spijtoptant te worden.

In de jaren negentig was Pasquale Galasso, boss van Poggiomarino, de eerste uit de allerhoogste regionen van de clan die met justitie ging samenwerken. Hij koos voor een volledige spijtbetuiging – namen, werkwijzen, transacties – die door de staat beloond werd met de bescherming van de bezittingen van zijn gezin en gedeeltelijk ook die van zijn ouders. Galasso onthulde alles wat hij wist.

De Moccia-familie nam de taak op zich om hem voor eeuwig het zwijgen op te leggen. Galasso's woorden zouden de clan van de weduwe in een paar uur tijd met enkele onthullingen te gronde kunnen richten. Er werd gepoogd zijn escorte om te kopen om hem te vergiftigen of om hem met bazooka's uit de weg te ruimen. Maar na de mislukte gewelddadige pogingen die door de mannelijke clanleden waren georganiseerd begon Anna Mazza, die aanvoelde dat de tijd rijp was voor een nieuwe strategie, zich ermee bemoeien. Zij stelde ontbinding voor. Mazza paste dit begrip uit het terrorisme toe op de camorra. De militanten van de gewapende organisaties ontbonden zich zonder spijtbetuiging en zonder namen te onthullen of opdrachtgevers en uitvoerders aan te klagen.

De ontbinding betekende ideologisch afstand nemen, het was een volledig bewust genomen besluit, een poging om een politiek ideaal af te zweren, waarvan alleen al de officieel bekendgemaakte, morele afwijzing genoeg was om strafvermindering te krijgen. Het bleek uiteindelijk de beste truc van de weduwe te zijn om ieder gevaar van spijtbetuiging uit te bannen en tegelijkertijd de schijn te wekken dat de clans niets met de staat te maken hadden.

De truc was ideologisch afstand nemen van de camorra en de voordelen ervan uitbuiten, zoals strafvermindering, verbeteringen van de omstandigheden in de gevangenis, maar zonder onthulling van mechanismen, namen, bankrekeningen en allianties. De camorra die door enkele waarnemers als een ideologie werd beschouwd, was voor de clans niets anders dan het economische en militaire handelen van een groep zakenmensen. De clans waren aan het veranderen: de criminele retoriek verstomde, de 'cutoliaanse' gekte van de verheerlijking van de actie van de camorra was voorbij. De ontbinding kon de oplossing zijn voor de dodelijke macht van de spijtoptanten die, hoewel het bol staat van de tegenstrijdigheden, de werkelijke spil zijn van de aanval op de camorra.

De weduwe begreep de impact van deze truc. Haar kinderen schreven een priester om te laten zien dat ze weer op het rechte pad waren, er zou een auto vol wapens voor een kerk in Acerra worden achtergelaten als symbool van de 'ontbinding' van de clan, net als de IRA dat doet bij de Engelsen. De wapens als getuigen. Maar de camorra is geen organisatie die voor onafhankelijkheid strijdt, ze beschikt over een gewapende kern, maar wapens vormen niet hun werkelijke macht.

Die auto werd nooit gevonden en de strategie van de ontbinding, die was ontstaan in het brein van een vrouwelijke boss, verloor langzaam maar zeker zijn betovering. Er werd niet meer naar geluisterd door het parlement en de rechterlijke macht, en ook de clan ondersteunde de ontbinding niet. Er kwamen meer en meer spijtoptanten met steeds nuttelozere waarheden, en de grote onthullingen van Galasso ontmantelden de gevechtseenheden van de clan, maar lieten de ondernemingen en politieke plannen bijna volledig ongemoeid.

Anna Mazza ging door met de opbouw van een soort matriarchaat van de camorra. De vrouwen bevolkten het werkelijke machtscentrum en de mannen vormden de gewapende macht, het waren bemiddelaars, en alleen leiders nadat vrouwen een beslissing hadden genomen. Belangrijke economische en militaire besluiten vielen ten deel aan de zwarte weduwe.

De vrouwen van de clan garandeerden grotere ondernemingszin, minder uiterlijk machtsvertoon en minder conflicten. Vrouwelijke leiders, vrouwelijke bodyguards en vrouwelijke ondernemers. Een van Mazza's 'gezelschapsdames', Immacolata Capone, maakte in de loop der jaren haar fortuin in de clan. Immacolata was de peetmoeder van Teresa, de dochter van de weduwe. Zij zag er niet uit als een matrone met het opgeföhnde haar en de appelwangetjes van Anna Mazza. Immacolata was klein en tenger, met een blond pagekopje dat altijd netjes zat, en bezat een sobere elegantie. Ze leek in niets op een duistere camorriste. En in plaats van dat zij op zoek was naar een man die haar meer autoriteit kon geven, waren het de mannen die zich aan haar wilden binden om bescherming te krijgen.

Ze trouwde met Giorgio Salierno, een camorrist die betrokken was bij de pogingen om spijtoptant Galasso tegen te houden, en vervolgens legde ze het aan met een man van de Puca-clan uit Sant'Antimo, een familie met een machtig verleden, die dicht bij Cutolo stond. Een clan die door de broer van Immacolata's vriend, Antonio Puca, bekend was geworden. In haar zak werd een agenda gevonden waarin de naam Enzo Tortora stond, de televisiepresentator die er onterecht van was beschuldigd camorrist te zijn.

Toen Immacolata haar economische wasdom als leider had bereikt, was de clan in crisis. Gevangenissen en spijtoptanten hadden het nauwgezette werk van donna Anna in gevaar gebracht. Maar Immacolata zette in op beton, ze had al een baksteenfabriek in het centrum van Afragola. De onderneemster had geprobeerd banden aan te gaan met de machtige Casalesi-clan, die op nationaal en internationaal gebied de touwtjes in handen had in de bouwwereld. Volgens de onderzoeken van de DDA van Napels was Immacolata Capone de onderneemster die de Moccia-ondernemingen opnieuw aan de top in de bouwwereld kon helpen. Het bedrijf MOTRER, een van de belangrijkste ondernemingen op het gebied van afgravingen in Zuid-Italië, stond geheel tot haar beschikking. Ze had een onberispelijk mechanisme van de grond gekregen – volgens onderzoeken – door de medewerking van een plaatselijke politicus: de politicus kende de aanbestedingen toe, de juiste ondernemer kreeg ze en donna Immacolata nam ze in onderaanbesteding.

Ik heb haar, geloof ik, maar één keer gezien. In hetzelfde Afragola toen ze de supermarkt inliep met twee meisjes als bodyguards. Ze volgden haar in een Smart, het autootje met twee zitplaatsen waarin iedere camorravrouw rondrijdt. Die Smart leek met zijn dikkere deuren echter gepantserd. Bij vrouwelijke bodyguards denk je aan bodybuilders waarbij iedere opgeblazen spier ze mannelijk maakt. Dijbenen als kabels, borstspieren die hun borsten hebben verdrongen, buitenproportionele biceps, nekken als boomstammen. De bodyguards voor me hadden daarentegen niets weg van manwijven. Een klein meisje met dikke zachte billen en te zwart geverfd haar, de andere was mager, tenger, hoekig.

Hun bijzonder verzorgde kleding viel me op, beiden droegen iets waarin het lichtgevende geel van de Smart terugkwam. De ene had een T-shirt aan in de kleur van de auto en de vrouw achter het stuur droeg een geel zonnebrilmontuur. Een geel dat niet toevallig kon zijn uitgekozen, en ook niet toevallig was aangetrokken. Het was het kenmerk van een professionele touch. Dezelfde schakering geel als van het motorpak dat Uma Thurman droeg in *Kill Bill* van Quentin Tarantino, een film waarin voor het eerst vrouwen de belangrijkste criminele hoofdrolspelers waren. Hetzelfde geel als het pak van Uma Thurman op het affiche van de film, met het getrokken samoeraizwaard dat op je netvlies achterblijft en misschien ook op je smaakpapillen. Een geel dat zo vals is dat het een symbool wordt. De winnende onderneming moet een winnend beeld afgeven. Niets wordt aan het toeval overgelaten, niet eens de kleur van de auto en het tenue van de bodyguards.

La Capone had het voorbeeld gegeven en vanaf dat moment waren er veel vrouwen van verschillende titels en niveaus in de clan die een vrouwelijke escorte ambieerden en zorgdroegen voor de harmonie in stijl en imago. Maar iets ging er niet goed. Misschien was ze vijandelijke territoria binnengevallen, misschien bewaarde ze chantagegevoelige geheimen: Immacolata Capone werd in maart 2004 vermoord in Sant'Antimo, het dorp van haar vriend. Ze had geen escorte bij zich. Misschien dacht ze dat ze geen gevaar liep. De liquidatie vond plaats in het centrum, de killers waren te voet. Zodra Immacolata Capone begreep dat ze werd achtervolgd, probeerde ze te ontsnappen, omstanders dachten waarschijnlijk dat haar tas was gestolen en gingen met haar achter de dieven aan, maar ze had hem over haar schouder, ze holde en hield haar tas dicht tegen zich aan geklemd, een instinct belette haar het ding, dat het rennen bemoeilijkte, los te laten om haar leven te redden.

Immacolata ging een poelierszaak binnen, maar kon zich niet op tijd achter de toonbank verschuilen. De killers haalden haar in en zetten de loop van het pistool achter op haar nek. Twee droge schoten: de culturele achterstand waarvan Anna Mazza gebruik had gemaakt, die voorkwam dat vrouwen werden neergeschoten, werd met deze daad ingehaald. De met kogels doorboorde schedel, het gezicht dat in een dikke plas bloed lag liet de nieuwe politieke weg zien van de clan. Geen enkel verschil tussen man en vrouw. Geen veronderstelde erecode.

Het Moccia-matriarchaat reageerde langzaam en was altijd paraat voor grote zaken – controle houden over een territorium met investeringen die het daglicht niet kunnen verdragen en financiële bemiddelingen van de hoogste orde, beheersing over aankoop van grond – en ze vermeed vetes en allianties die haar familieondernemingen zouden opslokken. In een gebied dat door bedrijven van het Moccia-matriarchaat wordt beheerst wordt het grootste Ikea-complex van Italië neergezet en er ligt het meest uitgestrekte bouwterrein denkbaar klaar voor de hogesnelheidstrein van Zuid-Italië, die precies hiervandaan vertrekt.

In oktober 2005 is voor de zoveelste keer de gemeenteraad van Afragola wegens camorra-infiltratie ontbonden. De aantijgingen zijn zwaar, een groep gemeenteraadsleden had de voorzitter gevraagd meer dan tweehonderdvijftig mensen aan te stellen, die door naaste familiebanden aan de Moccia-clan zijn verbonden, voor de bouw van winkelcentra. In het besluit om de gemeenteraad te ontbinden werden ook enige bouwkundige concessies meegewogen die de normen overschreden. Er staan megaconstructies op stukken bouwgrond die eigendom zijn van de bosses en er wordt ook gesproken over het ziekenhuis dat gebouwd gaat worden op grond die gekocht is van de Moccia-clan, in dezelfde tijd als de debatten in de gemeenteraad worden gevoerd. Percelen die goedkoop zijn aangekocht en vervolgens voor astronomische prijzen worden verkocht als het bekend is dat er ziekenhuizen op gebouwd zullen worden. Een winst van zeshonderd procent op de oorspronkelijke prijs. Een winst die alleen de vrouwen van de Moccia-clan konden krijgen.

Vrouwen in de loopgraven om de goederen en eigendommen van de clan te verdedigen, zoals Anna Vollaro dat deed, het nichtje van de boss van de Portici-clan, Luigi Vollaro. Ze was negenentwintig toen de politieagenten zich aandienden om beslag te leggen op het zoveelste etablissement van de familie, een pizzeria. Ze pakte een jerrycan vol benzine, goot het over zich heen en stak zichzelf aan met een aansteker. Om te vermijden dat iemand zou proberen de vlammen te doven begon ze als een gek rond te rennen. Ze kwam met een klap tegen de muur terecht en de pleisterkalk werd zwart zoals bij kortsluiting in een stopcontact. Anna Vollaro liet zich levend verbranden om te protesteren tegen de inbeslagname van een zaak die met onrechtmatig kapitaal was verkregen en door haar werd beschouwd als het resultaat van een normaal ondernemerstraject.

Er wordt geloofd dat in de wereld van de misdaad de militaire vector, als het succes eenmaal is bereikt, je tot de ondernemersrol brengt. Dat is niet zo, tenminste niet altijd. Een voorbeeld is de vete van Quindici, een dorp in de provincie Avellino, dat al jaren lijdt onder de verstikkende en eeuwige aanwezigheid van de Cava- en Graziano-clans. De twee families zijn altijd in oorlog, de vrouwen vormen de echte economische spil. De aardbeving van de jaren tachtig verwoest de Valle di Lauro, de miljarden lire voor de heropbouw vormen het begin van een camorristische onderneemstersbourgeoisie. Maar in Quindici gebeurt er iets meer en anders mee dan in alle andere streken van Campania: niet alleen ontstaat er een botsing tussen de facties, maar een familievete die in de loop der jaren een veertigtal wrede aanslagen veroorzaakt, zaait sterfgevallen tussen de twee vijandelijke kernen. Dit zorgt voor een ongeneeslijke haat die als een geestesziekte alle familieleden meerdere generaties lang heeft aangestoken. Het dorp ziet machteloos toe in de arena waarin de twee facties elkaar aftuigen en afmaken.

De Cava's vertegenwoordigden in de jaren zeventig een deel van de Graziano's. De botsing ontstond toen het in de jaren tachtig honderd miljard lires regende in Quindici voor de heropbouw na de aardbeving, een som geld die door meningsverschillen over de verdeling van de aanbestedingen en smeergelden het conflict veroorzaakte. Van het geld kunnen beide families bouwen, met de vrouwen aan de leiding van beide clans; kleine bouwimperiums.

Op een dag, als de burgemeester van het dorp, die door de Graziano's was gekozen, in zijn kantoor zit, klopte een commando van de Cava's aan. Omdat ze niet meteen schoten gaf dat de burgemeester de tijd om het venster open te doen en zijn kantoor uit te vluchten door het dak van het stadhuis op te klimmen en zo te ontsnappen aan de aanslag. De Graziano-clan had vijf burgemeesters meegemaakt, van wie er twee waren vermoord en drie verwijderd door de president van Italië wegens banden met de camorra.

Er kwam een moment waarin de dingen leken te veranderen. Een jonge apotheker, Olga Santaniello, werd tot burgemeester gekozen. Alleen een volhardende, sterke vrouw kon op tegen de macht van de vrouwen van de Cava's en van de Graziano's. Ze probeerde op alle mogelijke manieren de smerigheid van de macht van de clans weg te spoelen, maar het lukte haar niet.

Een zeer zware overstroming overspoelde op 5 mei 1998 de hele Vallo di Lauro, de huizen liepen vol water en modder, de grond werd een blubberige poel en de afvoerkanalen onbruikbaar. Olga Santaniello verdronk. De modder waarin zij stikte werkte in het voordeel van de clans. De overstroming bracht ze nog meer geld, en het nieuwe kapitaal vergrootte de macht van beide families.

Antonio Siniscalchi werd tot nieuwe burgemeester gekozen en vier jaar later per referendum opnieuw benoemd. Na de eerste verkiezingsoverwinning van Siniscalchi vertrok een stoet van de zetel der zetels, onder wie de burgemeester, de gemeenteraadsleden en hun meest openlijke aanhangers. De stoet bereikte het gehucht Brosagro en defileerde voor de woning van Arturo Graziano, bijgenaamd '*guaglione*'. Maar de begroetingen waren niet tot hem gericht. Ze waren vooral voor de vrouwen van de Graziano's die op het balkon op een rij, ingedeeld naar leeftijd, de hommages ontvingen van de nieuwe burgemeester toen de dood Olga Santaniello definitief had uitgeschakeld. Kort daarna werd Antonio Siniscaldi gearresteerd bij een bliksemactie van de DDA van Napels in juni 2002. Volgens de aantijgingen van de Napolitaanse Antimaffiacommissie had hij de eerste fondsen voor de wederopbouw gebruikt om de oprit en de omheining van de bunkervilla van de Graziano's opnieuw aan te laten leggen.

De villa's die verspreid lagen in Quindici, de geheime schuilplaatsen, de geasfalteerde wegen en de straatverlichting, waren het werk van de gemeente die met openbare gelden de Graziano's hielp om hen te beschermen tegen aanslagen en hinderlagen. De leden van de twee families leefden gebarricadeerd achter onneembare hekken en werden 24 uur per dag bewaakt door een gesloten videocircuit.

De boss Biagio Cava werd gearresteerd op het vliegveld van Nice toen hij in een vliegtuig naar New York stapte. Eenmaal in de gevangenis kwam alle macht in handen van zijn dochter, zijn vrouw en de andere vrouwen van de clan. Alleen de vrouwen lieten zich in het dorp zien, ze waren niet alleen geheime bestuursters, de breinen, maar ze werden ook het officiële symbool van de families, de gezichten en de ogen van de macht. Wanneer de rivaliserende families elkaar tegenkwamen op straat wisselden ze woeste en hooghartige blikken uit die bleven kleven aan hun jukbeenderen in een absurd spel waarin degene die zijn ogen neerslaat verliest.

De spanning in het dorp was hoog opgelopen toen de vrouwen van de Cava's begrepen dat de tijd was aangebroken om naar de wapens te grijpen. Van onderneemsters moesten ze killers worden. Ze oefenden in de gangen van hun huizen op zakken noten die van hun grootgrondbezit kwamen, met keiharde muziek aan om de pistoolschoten te overstemmen.

Terwijl de gemeenteraadsverkiezingen van 2002 in volle gang waren, begonnen Maria Scibelli, Michelina Cava en de respectievelijk zeventien- en negentienjarige Clarissa en Felicetta Cava gewapend door het dorp te rijden in hun Audi's 80. In Via Cassese kwam de auto van de Cava-vrouwen die van de Graziano's tegen, waarin de twintig- en eenentwintigjarige Stefania en Chiara Graziano zaten. Vanuit de auto van de Cava's begonnen ze te schieten, maar de Graziano-vrouwen, alsof ze de aanslag verwacht hadden, remden bruusk en gooiden het stuur om, gaven gas, keerden om, en ontsnapten. De schoten hadden de autoruiten verbrijzeld en blikschade veroorzaakt, maar er waren geen gewonden.

De twee meisjes keerden woedend terug naar hun villa. Ze besloten de grove belediging die rechtstreeks op hun moeder gericht was te wreken, evenals die aan het adres van Anna Scibelli en boss Luigi Salvatore Graziano, de zeventigjarige patriarch van de familie. Ze reden allemaal weg in hun Alfa, met achter hen een gepantserde auto waarin vier met mitrailleurs en geweren gewapende mensen zaten. Ze onderschepten de Audi's van de Cava's en botsten er verschillende keren tegenaan. De ondersteunende auto versperde iedere secondaire vluchtroute, daarna haalde hij de Audi 80 in en remde plotseling hard vlak voor ze, zodat ze geen kant meer op konden.

De vrouwen van Cava die na de eerste schietpartij – die op niets was uitgelopen – vreesden dat ze door de carabinieri zouden worden aangehouden, hadden hun wapens thuisgelaten. Ze gooiden hun stuur om en deden de portieren open, sprongen uit de auto en probeerden te voet weg te komen. De Graziano's stapten ook uit en begonnen op de vrouwen te schieten. Een hagel van lood regende op hun benen, hoofden, schouders, borsten, wangen en ogen. Binnen een paar seconden vielen ze allemaal op de grond, hun schoenen vlogen door de lucht en met hun benen in de lucht bleven ze liggen.

Men zegt dat de Graziano's zich hebben vergrepen aan de lichamen van de vrouwen, zonder dat ze merkten dat er nog een in leven was. Felicetta Cava redde haar eigen leven... In de handtas van een van de Cava's werd een flesje zoutzuur gevonden, misschien wilden ze behalve schieten hun vijandinnen verminken door zuur in hun gezicht te gooien.

Vrouwen zijn goed in staat de misdaad van zich af te zetten, alsof die geen consequenties buiten het moment zelf heeft. Over iemand oordelen is zo gedaan, een hindernis wordt onmiddellijk genomen. Dit laten de vrouwen van de clans met grote vanzelfsprekendheid zien. Ze voelen zich beledigd, veracht wanneer ze 'camorristen', misdadigers worden genoemd. Alsof alleen het oordeel over een handelwijze misdadig is, niet de objectieve daad, het gedrag, maar alleen een beschuldiging. Tot op de dag van vandaag heeft, in tegenstelling tot de mannen, geen enkele vrouwelijke camorraboss berouw getoond. Nooit.

Erminia Giuliano heeft zich altijd meedogenloos ingezet voor de verdediging van de familiebezittingen. De mooie, opvallende zuster van Carmine en Luigi werd Celeste genoemd vanwege haar hemelsblauwe ogen – ze is volgens onderzoeken verantwoordelijk voor het beheer van het onroerend goed en het geïnvesteerde kapitaal in de commerciële sectoren. Celeste heeft het imago van de klassieke Napolitaanse, '*guappa, maffiosa*' van de oude binnenstad, met platina geblondeerd haar, ijskoude lichtblauwe ogen, altijd zwemmend in een bad van zwarte ogenschaduw. Zij beheerde de financiële en legale nevenbedrijven van de clan.

In 2004 werden de goederen ter waarde van achtentwintig miljoen euro uit de ondernemersactiviteiten van de Giuliano's – de belangrijkste tak – in beslag genomen. Ze hadden winkelketens in Napels en de provincie en een titulair bedrijf van een merk dat overbekend is geworden door de vakkundigheid en de militaire en economische bescherming van de clan. Een merk dat een franchisingnetwerk heeft dat bestaat uit vijftig verkooppunten in Italië, Tokio, Boekarest, Lissabon en Tunesië.

De Giuliano-clan die in de jaren tachtig en negentig de markt in handen had, ontstond in de onderbuik van Napels, in Forcella, de wijk die iedere mythe van een *casba*, een achterbuurt, elke legende van de verrotte navelstreng van de oude binnenstad belichaamt.

De Giuliano's lijken een clan die, langzaam omhooggeklommen uit de ellende van de smokkel naar de hoeren, van afpersingen naar ontvoeringen, het eindpunt heeft bereikt. Een enorme dynastie gebouwd op familieleden, neven, kleinkinderen, ooms.

Het hoogtepunt van de macht bereikten ze aan het einde van de jaren tachtig en sindsdien zijn ze dragers van een onuitroeibaar soort charisma. Nog steeds moet degene die iets te zeggen wil hebben in de oude binnenstad toestemming vragen aan de Giuliano's. Een clan die de hete adem van ellende en ontzetting in de nek voelt om maar niet te hoeven terugkeren naar de armoede. Een van de beweringen, verzameld door verslaggever Enzo Perez, van Luigi Giuliano, de koning van Forcella, die meer dan eens zijn afkeer liet zien van armoede, ging als volgt: 'Ik ben het niet eens met Tommassino, de kerststal vind ik mooi, maar van die herders moet ik kotsen!'

Het gezicht van de absolute macht van het camorristische Systeem nam steeds meer vrouwelijke trekken aan, maar ook de verbrijzelde wezens, fijngedrukt door de pantserwagens van de macht, zijn vrouwen. Annalisa Durante, vermoord in Forcella op 27 maart 2004 in een vuurgevecht op veertienjarige leeftijd. *Veertien jaar. Veertien jaar.* Het herhalen is als met een ijskoude, natte spons over je rug wrijven.

Ik ben bij de begrafenis van Annalisa Durante geweest. Ik kwam vroeg aan bij de kerk van Forcella. De bloemen waren nog niet gebracht, overal hingen affiches, condoléanceberichten, waren tranen, hartverscheurende herinneringen van haar klasgenootjes. Annalisa was vermoord. De warme avond, misschien de eerste echt warme avond van dit afschuwelijk regenachtige seizoen. Annalisa had zich voorgenomen de avond op straat door te brengen bij de flat van een vriendin. Ze trok een mooi en verleidelijk jurkje aan. Het omspande haar stevige, gebruinde lichaam. Deze avonden lijken gemaakt om jongens te ontmoeten en veertien jaar is voor een meisje uit Forcella de geschikte leeftijd om te beginnen met een vriendje dat mogelijk mee te voeren is tot aan een huwelijk. De meisjes uit de volkswijken van Napels zien er op hun veertiende al uit als doorleefde vrouwen. Ze zijn overvloedig opgemaakt, de borsten door pushup-beha's veranderd in uitpuilende meloenen, ze dragen puntlaarzen met hakken waarmee ze hun enkels in gevaar brengen. Het moeten bedreven evenwichtkunstenaars zijn om het uitdagende wandelen vol te houden op het basalt, de lavasteen die de straten van Napels bedekt, een oude vijand van iedere vrouwenschoen.

Annalisa was mooi. Heel mooi. Met haar vriendin en een nicht luisterde ze muziek, alle drie keken ze naar de jongetjes die tussen auto's en mensen door op hun brommers met piepende banden langsreden op hun achterwiel, zich uitslovend in roekeloze bravoure. Het is het spel dat bij het flirten hoort. Erfelijk, altijd hetzelfde.

De meisjes van Forcella houden het meest van de moderne nummers in het Napolitaans, van een circuit volkszangers dat heel goed verkocht wordt in de volkswijken van Napels, maar ook in Palermo en Bari. Gigi D'Alessio is het absolute einde. Hij is uit het niets opgedoemd en in heel Italië bekend geworden; de anderen, honderden anderen, zijn kleine wijkidolen gebleven, per stadsdeel, per flatgebouw, per steeg een ander. Iedereen heeft zijn zanger. Plotseling, terwijl de stereo een snerpend gekras van de Napolitaanse nummers de lucht in stuurt, achtervolgen twee brommers iemand die hard wegrent, het op een lopen zet op maximale snelheid. Annalisa, haar nicht en de vriendin begrijpen het niet en denken dat het een grap is, dat ze elkaar uitdagen misschien. Dan volgen de schoten. De kogels vliegen alle kanten op. Annalisa ligt op de grond, twee kogels hebben haar geraakt.

Iedereen vlucht weg, de eerste hoofden worden vanaf de balkons, waarvan de deuren altijd openstaan om te horen wat er op straat gebeurt, naar buiten gestoken. Het geschreeuw, de ambulance, de race naar het ziekenhuis, de straten zijn gevuld met nieuwsgierigheid en angst.

Salvatore Giuliano is een belangrijke naam. Zo heten lijkt al reden genoeg te zijn om bevelen te kunnen uitdelen. Maar hier in Forcella bestaat geen herinnering aan de Siciliaanse bandiet die autoriteit verleent aan deze jongen. Het is alleen zijn achternaam: Giuliano. De situatie is verergerd door de keuze van Lovigino Giuliano om te vertellen wat er gebeurd is. Hij is spijtoptant geworden, heeft zijn clan verraden om levenslang te ontlopen. Maar zoals vaak voorkomt in dictaturen, ook al wordt de baas uit het middelpunt weggehaald, niemand anders, of het moet een van zijn mannen zijn, kan zijn plaats innemen. De Giuliano's bleven de enigen die de banden met de grote koeriers van de drugshandel in stand konden houden en de beschermwet op konden leggen, ook al droegen ze een schandvlek mee.

In de loop der tijd werd Forcella moe. De wijk wilde niet meer gedomineerd worden door schurken, het wilde geen arrestaties en politie meer. Maar wie hun plaats wil innemen moet de erfgenaam omleggen, moet zich officieel als vorst opwerpen en korte metten maken met de Giuliano's, wiens nieuwe leider Salvatore Giuliano, het neefje van Lovigino, was.

Die avond was de vastgestelde dag om het leiderschap officieel te maken, om de spruit die zijn kop opstak om te leggen en Forcella het begin van een nieuwe heerschappij te tonen. Salvatore loopt rustig over straat wanneer hij plotseling merkt dat hij een doelwit is. Hij rent weg, de killers volgen hem, hij wil een steeg in vluchten. Ze beginnen te schieten. Giuliano loopt zeer waarschijnlijk voor de drie meisjes langs en profiteert van hen als schild, en in de opschudding trekt hij zijn pistool en schiet terug. Een paar seconden en dan vlucht hij weg, de killers krijgen hem niet meer te pakken. Vier benen rennen het portiek in om te schuilen, de meisjes draaien zich om, Annalisa is er niet bij. Ze lopen naar buiten. Ze ligt op de grond, overal bloed, een kogel heeft haar hoofd aan flarden geschoten.

In de kerk kan ik tot aan de voet van het altaar komen. Daar staat de kist van Annalisa. Aan vier zijden staan agenten in gala-uniform, een eerbetoon van de regio Campania aan de familie van het meisje. De kist ligt vol witte bloemen. Een mobieltje, haar mobieltje, wordt dicht bij de voet van de kist gelegd.

De vader van Annalisa jammert. Hij wiegt heen en weer, stamelt iets, springt overeind, beweegt de vuisten in zijn zakken. Hij komt naar me toe, maar hij richt zich niet tot mij, en zegt: 'Wat nu? Wat nu?'

Zodra de vader begint te huilen, beginnen alle vrouwen uit de familie te schreeuwen, zich te slaan, heen en weer te wiegen onder snerpend gegil. Zodra het hoofd van de familie ophoudt met huilen, worden alle vrouwen weer stil. Achteraan ontwaar ik de bank met de meisjes, vriendinnen, nichten, buurmeisjes van Annalisa. Ze imiteren hun moeders in hun gebaren, in het schudden met hun hoofd, in de riedels die ze herhalen. 'Het kan niet! Het is niet mogelijk!'

Ze voelen dat ze een belangrijke rol hebben: troosten. En toch verraden ze iets van trots. Een begrafenis voor een slachtoffer van de camorra is hun initiatie, even belangrijk als de eerste menstruatie of de eerste seksuele ervaring. Net zoals hun moeders nemen ze met dit evenement actief deel aan het leven van de wijk. Ze hebben de televisiecamera's op zich gericht, de fotografen, iedereen lijkt er voor hen te zijn.

Veel van deze meisjes trouwen over niet al te lange tijd met camorristen van de hoogste of de allerlaagste rang. Dealers of ondernemers. Killers of accountants. Veel van hen zullen kinderen krijgen die worden vermoord, ze zullen in de rij voor de gevangenis Poggioreale staan om nieuws en geld aan hun man in de bak te brengen. Nu zijn het alleen meisjes in het zwart, zonder de lage broek en de string te vergeten. Het is een begrafenis, maar ze zijn zorgvuldig gekleed. Perfect. Ze bewenen een vriendin en zijn zich ervan bewust dat deze dood hen vrouwen maakt. En ondanks de pijn staan ze te popelen.

Ik denk aan de eeuwige herhaling van de wetten op deze aarde. Ik denk eraan dat de Giuliano's hun maximale macht hadden bereikt toen Annalisa nog niet was geboren en haar moeder een jong meisje was dat met vriendinnen omging, die later echtgenotes zijn geworden van de Giuliano's en hun leden, die als volwassenen hebben geluisterd naar de muziek van D'Alessio, die Maradona hebben bejubeld, die met de Giuliano's altijd cocaïne en feestjes heeft gedeeld zoals de foto laat zien van Diego Armando Maradona in de schelpvormige badkuip van Lovigino. Twintig jaar later sterft Annalisa tijdens een achtervolging en beschieting van een Giuliano, terwijl een Giuliano het vuur beantwoordde en haar als schild gebruikte, of misschien haar gewoon passeerde. Een identiek, historisch traject, eeuwig hetzelfde. Onvergankelijk, tragisch, eeuwig.

De kerk is inmiddels bomvol. De politie en de carabinieri blijven nerveus. Ik begrijp het niet. Ze zijn onrustig, verliezen hun geduld om niks, lopen zenuwachtig rond. Een paar passen later begrijp ik het wel. Ze sturen me de kerk uit en ik zie dat een auto van de carabinieri de menigte verdeelt tussen mensen die naar de begrafenis zijn komen snellen en een groep personen van aanzien, op luxueuze motoren, in auto's met open dak, op zware scooters. Het zijn de leden van de Giuliano-clan, de vertrouwelingen van Salvatore.

De carabinieri vrezen dat er beledigingen over en weer zullen vliegen tussen deze camorristen en de menigte, en dat er herrie zal ontstaan. Gelukkig gebeurt er niets, hun aanwezigheid is volstrekt symbolisch. Ze tonen dat er niemand over het centrum van Napels kan heersen zonder hun bemiddeling. Ze laten aan iedereen zien dat ze er zijn en dat ze de baas zijn, ondanks alles.

De witte kist komt de kerk uit, een menigte dringt zich naar voren om hem aan te raken, er vallen mensen flauw, de dierlijke kreten tasten de trommelvliezen aan. Wanneer de kist langs het huis van Annalisa wordt gedragen probeert de moeder van het vermoorde meisje, die het niet aankon om op de begrafenis aanwezig te zijn, zich over het balkon te werpen. Ze krijst, ze wringt zich in allerlei bochten, haar gezicht is rood en opgezwollen. Een groep vrouwen houdt haar tegen. De gebruikelijke tragische scène vindt plaats. Het mag duidelijk zijn: het rituele geween, de uitingen van verdriet zijn niet gebaseerd op leugens en melodrama. Allesbehalve. Ze laten de culturele veroordeling zien waarmee het merendeel van de Napolitaanse vrouwen leeft, vrouwen die nog steeds gedwongen worden te appelleren aan sterke symbolische gedragingen om hun leed te bewijzen en herkenbaar te maken voor de hele gemeenschap. Hoewel verschrikkelijk echt, bevat deze koortsachtige smart de kenmerken van een hartverscheurend Napolitaans toneelstuk.

De journalisten komen nauwelijks dichterbij. Antonio Bassolino en Rosa Russo Iervolino zijn geterroriseerd, ze vrezen dat de wijk zich tegen hen keert. Het gebeurt niet, de mensen van Forcella hebben geleerd om hun voordeel te doen met de politiek en ze willen niemand tegen elkaar opzetten. Een enkeling applaudisseert voor de ordehandhavers. Een aantal journalisten raakt opgewonden over dat gebaar. Carabinieri bejubeld in de wijk van de camorra, wat een naïviteit. Dat applaus was een provocatie. Beter de carabinieri dan de Giuliano's, dat wilden ze ermee zeggen.

Enkele camera's proberen getuigen te verzamelen, ze komen bij een fragiel uitziend oud mensje. Ze grist onmiddellijk de microfoon uit hun hand en schreeuwt: 'Door hun schuld zit mijn zoon vijftig jaar in de gevangenis! Moordenaars!'

De haat tegen de spijtoptanten wordt aangemoedigd. De menigte duwt, de spanning is voelbaar. Bedenken dat een meisje dood is omdat ze muziek wilde luisteren met haar vriendinnen, in een portiek op een lenteavond, doet je ingewanden omkeren. Ik ben misselijk maar ik moet rustig blijven. Ik moet het begrijpen, als dat mogelijk is.

Annalisa is geboren en getogen in deze wereld. Haar vriendinnen vertelden haar van vluchten op de motor met de jongens van de clan, zijzelf zou misschien verliefd geworden zijn op een mooie en rijke jongen, die in staat is carrière te maken in het Systeem, of misschien op het eerste het beste schoffie dat zich de hele dag afbeult voor twee grijpstuivers. Haar lot zou zijn om in een clandestiene fabriek te gaan werken, een handtassenfabriek, tien uur per dag voor vijfhonderd euro per maand. Annalisa was onder de indruk van het brandmerk op de huid van de arbeidsters die met leer werken, in haar dagboek stond: 'De meisjes die met handtassen werken hebben altijd zwarte handen en zitten de hele dag opgesloten in de fabriek. Mijn zus Manu zit er ook, maar de werkgever dwingt haar tenminste niet om te werken als ze zich niet goed voelt.'

Annalisa is een tragisch symbool geworden omdat de tragedie zich heeft voltrokken in zijn meest afschuwelijke aspect: moord. Hier bestaat geen ogenblik waarin de ambacht van het leven niet aan een levenslange veroordeling wordt gekoppeld, een straf die je moet aflossen via een ongeremd, snel en meedogenloos bestaan. Annalisa is schuldig omdat ze in Napels is geboren. Niets meer, niets minder.

Terwijl het lichaam van Annalisa in de witte kist op schouders wordt weggedragen, belt het meisje dat naast haar in de klas zat naar haar mobieltje. Het gaat over op de kist: het nieuwe requiem. Een voortdurend gerinkel, muzikaal, een zachte melodie. Niemand antwoordt.

Deel twee

Kalasjnikov

Ik streek er met mijn vingers overheen met mijn ogen dicht. Ik liet het topje van mijn wijsvinger over het hele oppervlak glijden, van boven naar beneden. Als ik dan over het gat bewoog, bleef de helft van mijn nagel erin steken. Ik deed dit bij alle winkelruiten. Soms paste mijn hele vingertop in de gaten, soms een halve. Vervolgens voerde ik de snelheid op, ging kriskras over het gladde oppervlak heen alsof mijn vinger een soort geflipte worm was die door de gaten naar binnen en naar buiten kroop, door kuilen ging en zo rondzwierf over het glas. Totdat ik in het topje van mijn vinger sneed. Ik trok mijn vinger verder over de etalageruit en liet een donkerrode, waterige kring achter. Ik opende mijn ogen. Een lichte pijnscheut. Het gat was volgelopen met bloed. Ik stopte met dit achterlijke spelletje en begon op de wond te zuigen.

De gaten die een kalasjnikov achterlaat zijn perfect. Ze laten met geweld hun afdruk achter op kogelvrij glas, graven zich in, maken inkepingen als houtwormen die zich knabbelend een weg banen en dan hun gangetje verlaten. Van een afstand zien mitrailleurschoten er raar uit, als tientallen luchtbelletjes diep in het glas, tussen de verschillende gepantserde lagen. Haast geen enkele winkelier vervangt zijn etalageruiten na een kalasjnikovsalvo. De één spuit siliconenpasta in de gaten, de ander plakt ze af met zwarte tape, maar het merendeel laat alles gewoon zoals het is. Een gepantserde winkelruit kost soms wel vijfduizend euro, dus kun je die gewelddadige versieringen er maar beter in laten zitten. En laten we wel wezen, misschien trekken ze ook wel klanten aan die uit nieuwsgierigheid blijven staan, zich afvragen wat er is gebeurd, een praatje maken met de eigenaar van de zaak, en die uiteindelijk misschien wel meer kopen dan ze nodig hadden. In plaats van de kogelvrije ruiten te vervangen, kun je soms beter wachten tot ze onder de eerstvolgende beschieting bezwijken. Als je 's ochtends vroeg wat kleren laat verdwijnen, wordt het mitrailleurvuur als een overval gezien en keert de verzekering uit.

Het beschieten van winkelruiten hoeft lang niet altijd intimidatie te zijn, een boodschap die met kogels wordt overgebracht. Vaker is het een militaire noodzaak. Wanneer er nieuwe partijen kalasjnikovs binnenkomen moeten die worden uitgetest om te zien of ze werken, om te kijken of de loop recht is, om er vertrouwd mee te raken, om te checken of de laders niet vastlopen. Ze zouden hun mitrailleurs op het platteland kunnen uitproberen, op de ruiten van oude gepantserde auto's, ze zouden platen kunnen kopen die je rustig aan flarden kunt schieten. Maar dat doen ze niet. Ze schieten op winkelruiten, op gepantserde deuren, op rolluiken, om je eraan te herinneren dat er niets is wat niet van hen kan zijn en dat alles, als het eropaan komt, een tijdelijke concessie is, een machtiging van een economie die door hen alleen wordt gerund. Een concessie, en meer niet, die op ieder moment kan worden herroepen. En dan is er nog een indirect voordeel, want de glashandels in de wijk met de laagste prijzen voor kogelvrij glas zijn allemaal verbonden aan de clans, dus hoe meer kapotgeschoten ruiten, des te meer geld voor de glashandels.

De avond ervoor waren er zo'n dertig kalasjnikovs uit Oost-Europa binnengekomen, uit Macedonië. Skopje-Gricignano d'Aversa, een snelle, veilige rit waardoor de opslagplaatsen van de camorra weer met mitrailleurs en *riot guns* konden worden gevuld. Het IJzeren Gordijn was nog niet gevallen of de camorra ontmoette de leiders van de communistische partijen in verval. Ze namen plaats aan de onderhandelingstafel als vertegenwoordigers van het machtige, deskundige en zwijgzame Westen. De clans, die op de hoogte waren van de crisis waarin ze verkeerden, kochten onofficieel hele wapenvoorraden van de Oost-Europese landen – Roemenië, Polen en voormalig Joegoslavië – door jarenlang de salarissen te betalen van de bewakers, de onderofficieren van wacht en de officieren die verantwoordelijk waren voor de militaire middelen. Kortom, de verdediging van die landen werd deels bekostigd door de clans. De beste manier om wapens te verbergen is ze op te slaan in kazernes. Zo hoefden de capi door de jaren heen, ondanks de wisselingen van de wacht, de interne vetes en de crises, niet terug te vallen op de zwarte wapenhandel, maar hadden ze de voorraden van de Oost-Europese legers volledig tot hun beschikking.

Deze keer hadden ze de mitrailleurs in militaire vrachtwagens met het NAVO-embleem gepropt. Vrachtwagens die gestolen waren uit Amerikaanse loodsen en dankzij het opschrift zonder problemen door half Italië konden rondtoeren. In Gricignano d'Aversa is de NAVO-basis een kleine, ondoordringbare kolos, als een zuil van gewapend beton midden in een vlakte geplant. Een bouwwerk dat daar is neergezet door de Coppola's, zoals alles in dit gebied. Amerikanen zie je hier haast nooit, controles zijn zeldzaam. De vrachtwagens van de NAVO krijgen overal vrij baan, dus toen de wapens in het dorp arriveerden, hebben de chauffeurs meteen even gepauzeerd op het plein, hebben ze ontbeten, hun croissant in de cappuccino gedoopt terwijl ze binnen informeerden hoe ze aan 'een paar zwarten' konden komen 'om wat spullen te lossen, en snel'. En iedereen weet wat er met 'snel' wordt bedoeld. Kisten met wapens zijn niet veel zwaarder dan kisten met tomaten. Afrikaanse jongens die wat bij willen verdienen na hun werk op het land krijgen twee euro per krat, vier keer zoveel als voor een kist tomaten of appels.

Ik heb ooit eens in een tijdschrift van de NAVO – voor de familieleden van uitgezonden militairen – een artikeltje gelezen dat gericht was op degenen die naar Gricignano d'Aversa moesten komen. Ik vertaalde het stuk en schreef het op in een agenda om het te onthouden. Er stond: 'Om te begrijpen waar u komt te wonen, moet u zich de films van Sergio Leone voor de geest halen. Het is er net *The Far West*, je hebt er bendes die de dienst uitmaken, schietpartijen, ongeschreven en onaantastbare regels. Maar wees gerust: Amerikaanse burgers en militairen worden met het grootste respect en uiterst gastvrij bejegend. Maar verlaat u de compound hoe dan ook alleen als dat nodig is.' De yankee die dat artikel had geschreven, leerde mij de plek waar ik woonde beter te begrijpen.

Die ochtend trof ik Mariano in het café, hij was ten prooi gevallen aan een vreemde euforie. Hij stond helemaal opgefokt bij de bar en goot zich op de vroege morgen al vol met Martini.

'Wat heb je?'

Iedereen vroeg het aan hem, zelfs de barman weigerde zijn glas voor de vierde keer te vullen. Maar hij gaf geen antwoord, alsof iedereen heel goed zelf kon zien wat er was. 'Ik wil hem ontmoeten, ze hebben gezegd dat hij nog leeft. Is dat echt waar?'

'Wat is waar?'

'Hoe heeft hij dat voor elkaar gekregen? Ik neem vakantie en ga hem opzoeken...'

'Wie dan? Wat?'

'Moet je nagaan, hij is licht, dat is het 'm juist, dan los je twintig, dertig schoten in nog geen vijf minuten... het is een geniale uitvinding!' Hij was in extase.

De barman keek naar hem alsof hij een broekie was dat het voor het eerst met een vrouw had gedaan en op zijn gezicht die typische uitdrukking heeft, zoals Adam. Toen pas kreeg ik door waar de euforie vandaan kwam. Mariano had voor het eerst een kalasjnikov uitgeprobeerd en was zo ondersteboven van het ding, in positieve zin, dat hij de uitvinder ervan, Mikail Kalasjnikov, wilde ontmoeten. Hij had nog nooit op iemand geschoten, hij was bij de clan gekomen om toezicht te houden op de distributie van een aantal koffiemerken naar verschillende bars binnen zijn gebied. Hij was piepjong, afgestudeerd in economie en had de verantwoordelijkheid over miljoenen euro's aangezien er een hoop bars en koffiebranderijen waren die van het commerciële netwerk van de clan deel wilden uitmaken. Alleen wilde de capozona dat zijn mannen, afgestudeerd of niet, soldaten of commerciële managers, konden schieten en daarom had hij hem een mitrailleur in zijn handen gestopt.

's Nachts had Mariano her en der wat kogels afgevuurd op de ruiten van een paar willekeurig gekozen bars. Het was geen waarschuwing, maar ook al wist hij zelf niet waarom hij op die ruiten schoot, de eigenaren zouden zeker een geldige reden vinden. Er is altijd wel een reden te bedenken waarom je je schuldig moet voelen.

Mariano noemde de mitrailleur op dreigende en zakelijke toon AK-47. De officiële naam van de beroemdste mitrailleur ter wereld. Een vrij simpele naam; AK staat voor '*avtomat kalasjnikova*' oftewel 'de automaat van Kalasjnikov' en 47 staat voor het jaar waarin hij werd uitgekozen als wapen voor het Sovjetleger. Wapens hebben vaak namen met cijfers, letters en getallen die hun dodelijke kracht moeten verhullen, symbolen van meedogenloosheid. Maar eigenlijk zijn het doodgewone namen die worden toegekend door een onderofficier die nieuwe wapens, net als nieuwe bouten, in de opslag rubriceert. Een kalasjnikov is licht en makkelijk in het gebruik en onderhoud. Zijn kracht zit hem in de gemiddelde capaciteit: die is niet te klein, zoals bij kleine revolvers, waardoor hij aan vuurkracht inboet, maar ook niet te groot, zodat je nauwelijks terugslag hebt en het wapen nog wel handzaam en nauwkeurig is. Het onderhoud en de montage zijn zo eenvoudig dat jongetjes in de voormalige Sovjet-Unie dit in de schoolbanken, in aanwezigheid van een verantwoordelijke uit het leger, in ongeveer twee minuten leerden.

De laatste keer dat ik een mitrailleursalvo had gehoord was een paar jaar daarvoor. In de buurt van de universiteit van Santa Maria Capua Vetere, ik weet het niet meer precies, maar het was op een kruispunt, dat herinner ik me nog. Vier auto's blokkeerden de wagen van Sebastiano Caterino, een camorrist die sinds jaar en dag de rechterhand was van Antonio Bardellino, de *capo dei capi* van de camorra van Caserta in de jaren tachtig en negentig, en hij werd overhoopgeschoten door een hele batterij kalasjnikovs.

In de tijd dat Bardellino verdween en er een nieuwe leider kwam, slaagde Caterino erin te vluchten, te ontkomen aan de slachtpartij. Dertien jaar lang was hij zijn huis niet uit geweest, had hij ondergedoken gezeten, 's nachts stak hij even zijn neus buiten de deur; vermomd, in een gepantserde auto verliet hij door de poort het terrein van zijn boerenbedrijf en bracht zo zijn leven buiten het dorp door. Hij dacht dat hij na jaren van stilte opnieuw gezag had verworven. Hij geloofde dat de rivaliserende clan het verleden wel zou zijn vergeten en een oude boss zoals hij niet meer zou aanvallen. En daarom begon hij met de oprichting van een nieuwe clan in Santa Maria Capua Vetere; de oude Romeinse stad was zijn domein geworden.

Toen de sergeant van San Cipriano d'Aversa, het dorp waar Caterino vandaan kwam, op de plek van de aanslag arriveerde, had hij maar één ding te zeggen: 'Die hebben ze flink toegetakeld!'

Hier wordt namelijk de behandeling die ze voor je in petto hadden gewaardeerd op basis van het aantal schoten. Als ze je discreet omleggen, een schot door je hoofd of in je maag, wordt dat gezien als een noodzakelijke, chirurgische operatie zonder wrok. Meer dan tweehonderd schoten door je auto boren of meer dan veertig door je lichaam is daarentegen de manier bij uitstek om je van de aardbodem weg te vagen. De camorra heeft een olifantengeheugen en een engelengeduld. Dertien jaar, 156 maanden, vier kalasjnikovs, tweehonderd schoten, één kogel voor iedere maand die ze hebben gewacht. In sommige territoria staat het geheugen zelfs in de wapens gegroefd, bitter koesteren ze een veroordeling die ze op het moment suprême uitspugen.

Die ochtend streek ik met mijn vingers over de mitrailleurversieringen, ik had mijn rugzak om. Ik stond op het punt te vertrekken, moest naar mijn neef in Milaan. Het is merkwaardig dat met wie en waarover je ook praat, ze, zodra je zegt dat je weggaat, je altijd het beste toewensen, je complimenteren en enthousiast reageren. 'Zo hoort het. Goed gedaan, dat zou ik ook doen.' Je hoeft geen details te geven, niet precies te zeggen wat je gaat doen. Wat de reden ook is, het is vast beter dan alles wat je nog tegen zult komen als je in deze streek blijft wonen.

Als iemand vraagt waar ik vandaan kom, geef ik nooit antwoord. Ik zou willen antwoorden dat ik uit het zuiden kom, maar dat vind ik zo'n cliché. Als iemand in een trein ernaar vraagt, staar ik naar mijn voeten en doe alsof ik het niet heb gehoord, omdat het me aan het boek *Gesprek op Sicilië* van Elio Vittorini doet denken en ik, als ik niet uitkijk, de woorden van Silvestro Ferrato opdreun zodra ik mijn mond opendoe. En dat zou nergens op slaan. De tijden veranderen, de woorden blijven hetzelfde.

Tijdens mijn reis kwam ik echter toevallig een dikke vrouw tegen die zichzelf onelegant in het stoeltje van de Eurostar had gewurmd.

Ze was in Bologna ingestapt en had ongelooflijke zin om te kletsen om zo niet alleen haar lijf maar ook de tijd te vergeten. Ze wilde per se weten waar ik vandaan kwam, wat ik deed, waar ik naartoe ging. Ik wilde haar de wond in mijn vinger laten zien en einde verhaal. Maar ik liet het zitten. Ik antwoordde: 'Ik kom uit Napels.' Een stad waar zoveel over te zeggen valt, dat je alleen maar de naam hoeft uit te spreken om je te vrijwaren van verdere antwoorden. Een plek waar het slechte al het slechte wordt en het goede al het goede. Ik viel in slaap.

De volgende ochtend, heel vroeg, belde Mariano mij bezorgd op. Hij had een paar boekhouders en organisatoren nodig voor een hachelijke operatie in Rome waar enkele ondernemers uit onze streek mee bezig waren. Het ging slecht met Johannes Paulus II, misschien was hij zelfs al dood, hoewel het bericht nog niet was bevestigd. Mariano vroeg of ik met hem meeging.

Ik stapte bij de eerstvolgende halte uit en ging terug. Winkels, hotels, restaurants, supermarkten, binnen een dag of wat hadden ze enorme hoeveelheden extra voorraad nodig van alle mogelijke producten. Er konden bergen met geld worden verdiend, in een mum van tijd zouden miljoenen mensen de hoofdstad overspoelen, ze zouden op straat leven, uren op de trottoirs doorbrengen, ze zouden moeten eten, drinken, in één woord: consumeren. De prijzen konden worden verdrievoudigd, er kon verkocht worden, ieder uur van de dag en de nacht, uit iedere minuut kon winst worden geperst. Er was een beroep gedaan op Mariano. Hij stelde voor met hem mee te gaan en in ruil voor deze gunst zou hij me wat geld toeschuiven. Voor niets gaat de zon op. Mariano was een maand vakantie beloofd zodat hij zijn droom om naar Rusland te gaan om Mikail Kalasjnikov te ontmoeten kon waarmaken; hij had zelfs al toezeggingen gekregen van een man van de Russische families die had gezworen dat hij hem kende. Zo zou Mariano hem kunnen ontmoeten, hem kunnen aankijken en de handen die de machtige mitrailleur hadden uitgevonden, kunnen aanraken.

Op de dag van de begrafenis van de paus was Rome een mierenhoop. Het was onmogelijk om de straten te herkennen of te zien waar de trottoirs liepen. Een menselijke huid bekleedde het teer, de ingangen van de gebouwen, de ramen, als een vloeibare laag die overal waar maar ruimte was naar binnen stroomde. Een laag die in volume leek toe te nemen, totdat hij de gangen waar hij doorheen stroomde zou doen openbarsten. Overal mensen, waar je ook keek. Een doodsbange hond had zich bibberend onder een bus verscholen, hij had zijn hele leefruimte door voeten en benen vertrapt zien worden.

Mariano en ik pauzeerden op een traptrede van een gebouw. De enige trede waar we op veilige afstand waren van een groepje dat had besloten zes uur lang als een soort gelofte een liedje te zingen, geïnspireerd op de Heilige Franciscus. We gingen zitten om een broodje te eten. Ik was uitgeput. Mariano daarentegen werd nooit moe, hij werd voor zijn energie betaald en daardoor stond hij continu op scherp.

Plotseling hoorde ik mijn naam roepen. Nog voordat ik me had omgedraaid, wist ik om wie het ging. Het was mijn vader. We hadden elkaar twee jaar niet gezien, we hadden in dezelfde stad geleefd zonder elkaar ooit tegen het lijf te lopen. Ongelooflijk dat we elkaar in dit Romeinse labyrint van vlees tegenkwamen.

Mijn vader voelde zich vreselijk ongemakkelijk. Hij wist niet hoe hij mij moest groeten en misschien zelfs niet of hij me kon groeten zoals hij dat had gewild. Maar hij was euforisch, zoals wanneer je een uitstapje maakt en weet dat je binnen enkele uren fantastische dingen te wachten staan die je ten minste de eerstkomende drie maanden niet nog eens zult meemaken, en dus wil je ze helemaal opslorpen, tot op het bot ervaren, maar wel snel, uit angst dat je de andere zaligheden zult mislopen in de korte tijd die je nog hebt.

Hij had geprofiteerd van het feit dat een Roemeense maatschappij de vliegtarieven naar Italië had verlaagd vanwege de dood van de paus, en had voor de hele familie van zijn vriendin tickets gekocht. Alle vrouwen in het gezelschap droegen een sluier over hun haren en een rozenkrans om hun pols. Ik weet bij god niet in welke straat we stonden, ik herinner me alleen een enorm laken dat de aandacht trok tussen twee gebouwen: 'Elfde gebod: Wie niet duwt zal niet geduwd worden.' Geschreven in twaalf talen. De nieuwe familieleden van mijn vader waren blij. Dolblij om bij zo'n belangrijke gebeurtenis als de dood van de paus aanwezig te kunnen zijn. Allemaal droomden ze over een generaal pardon voor alle immigranten. Lijden voor hetzelfde doel, deelnemen aan zo'n immense en universele manifestatie was voor deze Roemenen de manier bij uitstek om emotioneel en rationeel Italiaans staatsburger te worden, nog voordat ze dat wettelijk waren.

Mijn vader adoreerde Johannes Paulus II, de charme van die man die door iedereen zijn hand liet kussen bracht hem in vervoering. Hoe hij erin was geslaagd om zonder openlijke chantage en heldere strategieën zo'n enorme macht te verwerven waar iedereen voor boog, intrigeerde hem. Alle machthebbers knielden voor hem neer. Voor mijn vader was dit genoeg om een man te bewonderen. Ik zag hem samen met de moeder van zijn vriendin op straat neerknielen om een geïmproviseerde rozenkrans te bidden.

Uit de massa Roemeense familieleden zag ik een jongetje opduiken. Ik had meteen door dat het de zoon van mijn vader en Micaela was. Ik wist dat hij in Italië was geboren om de Italiaanse nationaliteit te krijgen, maar dat hij vanwege zijn moeder altijd in Roemenië had gewoond. Hij probeerde vastgeklampt te blijven aan de rok van zijn moeder. Ik had hem nog nooit gezien, maar ik wist hoe hij heette. Stefano Nicolae. Stefano naar de vader van mijn vader, Nicolae naar de vader van Micaela. Mijn vader noemde hem Stefano, zijn moeder en zijn Roemeense ooms en tantes noemden hem Nico. Kortom, hij zou Nico worden genoemd maar mijn vader had nog niet de tijd gehad om zijn nederlaag te erkennen.

Het eerste cadeau dat hij natuurlijk van zijn vader had gekregen, toen hij de trap van het vliegtuig net was af gelopen, was een voetbal. Mijn vader zag zoontjelief voor de tweede keer maar hij ging met hem om alsof hij altijd in zijn buurt was geweest. Hij nam hem op de arm en liep naar me toe. 'Nico komt nu hier wonen. In dit land. Het land van zijn vader.'

Ik weet niet waarom maar het kind kreeg een treurige blik in zijn ogen, hij liet zijn voetbal op de grond vallen. Het lukte me om hem met een voet tegen te houden voordat hij voorgoed in de menigte verloren ging.

Ik moest plotseling denken aan de gemengde geur van zout en stof, van beton en vuilnis. Een vochtige geur. Het deed me denken aan toen ik twaalf was, op het strand van Pinetamare. Mijn vader kwam mijn kamer binnen, ik was net wakker. Waarschijnlijk op een zondag.

'Je neef kan al schieten, hoor, en jij? Ben jij soms minder dan hij?'

Hij bracht me naar Villaggio Coppola, aan de kust van Domizio. Het strand was een verlaten mijn van werktuigen die waren aangevreten door het zout en gehuld in dikke lagen kalk. Ik had er hele dagen kunnen graven, op zoek naar troffels, handschoenen, versleten werkschoenen, gebarsten houwelen, gehavende pikhouwelen, maar ik werd daar niet naartoe genomen om tussen het vuilnis te spelen. Mijn vader liep rond op zoek naar schietobjecten, het liefst flessen. De bierflesjes van Peroni waren favoriet. Hij zette de flesjes op het dak van een uitgebrande Fiat 127. Er stonden een heleboel autowrakken, op de stranden van Pinetamare werden alle uitgebrande auto's verzameld die bij overvallen of hinderlagen waren gebruikt.

Ik kan me de Beretta 92FS van mijn vader nog herinneren. Hij zat vol krassen, leek wel gespikkeld, een oud damespistool. Iedereen kent hem als de M9, geen idee waarom. Ik hoor altijd dat hij zo wordt genoemd. 'Je krijgt een M9 tussen je ogen, moet ik mijn M9 tevoorschijn halen? Shit, ik moet een M9 hebben.'

Mijn vader stopte de Beretta in mijn hand. Hij voelde loodzwaar aan. De kolf van het pistool is ruw als schuurpapier, hij blijft plakken aan je handpalm en als je het pistool uit je hand laat glijden lijkt het haast alsof hij je hand met microtanden openkrabt. Mijn vader liet me zien hoe ik de veiligheidspal eraf moest halen, het pistool moest laden, mijn arm moest strekken, mijn linkeroog moest sluiten als het doelwit links was en hoe ik moest richten.

'Robbe', je arm losjes maar stevig. Gewoon ontspannen, maar niet slap... Gebruik allebei je handen.'

Voordat ik uit alle macht de trekker met mijn twee wijsvingers over elkaar heen overhaalde, sloot ik mijn ogen, trok mijn schouders op alsof ik mijn oren wilde dichthouden met mijn schouderbladen. Tot op de dag van vandaag kan ik niet tegen het geluid van schoten. Er moet iets mis zijn met mijn trommelvliezen. Na een schot hoor ik een halfuur lang niks meer.

De Coppola's, een machtige ondernemersfamilie, bouwde in Pinetamare de grootste illegale stedelijke agglomeratie van het Westen: 863.000 vierkante meter beton, dat was het Villaggio Coppola. Er werd geen vergunning aangevraagd, dat was niet nodig, in deze territoria zijn de aanbestedingen en de vergunningen manieren om de productiekosten tot duizelingwekkende hoogte te laten stijgen omdat er te veel ambtelijke molens gesmeerd moeten worden. Daarom zijn de Coppola's direct met de betonbedrijven in zee gegaan. Een van de mooiste pijnbomenbossen van het Middellandse Zeegebied heeft plaatsgemaakt voor ontelbare kilo's gewapend beton. Er waren flatgebouwen neergezet van waaruit je via de intercoms de zee kon horen.

Toen ik eindelijk het eerste doelwit in mijn leven vol raakte, voelde ik een mengeling van trots en schuld. Ik wist hoe ik moest schieten, eindelijk kon ik het. Niemand kon me meer wat doen. Maar tegelijkertijd had ik een afschuwelijk stuk gereedschap leren gebruiken. Iets wat je niet meer verleert als je het eenmaal kunt. Het is net zoals leren fietsen. De fles was niet helemaal aan diggelen. Hij stond zelfs nog overeind. De helft weggeslagen. De rechterhelft.

Mijn vader liep naar de auto toe. Ik bleef achter met het pistool, maar ik voelde me gek genoeg niet alleen, ook al was ik omringd door schimmen van afval en oud ijzer. Ik strekte mijn arm uit naar de zee en loste nog twee schoten op het water. Ik zag het water niet opspatten, misschien hadden ze het water niet eens gehaald, maar op de zee schieten leek me moedig. Mijn vader kwam terug met een leren voetbal waarop Maradona stond afgebeeld, mijn beloning voor het raken van de fles. Vervolgens bracht hij zoals gewoonlijk zijn gezicht dicht bij het mijne. Zijn adem rook naar koffie. Hij was tevreden, nu deed zijn zoon in ieder geval niet onder voor de zoon van zijn broer.

We dreunden onze vaste riedel op, zijn catechismus: 'Robbe', wat is een man zonder diploma maar met pistool?'
'Een klootzak met een pistool.'
'Goed zo. Wat is een man met een diploma en zonder pistool?'
'Een klootzak met een diploma...'
'Goed zo. Wat is een man met een diploma en een pistool?'
'Een man, papa!'
'Goed zo, Robertje!'

Nico kon nog niet zo goed lopen. Mijn vader bleef maar tegen hem ratelen. Het kleintje begreep hem niet. Voor het eerst hoorde hij Italiaans, ook al was zijn moeder zo slim geweest om hem hier geboren te laten worden.
'Lijkt hij op je, Roberto?'
Ik bekeek hem uitgebreid. En ik was blij voor hem. Hij leek voor geen meter op mij. 'Gelukkig niet!'
Mijn vader keek me aan met dezelfde teleurgestelde blik als altijd, alsof hij wilde zeggen dat ik onderhand zelfs niet eens voor de grap nog iets zou zeggen wat hij graag wilde horen. Ik had altijd de indruk dat mijn vader in oorlog was met iemand. Alsof hij strijd moest voeren met allianties, enorme machinerieën en altijd overal op bedacht moest zijn. Naar een tweesterrenhotel gaan stond voor mijn vader gelijk aan gezichtsverlies. Alsof hij rekenschap moest afleggen aan een entiteit die hem vreselijk zou hebben gestraft als hij niet in rijkdom leefde, niet autoritair en schertsend was.

'Robbe', de beste moet niemand nodig hebben, hij moet zeker zijn van zijn zaak maar ook angst inboezemen. Als niemand bang voor je is, als niemand bij jouw aanblik ontzag voelt, dan ben je niet echt geslaagd.'
Als we uit eten gingen, ergerde hij zich eraan dat de obers vaak een aantal belangrijke mannen uit de buurt meteen bedienden, ook al kwamen ze een uur na ons binnen. De bazen gingen zitten en binnen enkele minuten hadden zij hun hele lunch al voor zich staan. Mijn vader groette hen, maar tussen zijn tanden door knarste zijn

verlangen om net zoveel respect af te dwingen als zij, een respect dat juist door die afgunst vanwege hun macht, door die angst en door hun rijkdom teweeg werd gebracht.

'Zie je die daar? Dat zijn de echte bazen. Zij bepalen alles! Je hebt mensen die de baas zijn over woorden en mensen die de baas zijn over dingen. Jij moet weten wie de baas is over dingen en doen alsof je luistert naar degene die de baas is over woorden. Maar zelf moet je altijd de waarheid kennen. Alleen degene die de baas is over dingen is echt de baas.'

De bazen van dingen, zoals mijn vader ze noemde, zaten aan tafel. Sinds mensenheugenis hadden zij over het lot van deze streek beschikt. Ze aten samen, glimlachten. Door de jaren heen hadden ze elkaar afgemaakt en een spoor van duizenden doden nagelaten, als ideogrammen van hun financiële investeringen. De camorrabazen wisten hoe ze voor moesten dringen om als eersten te worden bediend. Ze betaalden voor iedereen in het restaurant de lunch. Maar pas als ze al weg waren, omdat ze geen zin hadden in bedankjes en vleierij. Voor iedereen was de lunch betaald, op twee personen na: professor Iannotto en zijn vrouw. Die hadden hen niet gegroet en zij hadden het niet aangedurfd hun lunch te betalen. Maar ze hadden hun wel, via de ober, een fles limoncello cadeau gedaan. Een camorrist weet dat hij ook voor de vijanden moet zorgen die hem met open vizier tegemoet treden omdat je daar meer aan hebt dan aan de vijanden die je in het geniep bestrijdt.

Als mijn vader mij een voorbeeld wilde geven van hoe het niet moest, dan wees hij naar meneer Iannotto. Ze hadden samen op school gezeten. Iannotto woonde in een huurhuis, was verstoten door zijn partij, had geen kinderen, was altijd kwaad en slechtgekleed. Hij gaf les aan de tweede klas van het atheneum, ik weet nog hoe hij altijd ruziemaakte met de ouders als ze hem vroegen naar welke vriend van hem zij hun kinderen konden sturen voor bijles om ervoor te zorgen dat ze zouden overgaan. In de ogen van mijn vader was hij een gedoemd man. Een wandelende dode.

'Het is net als iemand die besluit filosoof te worden en een ander die besluit arts te worden, wie van de twee beschikt volgens jou over het leven van mensen?'

'De arts!'

'Goed zo. De arts. Omdat iemands leven in jouw handen ligt. Jij beslist. Je kunt iemand redden of niet. Je kunt pas het goede doen als je ook het slechte kunt doen. Als je een loser bent, een pias, iemand die niets doet, dan kun je alleen maar goed doen, maar dat is vrijwilligerswerk, daar haal ik mijn neus voor op. Een goede daad is pas echt goed als je hem verkiest boven een slechte daad.'

Ik gaf geen antwoord. Ik snapte nooit wat hij me nu eigenlijk duidelijk wilde maken. En eigenlijk begrijp ik dat nu nog steeds niet. Daarom ben ik waarschijnlijk ook filosofie gaan studeren, om niet voor iemand anders te moeten beslissen. Mijn vader had in de jaren tachtig als jonge arts op de ambulance gewerkt. Vierhonderd doden per jaar. In buurten waar soms wel vijf mensen per dag werden vermoord. Hij arriveerde met de ambulancewagen, maar als het slachtoffer op de grond lag en de politie nog niet ter plaatse was, kon hij hem niet de ambulance in tillen. Want als de moordenaars hier lucht van kregen, kwamen ze terug, achtervolgden de ambulance, blokkeerden de weg, klommen het voertuig in en maakten de klus af. Dat was al vaak gebeurd, en zowel de artsen als de verplegers wisten dat ze niets met het slachtoffer moesten doen en dat ze moesten wachten tot de moordenaars terugkwamen om de operatie af te ronden.

Op een dag echter moest mijn vader in Giugliano zijn, een groot dorp tussen Napels en Caserta, het domein van de Mallardo's. De jongen was achttien, of misschien jonger. Ze hadden hem in zijn borst geschoten, maar de kogel was afgeketst tegen een rib. De ambulance arriveerde meteen, hij was al in de buurt. De jongen rochelde, brulde, verloor bloed. Mijn vader legde hem op de brancard. De verplegers waren doodsbang. Ze probeerden hem over te halen, het was duidelijk dat de moordenaars hadden geschoten zonder goed te richten en dat ze op de vlucht waren geslagen voor een patrouille, maar ze zouden zeker terugkomen.

De verplegers probeerden mijn vader te overreden. 'We moeten wachten. Straks komen ze, maken hun klus af en dan nemen wij hem mee.'

Mijn vader kon het niet. Ook de dood heeft zijn tijd, en achttien jaar leek hem nog geen tijd om te sterven, zelfs niet voor een soldaat van de camorra. Hij tilde hem in de ambulance, bracht hem naar het ziekenhuis en de jongen bleef leven. Die nacht kwamen de moordenaars die hun doelwit niet naar behoren hadden geraakt naar zijn huis. Naar het huis van mijn vader. Ik was er niet, ik woonde bij mijn moeder. Maar het verhaal is me al zo vaak verteld, altijd op hetzelfde punt afgekapt, dat ik het me herinner alsof ik ook thuis was en alles heb gezien. Mijn vader werd, dacht ik, tot bloedens toe in elkaar geslagen, hij liet zich ten minste twee maanden niet zien. De vier maanden daarop kon hij niemand recht aankijken.

De keuze maken om degene die moet sterven te redden geeft aan dat je diens lot wilt delen, want hier kun je met je wil alleen niets veranderen. Het is geen besluit dat je kan verlossen van een probleem, het is geen bewustwording, geen gedachte, geen keuze die je werkelijk het gevoel kan geven dat je op de best mogelijke manier handelt. Wat het ook is dat je doet, het zal om een of andere reden altijd het verkeerde zijn. Dat is ware eenzaamheid.

De kleine Nico lachte weer. Micaela is ongeveer van mijn leeftijd. Ze zullen haar ook, toen ze opbiechtte dat ze naar Italië ging, geluk hebben toegewenst zonder verder iets te vragen, zonder te weten of ze als hoer, bruid, huishoudster of arbeidster ging. Ze ging weg, en meer wisten ze niet. Voldoende voorwaarde voor geluk. Maar Nico dacht natuurlijk helemaal nergens aan. Hij zoog zijn lippen vast aan de zoveelste beker milkshake die hij van zijn moeder had gekregen.

Om hem te laten spelen legde mijn vader de voetbal vlak voor zijn voeten. Nico schopte er uit alle macht tegenaan. De bal kaatste tegen knieën, scheenbenen, neuzen van schoenen van tientallen mensen. Mijn vader begon erachteraan te hollen. Wetende dat Nico naar hem keek, deed hij onhandig alsof hij dribbelend een non passeerde, maar de bal ontsnapte opnieuw aan zijn voeten. De kleine lachte, de honderden meters kuiten die zich voor zijn ogen uitstrekten gaven hem het gevoel dat hij in een bos van benen en sandalen stond. Hij vond het leuk te zien hoe zijn vader, onze vader, achter zijn buik aanrende om die bal te pakken te krijgen.

Ik wilde mijn hand opsteken om hem gedag te zeggen, maar een muur van vlees had zich inmiddels tussen ons opgetrokken. Hij zou er zeker nog een halfuur in vast blijven zitten. Het had geen zin om te wachten. Het was echt al laat. Zelfs zijn contouren waren niet meer te zien, hij was tot in de maag van de menigte opgeslokt.

Het was Mariano gelukt om Mikail Kalasjnikov te ontmoeten. Hij had een maand door Oost-Europa rondgetrokken: Rusland, Roemenië, Moldavië, een cadeautje van de clan, als beloning. Ik zag hem voor het eerst weer in een bar in Casal di Principe, dezelfde bar als altijd. Mariano had een dik pak foto's bij zich, bijeengehouden door een elastiek, alsof het voetbalplaatjes waren die hij wilde ruilen. Het waren portretfoto's van Mikail Kalasjnikov, gesigneerd en voorzien van een opdracht. Voordat hij terugging, had hij tientallen en tientallen foto's af laten drukken van Kalasjnikov in zijn generaalsuniform van het Rode Leger, op zijn borst een regen van medailles: de Orde van Lenin, de eremedaille van de Grote Patriottische Oorlog, de medaille van de Orde van de Rode Ster en die van de Orde van de Rode Vlag van de Arbeid. Mariano had hem kunnen opzoeken dankzij de aanwijzingen van een paar Russen die zaken deden met bendes in en om Caserta, en zij hadden hem ook voorgesteld aan de generaal.

Mikail Timofeevic Kalasjnikov woonde in een huurappartement in een dorpje aan de voet van de Oeral, Izhevsk-Ustinov, dat tot 1991 niet eens op de landkaart stond. Het was een van de talloze gebieden die door de Sovjet-Unie verborgen werden gehouden. Kalasjnikov was dé bezienswaardigheid van de stad. Voor hem hadden ze een rechtstreekse verbinding met Moskou aangelegd, hij was een soort toeristische attractie geworden voor de elite. Een hotel vlak bij zijn huis, waar Mariano had overnacht, deed gouden zaken dankzij alle bewonderaars van de generaal die in de stad wachtten op zijn terugkeer van een of andere tour door Rusland of die eenvoudigweg wachtten totdat ze werden ontvangen.

Mariano was het huis van generaal Kalasjnikov en zijn vrouw binnengelopen met zijn videocamera in de palm van zijn hand. De generaal had hem toestemming gegeven, hij vroeg hem alleen om het filmpje niet openbaar te maken en Mariano had natuurlijk geknikt; hij wist maar al te goed dat degene die tussen hem en Kalasjnikov had bemiddeld zijn adres, telefoonnummer en zijn gezicht kende. Mariano verscheen bij de generaal met een piepschuimen krat dat was dichtgeplakt met tape bedrukt met buffelkoppen. Het was hem gelukt om deze grote doos met in melk ondergedompelde buffel-mozzarella uit het landbouwgebied rond Aversa goed te houden in de achterbak van zijn auto.

Mariano liet mij het filmpje van zijn bezoek aan huize Kalasjni-kov zien op de kleine monitor die aan de zijkant van zijn videocame-ra vastzat. De video versprong, de beelden schudden, de gezichten dansten, de ogen en objecten werden vervormd door het in- en uit-zoomen, de lens sloeg tegen duimen en polsen aan. Het leek wel een videofilm van een schoolreisje, die al rennend en springend was op-genomen.

Kalasjnikovs huis deed denken aan de datsja van Gennaro Mari-no, of misschien was het gewoon een klassieke datsja, maar de enige die ik ooit had gezien was juist die van de dissidente boss in Arzano, en daarom leken ze voor mij als twee druppels water op elkaar. De wanden van het huis van de familie Kalasjnikov hingen vol met re-producties van Vermeer en de kasten puilden uit met kristallen en houten prullaria. De vloer was helemaal bedekt met tapijten. Op een gegeven moment hield de generaal tijdens het filmen zijn hand voor de lens. Mariano vertelde me dat hij al rondhobbelend met zijn ca-mera en gewapend met een gezonde dosis ongemanierdheid een ka-mer was binnengelopen die Kalasjnikov op geen enkele manier ge-filmd wilde hebben. In een vitrinekast aan de muur, goed zichtbaar achter het gepantserde glas, werd het eerste Kalasjnikov-model be-waard, het prototype dat gebouwd was aan de hand van de tekenin-gen die – zo wil de legende – de oude generaal (toen nog onbekende onderofficier) op velletjes papier had gekrabbeld toen hij in het zie-kenhuis lag, gewond door een kogel en vol verlangen een wapen te maken dat de verkleumde en uitgehongerde soldaten van het Rode Leger onoverwinnelijk zou maken.

De eerste AK-47 uit de geschiedenis, net zo verborgen gehouden als de eerste dollarcent die Dagobert Duck ooit had verdiend, de beroemde *number one* in de gepantserde vitrine, de *Numero Uno* die op angstvallige wijze ver uit de buurt van de klauwen van de Bassotti's werd gehouden. Het was van onschatbare waarde, dit model. De meeste mensen zouden er werkelijk alles voor over hebben gehad om zo'n militair relikwie te bemachtigen. Zodra Kalasjnikov komt te overlijden, zal de AK-47 bij Christie's onder de hamer belanden, net als de doeken van Titiaan en de schetsen van Michelangelo.

Mariano bracht de hele ochtend bij de oude Kalasjnikovs thuis door. Zijn Russische contactpersoon moest wel heel invloedrijk zijn, gezien het vertrouwen dat de generaal hem schonk. De camera filmde hoe ze aan tafel zaten en een heel klein oud vrouwtje het piepschuim van de doos met mozzarella af haalde. Ze lieten het zich smaken. Wodka en mozzarella. Mariano wilde deze scène niet missen, en daarom had hij de videocamera aan het hoofd van de tafel geplaatst, om alles op te kunnen nemen. Hij wilde het onomstotelijke bewijs leveren dat generaal Kalasjnikov de mozzarella had gegeten van de kaasmakerij van de boss voor wie hij werkte. De camera op tafel registreerde op de achtergrond een kastje met daarop de ingelijste foto's van kinderen.

Ook al kon de film mij niet snel genoeg afgelopen zijn omdat ik al behoorlijk zeeziek was geworden, ik kon mijn nieuwsgierigheid niet bedwingen. 'Mariano, zijn dat allemaal kinderen en kleinkinderen van Kalasjnikov?'

'Echt niet! Het zijn kinderen van mensen die hem foto's van hun kinderen sturen die ze naar hem hebben vernoemd, bijvoorbeeld mensen wier leven is gered dankzij een van zijn mitrailleurs of gewoon omdat ze hem bewonderen...'

Zoals chirurgen foto's krijgen van kinderen die ze hebben gered, genezen, geopereerd, en die ingelijst op de boekenplanken in hun studeerkamers zetten ter herinnering aan hun chirurgische successen, zo had generaal Kalasjnikov in zijn woonkamer foto's van kinderen die vernoemd waren naar zijn uitvinding. Overigens had een Italiaanse journalist in Angola een bekende guerrillastrijder van de vrijheidsbeweging geïnterviewd die had verklaard: 'Ik heb mijn zoon Kalsh genoemd omdat dat synoniem staat voor vrijheid.'

Kalasjnikov is een oude man van vierentachtig jaar, kwiek en goed geconserveerd. Hij wordt overal uitgenodigd, is een soort wandelend icoon voor 's werelds beroemdste mitrailleurgeweer. Voordat hij als generaal van de legermacht met pensioen ging, ontving hij een vast loon van vijfhonderd roebel, in die tijd min of meer een maandsalaris van vijfhonderd dollar. Als Kalasjnikov de kans had gehad om in het Westen octrooi te verkrijgen op zijn mitrailleur zou hij nu zeker een van de rijkste mensen ter wereld zijn geweest. Men heeft berekend dat er naar schatting – de exacte cijfers ontbreken – meer dan vijfhonderd miljoen mitrailleurs van de kalasjnikov-familie zijn geproduceerd, stuk voor stuk afgeleid van het oorspronkelijke idee van de generaal. Ook al zou hij maar één dollar per mitrailleur hebben ontvangen, dan nog had hij nu gezwommen in het geld. Maar dit tragische gebrek aan geld stoorde hem allerminst, hij had dit schepsel ontwikkeld, leven ingeblazen, en dit gaf schijnbaar voldoende bevrediging.

Of misschien zat er bij nader inzien toch een economisch voordeel aan. Mariano had me verteld dat zijn bewonderaars af en toe geld naar hem overmaakten: een financieel eerbetoon, duizenden dollars op zijn rekening, waardevolle geschenken uit Afrika. Men zei dat hij een gouden masker van een stam cadeau had gekregen van Mobutu en dat hij een baldakijn ingelegd met ivoor opgestuurd had gekregen van Bokassa; uit China had hij zelfs een trein in ontvangst genomen, compleet met locomotor en wagons, hem geschonken door Deng Xiaoping, die wist dat de generaal problemen had met vliegen. Maar dat waren maar verhalen, geruchten die via notitieblokjes de ronde deden onder journalisten die – omdat ze de generaal niet voor een interview konden strikken aangezien hij behalve bij belangrijke presentaties niemand ontving – de arbeiders uit de wapenfabriek in Izhevsk interviewden.

Mikail Kalasjnikov antwoordde automatisch en in vlot Engels dat hij op latere leeftijd had geleerd. Hij beantwoordde iedere willekeurige vraag op dezelfde manier, net zoals je een schroevendraaier maar op één manier kunt gebruiken om een bout los te schroeven. Mariano stelde hem onzinnige en oppervlakkige vragen over de mitrailleur; een manier om zijn zenuwen in bedwang te houden.

'Ik heb dit wapen niet uit winstoogmerk uitgevonden, maar enkel en alleen om mijn moederland te verdedigen in tijden dat dat nodig was. Als ik het opnieuw moest doen, zou ik dezelfde dingen doen en op dezelfde manier leven. Ik heb mijn hele leven gewerkt en mijn leven is mijn werk.' Het antwoord op iedere vraag over zijn mitrailleur.

In de hele wereld bestaat geen ding, organisch of niet, geen metalen object, geen chemisch element, dat meer doden op zijn geweten heeft dan de AK-47. De kalasjnikov heeft meer slachtoffers gemaakt dan de atoombom op Hiroshima en Nagasaki, meer dan het hiv-virus, meer dan de builenpest, meer dan malaria, meer dan alle aanslagen van fundamentalistische moslims, meer dan alle doden van alle aardbevingen die de aardkorst hebben doen schudden bij elkaar. Een exorbitante hoeveelheid menselijk vlees die ieders verbeelding te boven gaat. Alleen een reclameman wist tijdens een congres een overtuigende beschrijving te geven: hij zei dat je, om je een voorstelling te maken van alle slachtoffers van de mitrailleur, een fles moest vullen met suiker door de korrels door een gaatje van een afgeknipt puntje van het pak in de fles te laten stromen. Iedere korrel suiker staat voor een slachtoffer van de kalasjnikov.

De AK-47 is een mitrailleur die onder de meest hopeloze omstandigheden kan schieten. Hij zal nooit vastlopen, hij schiet zelfs nog als hij onder het zand zit of drijfnat is, hij is makkelijk vast te pakken, met een soepele trekker die zelfs door een kind kan worden overgehaald. Geluk, fouten, onnauwkeurigheid, al die elementen die je tegenstander van de dood redden tijdens een vuurgevecht lijken te worden weggevaagd door de zekerheid van de AK-47, een instrument dat het noodlot volledig uitschakelt. Makkelijk in het gebruik, makkelijk vervoerbaar, schiet zo nauwkeurig dat je zonder enige training kunt doden.

'Hij kan zelfs van een aap nog een krijger maken,' verklaarde Cabila, de geduchte politiek leider van Congo.

In de afgelopen dertig jaar hebben meer dan vijftig landen de kalasjnikov tijdens conflicten als aanvalswapen voor hun legers gebruikt. Bloedbaden aangericht door kalasjnikovs hebben – volgens de berichten van de VN – plaatsgevonden in Algerije, Angola, Bosnië, Burundi, Cambodja, Tsjetsjenië, Colombia, Congo, Haïti, Kasjmir, Mozambique, Rwanda, Sierra Leone, Somalië, Sri Lanka, Soedan en Oeganda. Meer dan vijftig officiële legers bezitten kalasjnikovs, en het is onmogelijk om in cijfers uit te drukken hoeveel illegale groeperingen, paramilitairen, guerrillastrijders hem gebruiken.

Onder het vuur van een kalasjnikov sneuvelde in 1981 Sadat, in 1982 generaal Dalla Chiesa en in 1989 Ceausescu. Salvador Allende werd in het Moneda-paleis gevonden met in zijn lichaam kalasjnikov-projectielen. Deze sterfgevallen van vooraanstaande personen zijn van oudsher de enige echte propaganda voor de mitrailleur. De AK-47 staat inmiddels zelfs op de vlag van Mozambique en in honderden emblemen van politieke groeperingen, van Al Fatah in Palestina tot aan de MRTA in Peru. Als Osama Bin Laden zich laat filmen in de bergen, gebruikt hij de kalasjnikov altijd als het enige symbool van dreiging. Hij vergezelt iedereen in zijn rol: de bevrijder, de onderdrukker, de guerrillastrijder van het staatsleger, de terrorist, de overvaller, de mariniers die presidenten escorteren.

Kalasjnikov heeft een bijzonder efficiënt wapen gemaakt dat door de jaren heen in staat is gebleken zich verder te ontwikkelen, een wapen dat achttien varianten heeft gekend en waarvan tweeëntwintig nieuwe modellen zijn vormgegeven op basis van het oorspronkelijke concept. Hij is het ware symbool voor de vrije handel, het absolute icoon. Hij zou een embleem kunnen worden: het doet er niet toe wie je bent, welk geloof je aanhangt, tegen wie of voor wat je bent, als je ons product maar gebruikt bij alles wat je doet.

Met vijftig miljoen dollar kun je ongeveer tweehonderdduizend mitrailleurs kopen. Oftewel, met vijftig miljoen dollar kun je een klein leger op de been brengen. Alles wat politieke verplichtingen en compromissen verwoest, alles wat leidt tot enorme consumptie en een buitengewone macht verovert de markt; en Mikail Kalasjnikov heeft met zijn uitvinding alle grote en kleine groepen machthebbers in staat gesteld te beschikken over een militair instrument. Niemand kan sinds de uitvinding van Kalasjnikov nog zeggen dat hij is verslagen omdat hij niet over wapens kon beschikken. Hij heeft gestreden voor gelijkheid: wapens voor allen, bloedbaden voor iedereen. Het slagveld behoort niet meer alleen de legers toe.

Op internationaal niveau heeft de kalasjnikov teweeggebracht wat de clans van Secondigliano op lokaal niveau hebben teweeggebracht door de cocaïnehandel volledig vrij te geven en iedereen een kans te geven om drugskoerier, gebruiker of handelaar te worden alleen door de markt te bevrijden van de criminele bemoeienissen van bovenaf. Op dezelfde manier heeft de kalasjnikov iedereen het groene licht gegeven om soldaat te worden, zelfs kleine kinderen en spichtige meisjes, en heeft hij lieden die nog geen kudde van tien geiten zouden kunnen hoeden getransformeerd in legergeneraals. Mitrailleurs kopen, schieten, mensen en dingen consumeren, en weer opnieuw kopen. De rest is maar een detail.

Kalasjnikov heeft op iedere foto een kalm gezicht, met zijn hoekige, Slavische voorhoofd en zijn Mongoolse ogen die met de jaren steeds nauwere spleetjes worden. Hij slaapt de slaap der onschuldigen. Hij gaat misschien niet gelukkig naar bed maar wel onbezorgd, zijn pantoffels onder het bed, netjes naast elkaar. Ook wanneer hij serieus is, trekt hij zijn mondhoeken op, net als soldaat Pyle in *Full Metal Jacket*. Zijn lippen glimlachen, maar zijn gezicht niet.

Als ik naar de portretten van Mikail Kalasjnikov kijk, moet ik altijd aan Alfred Nobel denken, bekend om de prijs die zijn naam draagt, maar in de eerste plaats de vader van het dynamiet. De foto's die van Nobel zijn genomen in de jaren na de uitvinding van het dynamiet – toen hij doorhad op welke manier men gebruik zou gaan maken van zijn mengsel van nitroglycerine en klei – laten zijn angstige lijden zien, zijn vingers die aan zijn baard plukken. Het is misschien maar mijn verbeelding, maar als ik naar de foto's van Nobel kijk, naar zijn opgetrokken wenkbrauwen en zijn verdwaalde blik, lijken ze maar één ding te willen zeggen: 'Ik heb het niet gewild. Ik wilde een opening kunnen maken in de bergen, tonnen steen kunnen vermorzelen, tunnels kunnen aanleggen. Ik wilde niets van alles wat er is gebeurd.' Maar Kalasjnikov heeft altijd een kalme uitstraling, die van een oude, gepensioneerde Rus, met talloze herinneringen in zijn hoofd. Je stelt je voor dat hij, met een adem die naar wodka ruikt, je vertelt over een vriend met wie hij de oorlog heeft meegemaakt, of hoe hij je aan tafel toefluistert dat hij toen hij jong was in bed uren achtereen kon presteren, zonder te stoppen. Nog altijd in mijn kinderlijke fantasie lijkt het gezicht van Mikail Kalasjnikov te zeggen: 'Alles is prima, het zijn mijn problemen niet, ik heb alleen een mitrailleur uitgevonden. Hoe anderen hem gebruiken heeft niks met mij te maken.' Een verantwoordelijkheid die binnen de grenzen van het eigen lichaam blijft, binnen de grenzen van de handeling. Wat iemands eigen hand heeft gemaakt, valt onder diens geweten. Dit is geloof ik een van de elementen die van de oude generaal de onvrijwillige icoon maken van de clans overal ter wereld.

Mikail Kalasjnikov is geen wapenhandelaar, hij speelt geen enkele rol in de verkooponderhandelingen, hij heeft geen politieke invloed, is geen charismatische persoon maar straalt wel het dagelijks gebod uit van de man op de markt: doe wat je moet doen om te overwinnen, met de rest heb je niets te maken.

Mariano droeg een rugzak over zijn schouder en had een sweater met een capuchon aan, allebei met de naam Kalasjnikov erop. De generaal had zijn investeringen gespreid en was bezig zich te ontwikkelen tot talentvol ondernemer. Niemand anders had zo'n overbekende naam. Zo was een Duitse ondernemer een kledingbedrijf begonnen met het label Kalasjnikov en de generaal had er plezier in gekregen om zijn achternaam te exploiteren en investeerde ook in een firma in brandblusapparaten.

Midden in zijn verhaal zette Mariano de film plotseling stil en vloog de bar uit. Hij opende de achterbak van zijn auto en haalde er een militair koffertje uit dat hij op de toog van de bar legde. Ik dacht dat hij helemaal was doorgeslagen in zijn mitrailleurgekte. Ik was bang dat hij half Europa was doorgereisd met een mitrailleur in de achterbak die hij voor iedereen te pas en te onpas tevoorschijn toverde. Maar uit de militaire koffer kwam een kleine kristallen kalasjnikov tevoorschijn, gevuld met wodka. Het was een vreselijk kitscherige fles met een dop in de vorm van een geweerloop. En alle cafés waar Mariano leverancier van was hadden na zijn reis allemaal Kalasjnikov-wodka in hun assortiment. Ik zag al voor me hoe het nepkristal achter iedere barman tussen Teverola en Mondragone zou pralen.

Het filmpje was bijna afgelopen, mijn ogen – die ik had moeten toeknijpen om beter te kunnen focussen op de wisselende beelden – deden pijn. Maar dat laatste beeld had ik voor geen goud willen missen: twee ouden van dagen in de deuropening van hun huis die, met hun pantoffels aan, hun jeugdige gast – het laatste stukje mozzarella nog in hun mond – uitzwaaiden.

Ondertussen had een groep jongetjes zich om Mariano en mij geschaard die de Ruslandganger als een uitverkorene beschouwden, een soort held omdat hij Mikail Kalasjnikov had ontmoet. Mariano keek mij met een geforceerde samenzweerderige blik aan, die ik niet van hem gewend was. Hij haalde het elastiek van de foto's en begon er snel doorheen te lopen. Nadat hij er tientallen had doorgebladerd, haalde hij er eentje uit. 'Deze is voor jou. En nu niet meer zeggen dat ik niet aan je denk.'

Op het portret van de oude generaal stond met zwarte viltstift geschreven: *To Roberto Saviano with Best Regards M. Kalashnikov.*

De internationale economische onderzoeksbureaus hebben voortdurend gegevens nodig. Ze zijn het dagelijks brood voor de kranten, tijdschriften en politieke partijen. De beroemde 'Big Mac'-index, bijvoorbeeld, die aantoont dat hoe duurder een hamburger bij McDonald's is, hoe welvarender het land is. Om mensenrechten te taxeren, kijken de analisten tegen welke prijs de kalasjnikov over de toonbank gaat. Hoe goedkoper de mitrailleur, des te meer de mensenrechten worden geschonden, des te meer de rechtsstaat door koudvuur is aangetast, des te meer het geraamte van het sociaal evenwicht is verrot en in staat van ontbinding verkeert. In West-Afrika kan hij op vijftig dollar komen, terwijl het in Jemen al mogelijk is om een tweede- en derdehands AK-47 voor zes dollar op de kop te tikken. De heerschappij van de clans in Oost-Europa, die hun klauwen hebben gezet in de wapenopslagplaatsen van de socialistische landen in verval, heeft ervoor gezorgd dat de clans uit de buurt van Caserta en Napels, samen met de bendes uit Calabrië met wie ze voortdurend in contact staan, de meest geschikte contactpersonen zijn voor de wapenhandelaars.

De camorra – die een flink deel van de internationale wapenhandel bestiert – zou de prijzen van de kalasjnikovs bepalen en zo indirect, als een rechter, beslissen over het welzijn van de mensenrechten in het Westen. Alsof ze het rechtsniveau aan het draineren zijn, langzaam, als een druppel door een sonde.

Terwijl Franse en Amerikaanse criminele groeperingen de M16 van Eugene Stoner gebruikten, het logge, lastige, zware aanvalswapen van de mariniers, een geweer dat geolied en gereinigd moet worden als je niet wilt dat het vastloopt in je hand, gingen op Sicilië en in Campania, van Cinisi tot aan Casal di Principe, in de jaren tachtig de kalasjnikovs al gretig van hand tot hand.

In 2003 kwam uit een reeks verklaringen van een spijtoptant – Raffaele Spinello van de Genovese-clan, die heerste in Avellino en omgeving – naar voren dat er een connectie was tussen de Baskische ETA en de camorra. De Genovese-clan is verbonden met de familie Cava uit Quindici en de families uit Caserta en omgeving. Het is geen eersteklas clan, maar toch waren ze in staat om wapens te leveren aan een van de belangrijkste gewapende groeperingen van Europa die, in de loop van een dertigjarige strijd, meerdere paden hadden bewandeld op zoek naar wapenbevoorrading. Maar de clans uit Campania bleken bevoorrechte gesprekspartners. Twee *etarras*, de Baskische activisten José Miguel Arreta en Gracia Morillo Torres, onderhandelden – volgens onderzoek van de Antimaffiadienst van Napels in 2003 – tien dagen lang in een hotelsuite in Milaan. Prijzen, routes, ruilwaar. Ze sloten een akkoord. De ETA stuurde via de activisten van hun organisatie cocaïne om in ruil daarvoor wapens te krijgen. De ETA zou de prijzen van de coke, waar ze via hun contacten met Colombiaanse guerrillagroepen de hand op wisten te leggen, voortdurend hebben verlaagd en nam ook de kosten en de verantwoordelijkheid voor het vervoer naar Italië op zich: alles om hun relatie met de kartels uit Campania goed te houden, misschien wel de enigen die in staat waren om hele wapenarsenaals te leveren. Maar de ETA wilde niet alleen kalasjnikovs. Ze vroeg om zwaardere wapens, krachtige explosieven en vooral om raketwerpers.

De banden tussen de camorra en de guerrilla's zijn altijd zeer vruchtbaar geweest, zelfs in Peru, sinds mensenheugenis het gekozen vaderland van de Napolitaanse drugshandelaren. In 1994 wendde de rechtbank van Napels zich voor gerechtelijk onderzoek tot de Peruaanse autoriteiten nadat een tiental Italianen in Lima was geliquideerd. Onderzoeken die de banden wilden ontmaskeren die de Napolitaanse clans – via de gebroeders Rodríguez – met de MRTA hadden onderhouden, de guerrillastrijders met de rood-witte zakdoeken in een punt voor hun gezicht. Ook zij hadden onderhandeld met de clans, zélfs zij. Coke in ruil voor wapens.

In 2002 werd er een advocaat gearresteerd, Francesco Magliulo, volgens de beschuldigingen verbonden aan de Mazzarella-clan, de machtige familie uit San Giovanni a Teduccio met een crimineel pied-à-terre in Napels, in de wijken Santa Lucia en Forcella. Ze hadden hem meer dan twee jaar gevolgd in zijn zaken met Egypte, Griekenland en Engeland. Een afgetapt telefoongesprek afkomstig uit Mogadishu, uit de villa van generaal Aidid, de man achter de Somalische oorlog die – doordat hij in opstand kwam tegen de bendes van Ali Mahdi – van Somalië een verscheurd en rot lichaam had gemaakt dat samen met het giftige afval van Midden-Europa moest worden begraven. De onderzoeken naar de banden tussen de Mazzarella-clan en Somalië vorderden op alle fronten, maar met name de wapenhandel werd daarin een uiterst belangrijk spoor. Zelfs krijgsheren gedragen zich voorbeeldig als ze wapens nodig hebben van de clans uit Campania.

Het wapenarsenaal dat in maart 2005 werd ontdekt in Sant'Anastasia, een dorp aan de voet van de Vesuvius, was indrukwekkend. Een ontdekking die enigszins door toeval was gedaan, enigszins door gebrek aan discipline van de handelaren die op straat met elkaar op de vuist gingen omdat opdrachtgevers en transporteurs het niet eens waren geworden over de prijzen. Toen de carabinieri arriveerden, haalden die de binnenwanden uit het busje dat geparkeerd stond in de buurt waar er werd geknokt, en vonden ze een van de grootste munitiebergplaatsen op wielen ooit. Uzi's compleet met vier magazijnen, zeven laders en 112 kogels kaliber 380, stenguns van Russische en Tsjechische makelij die in één minuut tijd 950 schoten kunnen lossen. Zo goed als nieuw, goed geolied, het registratienummer onbeschadigd, de geweertjes waren vers aangekomen uit Krakau. 950 schoten per minuut was de vuurkracht van de Amerikaanse helikopters in Vietnam. Wapens die hele divisies mannen en tanks zouden hebben weggevaagd, maar niet de artillerieën van de camorrafamilies uit de omgeving van de Vesuvius. Op die manier vormen de wapens de zoveelste kans om de teugels van Leviatans absolute macht aan te trekken, die alleen al gezag afdwingt door de dreiging van geweld die hij uitstraalt.

In de wapenarsenaals worden bazooka's, handgranaten, antitankmijnen, stenguns gevonden, maar in de praktijk worden uitsluitend kalasjnikovs, uzi's en automatische en semi-automatische pistolen gebruikt. De rest is onderdeel van de uitrusting die wordt gebruikt bij het creëren van de eigen militaire macht, voor uiterlijk vertoon op het slagveld. Met dit oorlogspotentieel verzetten de clans zich niet tegen het legale geweld van de staat, maar neigen ze naar een monopolie van hun eigen geweld. In Campania kan geen enkele obsessie voor het fenomeen wapenstilstand zich meten met de oude clans van de Cosa Nostra. Met hun wapens zorgen ze direct voor stabilisatie van hun vermogens en territoria, van het zich vermengen van opkomende machtsgroeperingen en wedijverende families. Het is alsof zij het alleenrecht hebben op het concept geweld, alsof ze het vleesgeworden geweld zijn, de instrumenten van het geweld. Geweld wordt een van hun terreinen, geweld uitoefenen betekent zich trainen in hun macht, de macht van het Systeem. De clans hebben zelfs nieuwe wapens ontwikkeld: rechtstreeks ontworpen, bedacht en uitgevoerd door de leden.

In Sant'Antimo – ten noorden van Napels – vonden politieagenten in 2004, verborgen in een gat in de grond en afgedekt met bundels gras, een vreemd geweer, gewikkeld in een met olie doordrenkte katoenen doek. Een afschuwelijk soort doe-het-zelfgeweer dat je op de markt al voor 250 euro hebt: een schijntje vergeleken bij een semi-automaat die gemiddeld op een prijs van 2500 euro komt. Het geweer van de clans bestaat uit een bouwpakket van twee buizen die los van elkaar vervoerd kunnen worden, maar die eenmaal in elkaar gezet een dodelijk dubbelloopsgeweer worden, dat werkt met gewone patronen of volmantelkogels. Het idee is ontleend aan het model van een oud speelgoedgeweer uit de jaren tachtig dat pingpongballetjes afvuurde als je hard aan de kolf trok en binnenin een veer liet terugspringen. Van die geweren zoals de *pimpamperi*, die duizenden kinderen in huiskameroorlogen hebben gebruikt. En precies daarvan, van die speelgoedmodellen, is het ding dat simpelweg 'de buis' wordt genoemd, afgeleid.

Hij bestaat uit twee buizen, de eerste heeft een grotere diameter, is ongeveer veertig centimeter lang en heeft een kolf. Aan de binnenkant zit een grote, metalen schroef waarvan de punt dient als afsluiter. Het tweede deel bestaat uit een buis met een kleinere diameter die een kaliber twintig-patroon aankan, en heeft een zijhandvat. Ongelooflijk simpel en vreselijk krachtig. Het voordeel van dit geweer was dat het na gebruik niet voor complicaties zorgde: je hoeft na de aanslag niet te vluchten en je wapens te vernietigen. Je hoeft hem alleen maar uit elkaar te halen en het geweer wordt weer een gewone doormidden gebroken buis, een onschuldig ding als het opduikt tijdens een eventuele huiszoeking.

Voor de beslaglegging hoorde ik een arme sloeber, een herder, over dit geweer praten. Hij was zo'n uitgemergelde Italiaanse boer die nog steeds met zijn kudde rondzwerft over het platteland dat omgeven wordt door autosnelwegen, viaducten en flatgebouwen van de voorsteden. Deze herder vond zijn schapen vaak in twee stukken, eerder doormidden gespleten dan gesneden, de broodmagere lijfjes van die Napolitaanse geiten wier ribben je door hun vacht heen kunt tellen, die kauwen op gras dat doordrenkt is met dioxine waardoor hun tanden gaan rotten en hun vacht grauw wordt. De herder dacht dat het een signaal was, een provocatie van zijn onfortuinlijke concurrenten met zieke kuddes. Hij had het niet in de gaten. De fabrikanten van de buis testten de schietkracht uit op lichte dieren. Geiten waren het beste doelwit als je onmiddellijk wilde weten hoe krachtig de projectielen waren en van wat voor kwaliteit het wapen. Dat kon je zien aan de kracht waarmee ze omver werden geblazen en in de lucht uiteen werden gereten zoals schietobjecten in een videospelletje.

De wapenkwestie wordt verborgen gehouden in de ingewanden van de economie, diep weggestopt in een pancreas van stilzwijgen. Italië geeft zevenentwintig miljard dollar uit aan wapens. Meer dan Rusland, het dubbele van Israel. Deze klassering is gedaan door het sipri, het Stockholm International Peace Research Institute. Als je aan deze aantallen van de legale economie nog eens de drie miljard en driehonderd miljoen toevoegt die volgens het onderzoeksinstituut eurispes omgaan in de business die in handen is van de camorra, 'ndrangheta, de Cosa Nostra en de Sacra Corona Unita, betekent dat dat als je afgaat op de wapens die door staat en clans worden beheerd, je uitkomt op driekwart van de wapens die over de hele wereld circuleren.

Het kartel van de Casalezen is als enige criminele ondernemingsgezinde groepering in staat op internationaal niveau groepen en zelfs hele legers van contactpersonen te voorzien. Tijdens de Brits-Argentijnse oorlog van 1982, de Falkland-oorlog, maakte Argentinië economisch gezien haar meest duistere periode van isolement door. En dus ging de camorra zaken doen met het Argentijnse verzet om zo de trechter te worden waardoor de wapens die niemand ze officieel zou hebben verkocht werden neergelaten. De clans hadden zich uitgerust voor een lange oorlog, maar het conflict was begonnen in maart en werd al in juni tot een einde gebracht. Weinig schoten, weinig doden, weinig handel. Een oorlog waar vooral de politici en niet zozeer de ondernemers wijzer van werden, waar vooral de diplomatie maar niet de economie bij was gebaat. De clans uit Caserta en omstreken hadden er niets aan om alles in de uitverkoop te doen om snelle winst te maken. Op de dag waarop het einde van het conflict werd aangekondigd, werd door de Britse geheime dienst een telefoongesprek afgeluisterd tussen Argentinië en San Cipriano d'Aversa. Twee zinnen maar, maar voldoende om te begrijpen hoe invloedrijk de families uit Caserta waren.

'Hallo?'

'Ja.'

'Hier is de oorlog voorbij, wat doen we nu?'

'Maak je geen zorgen, er komt wel weer een andere...'

De heren machthebbers bezitten een geduld waarover zelfs de meest capabele ondernemers niet beschikken. De Casalese-clan had in 1977 onderhandeld over de aanschaf van tanks, op het station van Villa Literno signaleerde de Italiaanse geheime dienst een gedemonteerde Leopard, klaar voor verzending. De handel in Leopard-tanks was lange tijd in handen van de camorra. In februari 1986 werd een telefoongesprek afgeluisterd waarin vertegenwoordigers van de Nuvoletta-clan met het toenmalige Oost-Duitsland onderhandelden over de aanschaf van een paar Leopards. Ondanks dat de capi elkaar afwisselden, bleef de familie Casalese op internationaal terrein de gesprekspartner van niet alleen groeperingen, maar ook van hele legers.

Informatie van de SISMI, de Italiaanse militaire inlichtingendienst, en van het centrum voor contraspionage in Verona uit 1994 wijst erop dat Zeljko Raznatovic, beter bekend als 'Arkan de Tijger', connecties had met Sandokan Schiavone, capo van de Casalezen. Arkan werd in 2000 in een hotel in Belgrado geliquideerd. Hij was een van de meest meedogenloze Servische oorlogsmisdadigers, die met zijn bliksemacties de Bosnische moslimdorpen met de grond gelijk kon maken, oprichter van een Servische nationalistische groepering, 'Arkans Tijgers'. De twee tijgers sloten een verbond. Arkan vroeg om wapens voor zijn guerrillastrijders, maar vooral de kans om het embargo dat aan Servië was opgelegd te omzeilen door onder het mom van humanitaire hulp kapitaal en wapens binnen te laten komen: veldhospitaals, medicijnen en medische instrumenten. Volgens de SISMI werden de geleverde waren – met een totale waarde van verschillende tientallen miljoenen dollars – in werkelijkheid door Servië betaald door middel van opname van hun eigen tegoeden bij een Oostenrijkse bank, oplopend tot 85 miljoen dollar. Dat geld werd vervolgens overgemaakt naar een instantie die verbonden was met de clans uit Servië en Campania, die de verschillende belanghebbende industrieën moest sommeren welke goederen zij als humanitaire hulp beschikbaar moesten stellen en waarvoor werd betaald met het geld dat afkomstig was uit illegale activiteiten om zo het eigen kapitaal te recyclen. En hier verschijnen de Casalese-clans ten tonele. Van hen zijn de firma's, het vervoer en de goederen om de recyclingoperatie uit te kunnen voeren, afkomstig.

Via zijn tussenpersonen vroeg Arkan, volgens de informatie, om de tussenkomst van de Casalezen om de Albanese maffiosi die zijn financiële oorlog zouden hebben kunnen dwarsbomen door vanuit het zuiden aan te vallen of de wapenhandel te blokkeren, het zwijgen op te leggen. De Casalezen brachten hun Albanese bondgenoten tot bedaren en gaven Arkan wapens en vrij baan om op zijn gemak een guerrillaoorlog te voeren. In ruil daarvoor werden bedrijven, ondernemingen, winkels, agrarische bedrijven en veehouderijen voor een zeer gunstige prijs door de ondernemers van de clan opgekocht en verspreidde het Italiaanse ondernemerschap zich over half Servië. Voordat hij zich in het vuur van de oorlog stortte, riep Arkan de hulp van de camorra in. Van Zuid-Amerika tot aan de Balkan worden oorlogen gevoerd met de klauwen van de families uit Campania.

Gewapend beton

Ik was al een hele tijd niet meer in Casal di Principe geweest. Als Japan het vaderland van de vechtkunst is, Australië dat van het surfen en Sierra Leone dat van de diamanten, dan is Casal di Principe de hoofdstad van de ondernemersmacht van de camorra. In de streek rond Napels en Caserta bood alleen al het feit dat je uit Casale kwam je een soort immuniteit, het betekende dat je iemand was, alsof je een rechtstreekse afvaardiging was van de meedogenloosheid van de bendes uit Caserta. Je genoot onvoorwaardelijk respect, werd bijna als vanzelfsprekend gevreesd.

Zelfs Benito Mussolini wilde korte metten maken met dat stigma, dat criminele aura, en had de twee gemeentes van San Cipriano d'Aversa en Casal di Principe omgedoopt tot Albanova. Om een nieuwe, rechtvaardige dageraad in te luiden, stuurde hij zelfs tientallen carabinieri die het probleem 'te vuur en te zwaard' moesten aanpakken. Vandaag de dag draagt alleen het roestige station van Casale nog de naam Albanova.

Iemand kan urenlang op een boksbal hebben staan inslaan, hele middagen onder een halter hebben doorgebracht om zijn borstspieren te trainen, de ene na de andere strip pillen hebben geslikt waar je breed van wordt, maar pas als je dat accent hoort, die drukke gebaren ziet, is het alsof je de lijken onder de lakens op de grond ziet liggen. In deze contreien zijn er zegswijzen waarin de dodelijke lading van die gewelddadige mythologie is samengevat: 'Camorrist kun je worden, maar Casalees ben je van geboorte.'

Of wanneer er wordt gevochten, wanneer er uitdagende blikken worden uitgewisseld, de één in een fractie van een seconde, voordat ze elkaar overhoop steken of in elkaar slaan, zijn eigen levensvisie nog eens duidelijk maakt: 'Leven of sterven, het is mij om het even!'

Soms kunnen je afkomst en het dorp waar je vandaan komt van

pas komen, kun je die in de strijd gooien, of vind je het niet erg als mensen je met geweld associëren, kun je je afkomst gebruiken als heimelijk intimidatiemiddel. Je kunt korting krijgen bij de bioscoop en hoeft bij angstige winkelbedienden niet meteen te betalen. Maar het komt ook voor dat je geboortedorp al te sterke vooroordelen oproept, en dat je niet eens durft te zeggen dat niet iedereen er wat mee te maken heeft, dat niet iedereen een misdadiger is, dat de camorristen in de minderheid zijn, en in gedachten verhuis je snel naar een nabijgelegen, onbekendere plaats, waardoor je niet langer met criminelen wordt geassocieerd; Secondigliano wordt dan meestal Napels, en Casal di Principe wordt Aversa of Caserta.

Je schaamt je ervoor of je bent er trots op, dat hangt maar net af van het spelletje dat wordt gespeeld, van het moment, van de situatie. Net zoals de kleren de man maken, zonder dat je zelf kunt kiezen wanneer je ze aantrekt.

In vergelijking met Casal di Principe is Corleone een soort Disneyland. Casal di Principe, San Cipriano d'Aversa, Casapesenna, een gebied met nog geen honderdduizend inwoners maar met twaalfhonderd veroordeelden wegens artikel 416b oftewel witwassen, het maffiamisdrijf bij uitstek, en een uitzonderlijk aantal verdachten en veroordeelden wegens connecties met de maffia. Deze streek lijdt al sinds mensenheugenis onder het juk van de camorrafamilies, onder een gewelddadige en meedogenloze groep burgers die in de clan zijn bloedigste en machtigste voorhoede vindt.

De Casalese-clan – die zijn naam ook aan Casal di Principe dankt – is een federatie die in een onafhankelijk verbond alle camorrafamilies uit de provincie Caserta met elkaar verbindt: van Castelvolturno, Villa Literno, Gricignano, San Tammaro, Cesa, tot aan Villa di Briano, Mondragone, Carinola, Marcianise, San Nicola la Strada, Calvi Risorta, Lusciano en nog tientallen andere dorpen. Allemaal met hun eigen capozona, eenieder verweven met het net van de familie Casalese.

De stamvader van de familie Casalese, Antonio Bardellino, was de eerste in Italië die begreep dat cocaïne op den duur de plaats van heroïne zou innemen. Desondanks bleef heroïne voor de Cosa Nostra en veel families van de camorra de belangrijkste handelswaar. Heroïneverslaafden werden als wandelende bankkluizen gezien, terwijl coke in de jaren tachtig de naam had een elitedrug te zijn. Maar Antonio Bardellino zag in dat er een grote markt was voor een drug die niet in korte tijd kan doden, die als een voorafje zou kunnen dienen voor de gewone burger, in plaats van gif voor de paria's. Daarom richtte hij een import-exportbedrijf op dat vismeel haalde uit Zuid-Amerika en dat importeerde naar Aversa. Vismeel waarin tonnen cocaïne verborgen zaten.

De heroïne waar Bardellino in deed, leverde hij ook aan Amerika, via John Gotti. Hij verstopte de drug in de filters van espressoapparaten. Op een keer onderschepte de Amerikaanse narcoticabrigade 67 kilo heroïne, maar de boss uit San Cipriano d'Aversa liet zich hierdoor niet uit het veld slaan. Hij liet een paar dagen later naar Gotti bellen. 'We sturen nu het dubbele maar op een andere manier.'

De clan die weerstand wist te bieden aan Cutolo is afkomstig uit het landbouwgebied rond Aversa. De barbaarsheid van die oorlog zit nog steeds in het DNA van de clans uit Caserta. In de jaren tachtig werden de families van Cutolo door een gering aantal zeer gewelddadige militaire operaties uitgeroeid. De familie Di Matteo, vier mannen en vier vrouwen, werd in een paar dagen tijd vermoord. De Casalezen lieten alleen een jongetje van acht in leven. Alle zeven leden van de familie Simeone werden vermoord, bijna allemaal tegelijkertijd. 's Ochtends was de familie nog in leven, gezond en wel, maar nog diezelfde avond waren ze allemaal dood. Uitgeroeid. Op een heuvel bij Ponte Annicchino – in maart 1982 – zetten de Casalezen een machinegeweer op statief, zo één die in loopgraven wordt gebruikt, en maaiden ze vier aanhangers van Cutolo neer.

Antonio Bardellino had banden met de Cosa Nostra, hij kende Tano Badalamenti en was een partner in crime en vriend van Tommaso Buscetta met wie hij in Zuid-Amerika in een villa had gewoond. Toen de Corleonezen de vloer aanveegden met de macht van Badalamenti-Buscetta, probeerden ze ook Bardellino uit te schakelen, maar tevergeefs.

In de eerste fase van de opkomst van de Nuova Camorra Organizzata, trachtten de Sicilianen ook Raffaele Cutolo uit de weg te ruimen. Ze stuurden een killer, Mimmo Bruno, met een veerboot uit Palermo, maar die werd al gedood toen hij amper een voet buiten de haven had gezet. De Cosa Nostra heeft de Casalezen altijd een soort respect en nederigheid betoond, maar toen die in 2002 Raffaele Lubrano vermoordden – een boss uit Pignataro Maggiore vlak bij Capua, en lid van de Cosa Nostra, 'gemaakt' door Totò Riina in eigen persoon – werd alom gevreesd dat er een vete zou losbarsten.

Ik weet nog hoe een krantenverkoper die de plaatselijke krant verkocht de dag na de aanslag angstig en met samengeknepen lippen tegen een klant mompelde: 'Als ze nu ook al met de Sicilianen gaan knokken, zijn we drie jaar verder eer het weer vrede is.'

'Welke Sicilianen? De maffiosi?'

'Ja, de maffiosi.'

'Die moeten op hun knieën voor de Casalezen en slikken. Dat is wat ze moeten doen, alles slikken en punt uit.'

Een van de verklaringen over de Siciliaanse maffiosi waar ik het meest door van de kaart was, kwam van Carmine Schiavone, spijtoptant van de Casalese-clan, in een interview uit 2005. Hij sprak over de Cosa Nostra als over een organisatie die slaaf van de politici was, die het ontbrak aan een zakelijke benadering, iets wat de camorristen uit Caserta wel hadden. In de ogen van Schiavone wilde de maffia zich als tegen de staat profileren, en dat was een ondernemer onwaardig. Het paradigma staat tegenover antistaat bestaat niet. Alleen een territorium waarin zaken worden gedaan, met, via of zonder de staat:

> Wij leefden met de staat. Voor ons moest de staat blijven bestaan en blijven zoals hij was, alleen hielden wij er een andere filosofie op na dan de Sicilianen. Terwijl Riina helemaal van een eiland kwam, uit de bergen, en gewoon een ouwe schaapherder was, waren wij een stuk verder, wij wil-

den samenleven met de staat. Als iemand van de staat ons belemmerde, vonden we wel weer iemand anders die ons wilde helpen. Als het een politicus was stemden we niet op hem en als het iemand van een instantie was, vonden we altijd wel een manier om die om de tuin te leiden.

Carmine Schiavone, neef van boss Sandokan, was de eerste die de zaken van de Casalezen aan het daglicht bracht. Toen hij ervoor koos om samen te werken met justitie velde zijn dochter Giuseppina een afschuwelijk oordeel over hem, misschien nog wel fataler dan een doodvonnis. Ze stuurde woeste woorden naar een aantal kranten. 'Hij is een grote oplichter, een leugenaar, een schurk en een hypocriet die zijn mislukkingen heeft verpatst. Een beest. Hij is nooit mijn vader geweest. Ik weet niet eens wat de camorra is.'

Ondernemers, zo omschrijven de camorristen uit Caserta zichzelf, niets meer en niets minder. Een clan die bestaat uit gewelddadige zakenlieden, moordlustige managers, bouwvakkers en grondbezitters. Ieder met zijn eigen gewapende bende, verenigd in een consortium met belangen in alle economische sectoren. De kracht van het Casalese-kartel heeft altijd gezeten in het feit dat ze grote partijen konden verhandelen zonder dat ze genoodzaakt waren een interne markt te bedienen. Rome is voor hen de dealersplek bij uitstek, maar van nog groter belang is hun bemiddelingspositie geworden in de handel in bulkpartijen. De aktes uit 2006 van de Antimaffiadienst melden dat de Casalezen drugs leverden aan de Palermitaanse families.

De samenwerking met de Nigeriaanse en Albanese clans heeft hun de kans gegeven zich los te maken van de rechtstreekse betrokkenheid bij het dealen en de traffic. De verdragen met de Nigeriaanse clans uit Lagos en Benin, de samenwerking met de maffiafamilies uit Pristina en Tirana, de overeenkomsten met de Oekraïense maffiosi uit Leopoli en Kiev hebben de Casalese-clans verlost van hun criminele activiteiten op het laagste niveau. Tegelijkertijd kregen de Casalezen een voorkeursbehandeling bij de investeringen die ze in de Oost-Europese landen deden en bij de aanschaf van coke via de internationale handelaren die opereerden vanuit Nigeria.

De nieuwe leiders, de nieuwe oorlogen, alles was veroorzaakt door de explosieve groei van de Bardellino-clan, de basis van de ondernemersmacht van de camorra in deze streek. Antonio Bardellino had zich met een nieuwe familie in Santo Domingo gevestigd nadat hij op alle mogelijke legale en illegale economische vlakken, van de drugshandel tot de bouw, totale heerschappij had bereikt. Hij had zijn Zuid-Amerikaanse zonen dezelfde namen gegeven als zijn zonen uit San Cipriano, een eenvoudige en makkelijke manier waardoor mensen direct zouden weten met wie ze te maken hadden.

Zijn trouwste mannen hadden binnen het territorium de touwtjes van de clan in handen. Ze waren ongedeerd uit de oorlog met Cutolo gekomen, hadden bedrijven opgezet en gezag verworven, zaten overal, in Noord-Italië en in het buitenland. Mario Iovine, Vincenzo De Falco, Francesco 'Sandokan' Schiavone, Francesco 'Cicciotto di Mezzanotte' Bidognetti en Vincenzo Zagaria waren de capi van de confederatie uit Casale. In het begin van de jaren tachtig waren Cicciotto di Mezzanotte en Sandokan legerleiders, maar ook ondernemers die overal een belang in hadden, en die de mogelijkheid hadden laten rijpen om leiding te geven aan deze gigantische, meerkoppige confederatie.

Met Mario Iovine krijgen ze echter een boss die te nauwe banden heeft met Bardellino, een capo die niets voelt voor autonomie. Daarom voeren ze een raadselachtige maar politiek doeltreffende strategie uit. Ze zetten de meedogenloze diplomatie van de camorra in, op de enige manier die ervoor zou zorgen dat zij hun doelen konden bereiken: door een interne oorlog in het genootschap te laten uitbreken.

Zoals de spijtoptant Carmine Schiavone vertelt, zetten de twee bazen Antonio Bardellino onder druk om terug te komen naar Italië, en pushten ze hem om Mimì Iovine uit te schakelen. Mario's broer runde een meubelfabriek en had officieel niets met de activiteiten van de camorra te maken, maar volgens de twee camorrabazen had hij net iets te vaak de vertrouweling van de carabinieri gespeeld. Om de boss te overtuigen hadden ze hem verteld dat zelfs Mario bereid was zijn broer op te offeren als hierdoor de macht van de clan kon worden veiliggesteld.

Bardellino liet zich overhalen en liet Mimì, op weg naar zijn meubelfabriek, vermoorden. Direct na de hinderlaag zetten Cicciotto di Mezzanotte en Sandokan Mario Iovine onder druk om Bardellino uit te schakelen door tegen hem te zeggen dat hij het had gewaagd zijn broer zonder reden te vermoorden, op basis van een gerucht, een dubbelspel waarmee ze hen tegen elkaar konden opzetten. Ze begonnen zich te organiseren. De opvolgers van Bardellino waren het er allemaal over eens dat de capo dei capi, de man die meer dan wie ook in Campania een machtsstelsel had opgebouwd gebaseerd op misdaad en ondernemerschap, zou worden omgelegd.

De boss liet zich overhalen om van Santo Domingo naar de Braziliaanse villa te verhuizen. Ze maakten hem wijs dat Interpol hem op de hielen zat. Mario Iovine ging hem in 1988 in Brazilië opzoeken met de smoes dat ze hun zaken rond het import-exportbedrijf in vismeel/coke moesten afronden. Op een middag pakte Iovine – die zijn pistool niet bij zich bleek te hebben – een hamer en sloeg Bardellino's schedel in. Hij begroef het lichaam in een kuil op het Braziliaanse strand, waar hij overigens nooit werd teruggevonden en waardoor de legende ontstond dat Antonio Bardellino in werkelijkheid nog in leven was en ergens op een Zuid-Amerikaans eiland van zijn rijkdom zat te genieten. Nadat de operatie was uitgevoerd, belde de boss meteen met het nieuws naar Vincenzo De Falco en gaf zo het startsein voor de slachtpartij onder de mannen van Bardellino.

Paride Salzillo, neef van Bardellino en diens enige echte erfgenaam binnen het territorium, werd uitgenodigd op een top met alle leiders van het Casalese-kartel. Volgens spijtoptant Carmine Schiavone lieten ze hem aan het hoofd van de tafel plaatsnemen, als vertegenwoordiger van zijn oom. Toen greep Sandokan hem plotseling vast en begon hem te wurgen terwijl zijn neef en naamgenoot, die ook wel bekend was onder de naam Cicciarello, samen met twee andere leden – Raffaele Diana en Giuseppe Caterino – zijn armen en benen vasthield. Hij had hem met een pistoolschot of een messteek in zijn maag kunnen vermoorden, maar hij moest hem met zijn handen ombrengen, want zo worden alle oude leiders vermoord die door de nieuwe uit het zadel worden gewipt. Sinds Andrea d'Ungheria in 1345 in Aversa werd gewurgd in een complot dat was opgezet door zijn vrouw Giovanna 1 en de Napolitaanse nobelen onder leiding van Carlo di Durazzo, die aasde op de troon van Napels, was wurging in Aversa en omgeving het symbool voor troonopvolging geworden, voor de gewelddadige wisselingen van de macht. Sandokan moest aan iedereen laten zien dat hij de erfgenaam was, dat hij volgens de wetten van het geweld de nieuwe leider van de Casalezen was.

Antonio Bardellino had een ingewikkeld machtsstelsel opgezet en de ondernemerscellen die daarbinnen waren ontstaan, konden niet meer onder bedwang worden gehouden door de afdelingen die onder zijn leiding stonden. Ze waren gerijpt, ze moesten al hun macht kunnen uiten, zonder de beperkingen van de hiërarchie. Zo werd Sandokan Schiavone de leider. Hij had een bijzonder efficiënt systeem opgezet dat helemaal verweven was met zijn familie. Zijn broer Walter was coördinator van de artillerie, zijn neef Carmine runde de financiën en was verantwoordelijk voor de economische aspecten, zijn neef Francesco werd verkozen tot burgemeester van Casal di Principe en zijn andere neef, Nicola, werd ambtenaar bij Economische Zaken. Belangrijke stappen die nodig waren om naam te maken in het dorp, wat essentieel was op weg naar de top.

Sandokans macht werd in de eerste jaren van zijn heerschappij ook gevestigd dankzij zijn nauwe banden met de politiek. Vanwege een conflict met de oude christen-democraten steunden de clans uit Casal di Principe in 1992 de Partito Liberale Italiano, de liberale partij die de grootste winst uit haar geschiedenis behaalde: van een krappe één procent maakte ze, door steun van de clan, een sprong naar dertig procent. Maar alle andere vooraanstaande mannen van de clan stonden vijandig tegenover het absolute leiderschap van Sandokan, met name de De Falco's, een groep die kon rekenen op de steun van carabinieri en politieagenten, van zakelijke en politieke bondgenoten.

In 1990 vonden er verschillende vergaderingen plaats tussen de leiders uit Casal di Principe. Bij een daarvan werd ook Vincenzo De Falco, bijgenaamd 'de voortvluchtige', uitgenodigd. De bazen hadden hem willen vermoorden, maar hij kwam niet opdagen. In plaats daarvan verschenen de carabinieri die alle andere genodigden arresteerden. In 1991 werd Vincenzo De Falco vermoord, hij werd in zijn auto met kogels doorzeefd. De politie vond hem, ineengezakt met de stereo voluit en een cassettebandje van Domenico Modugno dat nog draaide. Na dit sterfgeval heerste er verdeeldheid tussen alle families van de confederatie van de Casalezen. Aan de ene kant de families die zich achter Sandokan-Iovine schaarden: Zagaria, Reccia, Bidognetti en Caterino; aan de andere kant de families die achter de De Falco's stonden: Quadrano, La Torre, Luise en Salzillo.

De familie De Falco antwoordde op de moord op 'de voortvluchtige' door Mario Iovine te vermoorden in Cascais, Portugal, in 1991. Ze doorzeefden hem met kogels terwijl hij in een telefooncel stond. Door de dood van Iovine kreeg Sandokan Schiavone vrij baan. Wat volgde waren vier jaren van oorlog, bloedbaden, vier jaren van voortdurende slachtpartijen tussen de families van Schiavone en van de De Falco's. Jaren waarin allianties sneuvelden, waarin clans van de ene kant van het front naar de andere trokken. Een echte oplossing kwam er niet, maar wel een verdeling van de territoria en van de macht.

Sandokan werd het embleem van de overwinning van zijn kartel op de andere families. Later bekeerden al zijn vijanden zich weer en werden ze zijn bondgenoten. Beton en drugshandel, racketeering, transporten, vuilverwerking, monopolie in de handel en gedwongen leveringen, zo zagen de zakelijke activiteiten van de Casalezen van Sandokan eruit. De betoncoöperaties werden een fundamenteel wapen voor de clans uit Casal di Principe.

Ieder bouwbedrijf moet beton afnemen van de coöperaties, en dit mechanisme maakte het van fundamenteel belang om alle clans in contact te brengen met alle bestaande aannemers en hen te betrekken bij alle mogelijke projecten. De prijs van het beton van de consortiums die door de clans werden gerund, zoals meerdere malen door Carmine Schiavone was verklaard, kon exponentieel laag worden gehouden, want behalve beton vervoerden de schepen van de consortiums ook wapens naar landen in het Midden-Oosten die onder embargo stonden. Dankzij deze zwarte handel konden de kosten op legaal niveau worden gedrukt.

De Casalezen verdienden geld aan iedere fase van de bouw. Ze leverden beton, runden onderaannemersbedrijven en ontvingen steekpenningen bij grote projecten. Steekpenningen werden het basisprincipe, want zonder konden hun economische en efficiënte firma's niet functioneren, geen enkele andere firma had het zonder verlies zo goedkoop kunnen redden.

De reeks zaken die door de familie Schiavone wordt gerund, komt, vertaald in geld, neer op vijf miljard euro. Het volledige financiële vermogen van alle families van het Casalese-kartel – verdeeld over vastgoed, agrarische bedrijven, aandelen, contanten, bouwbedrijven, suikerraffinaderijen, cementfabrieken, woekerhandel, drugs- en wapenhandel – loopt tegen de dertig miljard euro. De camorra uit Casal di Principe is een multifunctionele onderneming geworden; de meest solide van Campania, die in iedere business mee kan draaien. Door de hoeveelheid illegaal opgebouwd kapitaal kunnen ze vaak tegen gunstige voorwaarden over krediet beschikken waardoor hun ondernemingen de concurrentie met lage prijzen of door intimidatie het nakijken kunnen geven.

De nieuwe bourgeoisie van de camorra uit Casal di Principe heeft van afpersing een soort aanvullende service gemaakt, en van de racket een partner van de firma camorra. Een maandelijks bedrag betalen aan de clan kan betekenen dat je ze uitsluitend geld verstrekt voor hun zaken, maar tegelijkertijd kan het ook betekenen dat jij daarnaast financiële bescherming krijgt van banken, dat je vrachtwagens op tijd rijden, dat je vertegenwoordigers met respect worden behandeld. Racketeering als verplichte extra service.

Deze nieuwe opvatting van het fenomeen racketeering is aan het licht gekomen in een onderzoek van de rechtbank van Caserta uit 2004, dat resulteerde in de arrestatie van achttien mensen. Francesco Schiavone Sandokan, Michele Zagaria en de Moccia-clan waren in Campania de belangrijkste partners van Cirio en Parmalat. In heel Caserta en omgeving, in een groot deel van de provincie Napels, in heel Zuid-Lazio, in een deel van De Marken en de Abruzzen, in een deel van de provincie Lucania, had de melk die door Cirio en later door Parmalat werd gedistribueerd negentig procent van de markt veroverd. Een resultaat dat te danken was aan het hechte bondgenootschap met de camorra uit Casal di Principe en aan de steekpenningen die de bedrijven aan de clans betaalden om hun voorrangspositie te handhaven. De verschillende bedrijven die in het complot zaten, zijn allemaal terug te voeren op het Eurolatimperium, het concern dat in 1999 van Cirio, het bedrijf van Sergio Cragnotti, overging op Parmalat, de onderneming van Calisto Tanzi.

De rechters hadden besloten tot de inbeslagname van de bedrijven van drie groothandelaren en verschillende leveranciers van melk, die allemaal, volgens de beschuldiging, onder toezicht van de camorra uit Casale stonden. De melkbedrijven waren op papier eigendom van stromannen die uit naam van de Casalezen handelden. Om de positie van bevoorrechte klant te bemachtigen had eerst Cirio, en vervolgens Parmalat, rechtstreeks onderhandeld met de zwager van Michele Zagaria, al een decennium lang voortvluchtig en leider van de Casalese-clan.

De voorkeursbehandeling was in de eerste plaats bereikt door economische tactieken. De merken Cirio en Parmalat gaven hun distributeurs naast een speciale korting – variërend van vier tot zesenhalf procent in plaats van de gebruikelijke korting die rond de drie procent schommelt – allerlei bonussen. Zo konden ook de supermarkten en detailhandelaren flinke kortingen op hun prijzen geven en bereikten de Casalezen op deze manier een wijdverbreide erkenning van hun leidende handelspositie. Wanneer vervolgens de vreedzame overtuiging of het gezamenlijke belang uitbleven, ging men over op geweld: bedreigingen, afpersing, sabotage van vrachtwagens die de handelswaar vervoerden. Ze beukten de chauffeurs in elkaar, pleegden overvallen op de trucks van concurrerende bedrijven, staken opslagplaatsen in brand. Een klimaat van algehele angst, zodat het in de wijken die onder toezicht van de clans stonden niet alleen onmogelijk werd om melk te leveren, maar ook om iemand te vinden die bereid was andere merken te verkopen dan de merken die door de Casalezen werden opgelegd. Uiteindelijk werden de consumenten er de dupe van: want waar sprake is van een monopolie en een gestagneerde markt, rijzen de prijzen wegens gebrek aan concurrentie de pan uit.

De grote deal tussen de landelijke melkbedrijven en de camorra kwam in de herfst van 2000 aan het licht, toen een partner van de Casalezen, Cuono Lettiero, was gaan samenwerken met justitie en vertelde over de commerciële belangen die de clans in de bedrijven hadden. De zekerheid van een constante verkoop was de meest directe manier om automatisch garanties te hebben bij de banken, het was de droom van iedere onderneming. In een dergelijke situatie waren Cirio en Parmalat officieel de 'klagende partijen' ofwel de slachtoffers van afpersing, maar de onderzoekers zijn er zeker van dat het zakenklimaat relatief ontspannen was en dat beide partijen, de landelijke ondernemingen en de plaatselijke camorristen, naar wederzijdse tevredenheid handelden.

Nooit hebben Cirio en Parmalat gemeld dat zij gebukt gingen onder de bevelen van de clans, zelfs niet toen in 1998 een medewerker van Cirio het slachtoffer was van een overval in zijn woning in de provincie Caserta, waarbij hij voor de ogen van zijn vrouw en dochter van negen op barbaarse wijze met een stok werd geslagen omdat hij niet aan de bevelen van de clan had gehoorzaamd. Geen rebellie, geen aangifte: de zekerheid van het monopolie was beter dan de onzekerheid van de markt.

Het geld dat werd gebruikt om het monopolie te handhaven en de markt in Campania te domineren, moest worden verantwoord in de boekhouding van de bedrijven. Geen enkel probleem in het land van de creatieve financiën waar het voeren van een onjuiste boekhouding niet langer een strafbaar feit is. Valse factureringen, valse sponsoring, valse eindejaarsuitkeringen over de hoeveelheden melk die waren verkocht losten ieder boekhoudkundig probleem op. Sinds 1997 blijken met dit doel niet-bestaande evenementen te zijn gefinancierd: het Feest van de Mozzarella, Muziek in de Stad, zelfs het feest van San Tammaro, beschermheilige van Villa Literno. Cirio financierde ook, als blijk van waardering voor het gedane werk, een sportvereniging die in werkelijkheid werd beheerd door de Moccia-clan, de Polisportiva Afragolese, en daarnaast een uitgebreid netwerk van clubs op het gebied van sport, muziek en recreatie: het beschaafde gezicht van de Casalezen binnen het territorium.

De macht van de clans is de afgelopen jaren enorm gegroeid en heeft zo Oost-Europa kunnen bereiken: Polen, Roemenië, Hongarije. Het was in Polen, in maart 2004, dat boss Francesco Schiavone – gedrongen postuur, snor, bijgenaamd Cicciarello, neef van Sandokan – werd gearresteerd, een van de belangrijkste figuren uit het bondgenootschap van de camorra. Hij werd gezocht voor tien moorden, drie ontvoeringen, negen pogingen tot moord en ontelbare wetsovertredingen, niet alleen voor handel in wapens maar ook voor afpersing. Hij werd gesnapt terwijl hij boodschappen aan het doen was met zijn Roemeense vriendin, Luiza Boetz, vijfentwintig jaar. Cicciarello noemde zichzelf Antonio en hij leek een eenvoudige Italiaanse ondernemer van eenenvijftig.

Zijn vriendin moet hebben geweten dat er iets niet in de haak was, want Luiza had om bij hem te zijn in Krosno, vlak bij Krakau, een kronkelige treinreis afgelegd om mogelijke speurneuzen van de politie op het verkeerde spoor te zetten. Een reis in etappes: ze hadden haar geschaduwd door drie landen en daarna per auto de achtervolging ingezet tot aan de buitenwijken van de Poolse stad.

Cicciarello hadden ze aangehouden bij de kassa van de supermarkt, hij had zijn snor afgeschoren, zijn haren ontkroesd en hij was afgevallen. Hij was naar Hongarije verhuisd maar bleef zijn vriendin in Polen opzoeken. Hij deed uitstekende zaken, bezat kwekerijen, bouwgronden en trad op als bemiddelaar voor plaatselijke ondernemers. De Italiaanse vertegenwoordiger van de SECI, het regionale centrum voor de bestrijding van grensoverschrijdende criminaliteit in Zuidoost-Europa, had bekendgemaakt dat Schiavone en zijn mannen vaak naar Roemenië gingen en dat ze belangrijke zaken hadden opgestart in de steden Barlad (oosten van het land), Sinaia (midden), Cluj (westen) en in het kustgebied langs de Zwarte Zee.

Cicciariello Schiavone had twee minnaressen: naast Luiza Boetz ook Cristina Coremanciau, eveneens Roemeense. In Casale werd het bericht over de arrestatie van de boss, 'door middel van een vrouw', naar verluidt met een hoop geginnegap ontvangen. Een plaatselijke krant opende, haast spottend, met 'Cicciariello gearresteerd in armen geliefde'. Maar eigenlijk waren de twee geliefden rasechte managers die voor hem zijn investeringen in Polen en Roemenië hadden verzorgd en zo onmisbaar waren geworden voor zijn zaken.

Cicciariello was een van de laatste camorrabazen van de familie Schiavone die werd gearresteerd. Veel vertegenwoordigers en soldaten van de clan van de Casalezen waren in de bak beland gedurende twintig jaar van macht en vetes. Het monsterproces Spartacus, vernoemd naar de rebelse gladiator die precies in dit land poogde aan te zetten tot de grootste opstand die Rome ooit had gekend, bundelde alle uitkomsten van de onderzoeken tegen het kartel van de Casalezen en al zijn vertakkingen.

Op de dag van de uitspraak ging ik naar de rechtbank van Santa Maria Capua Vetere. Ik parkeerde mijn Vespa tussen twee auto's en slaagde erin de rechtbank binnen te komen. Ik had televisie- en fotocamera's verwacht. Het waren er maar een handjevol, en alleen van de plaatselijke televisie en kranten. Er waren wel overal carabinieri en politieagenten, zo'n tweehonderd. Er vlogen twee helikopters laag over de rechtbank, je kon het geluid van de rotorbladen horen. Explosievenhonden, politiewagens. De spanning was te snijden. En toch liet de landelijke pers zich niet zien. Het grootste proces tegen een crimineel kartel wat het aantal beklaagden en geëiste straffen betreft werd door de media volledig genegeerd. Bij de experts is het Spartacus-proces bekend onder nummer 3615, het algemene registratienummer dat betrekking heeft op het onderzoek met zo'n dertienhonderd verdachten dat in 1993 werd gestart door de DDA, naar aanleiding van de verklaringen van Carmine Schiavone.

Een proces van zeven jaar en eenentwintig dagen met in totaal

626 verhoren, het meest complexe maffiaproces in Italië van de afgelopen vijftien jaar. Vijfhonderd gehoorde getuigen, boven op de vierentwintig personen die meewerkten met justitie, waarvan zes beklaagden. Er waren negentig dossiermappen vergaard met vonnissen van andere processen, documenten en transcripties van afgetapte telefoongesprekken.

Bijna een jaar na de bliksemactie van 1995 kwamen er ook afgeleide onderzoeken van Spartacus. Spartacus 2 en Regi Lagni, oftewel het herstel van de slecht functionerende afvoerkanalen die dateerden uit de achttiende eeuw en sindsdien geen behoorlijke herstructurering meer hadden ondergaan. Het herstel van Regi Lagni was jarenlang gemanipuleerd door de clans die – volgens de beschuldigingen – aanbestedingen van miljarden hadden gegenereerd die niet werden aangewend om de oude, slecht functionerende constructies op te knappen, maar die ze doorsluisden naar hun bouwbedrijven die in de jaren daarop in heel Italië succes zouden hebben.

En dan het Aima-proces, de illegale praktijken van de Casaleseclans op de beruchte 'vernietigingsplaatsen', waar de Europese gemeenschap de fruitoverschotten vernietigde en in ruil daarvoor een schadevergoeding uitkeerde aan de boeren. In de grote kraters waar het fruit in werd gedumpt, stortten de clans vuilnis, ijzer en bouwafval. Eerst lieten ze alle troep wegen alsof het fruit was en dan inden ze natuurlijk de schadevergoeding, terwijl het fruit van hun lapjes grond overal verkocht bleef worden. Er waren honderddertig verordeningen uitgevaardigd met betrekking tot inbeslagname van ondernemingen, terreinen en landbouwbedrijven, voor een gezamenlijke waarde van honderden miljoenen euro's. Ook verordeningen aan het adres van twee voetbalverenigingen: Albanova, die in de c2-divisie speelde en Casal di Principe.

Het onderzoek nam ook onder de loep in hoeverre de clan ervoor zorgde dat de onderaanbestedingen werden toegewezen aan ondernemingen die dicht bij de organisatie stonden en die altijd het beheer hadden over betonleveranties en graafwerkzaamheden.

Een ander belangrijk hoofdstuk uit het onderzoek betreft de

zwendel ten nadele van de Europese Gemeenschap, in het bijzonder ten aanzien van de onrechtmatig verkregen bijdragen in de tuinbouw en de levensmiddelensector. En daarbovenop honderden moorden, kartelvorming. Terwijl ik daar, net als iedereen, het vonnis afwachtte, bedacht ik dat het geen proces zoals zovele was, geen eenvoudig en normaal proces tegen camorrafamilies uit de zuidelijke provincies. Dit was meer een historisch proces, een soort Neurenberg van een camorrageneratie, maar met dat verschil dat veel van de camorristen die daar zaten, in tegenstelling tot de opperbevelhebbers van het Reich, het bevel bleven voeren, het middelpunt van hun imperiums bleven. Een Neurenberg zonder overwinnaars. De beklaagden in hun kooien, zwijgend. Sandokan zat in een videoconferentie vanuit de gevangenis van Viterbo. Het zou te riskant zijn om hem te verplaatsen. In de rechtszaal klonken alleen de stemmen van de advocaten: ruim twintig betrokken advocatenkantoren en meer dan vijftig advocaten en assistenten hadden bestudeerd, gevolgd, geobserveerd en verdedigd. De familieleden van de beklaagden zaten allemaal opeengepakt in een zaaltje naast de beveiligde rechtszaal en staarden naar de monitor.

Toen de voorzitter van het hof, Catello Marano, de dertig pagina's van de beschikking van het proces ter hand nam, viel er een stilte. Het zware ademhalen, het slikken van honderden kelen, het getik van honderden horloges, het geruisloze vibreren van tientallen privé-mobieltjes op de trilstand. Een nerveuze stilte, begeleid door een orkest van gespannen geluiden op de achtergrond. De voorzitter begon eerst de lijst met de veroordeelden op te lezen, vervolgens die met degenen die waren vrijgesproken. Eenentwintig keer levenslang, ruim zevenhonderdvijftig jaar gevangenisstraf. Eenentwintig keer herhaalde de voorzitter het vonnis van levenslange gevangenisstraf, en vaak herhaalde hij ook de namen van de veroordeelden. En nog eens zeventig keer las hij de jaren op dat de andere mannen, de soldaten en de managers, in de gevangenis moesten doorbrengen om de prijs voor hun verbondenheid met die gruwelijke macht van Casale te betalen.

Om half twee was het bijna afgelopen. Sandokan vroeg of hij

mocht spreken. Hij wond zich op, wilde reageren op het vonnis, zijn pleidooi kracht bij zetten en dat van zijn raadsmannen: dat hij een succesvol ondernemer was, dat een complot van afgunstige en marxistische rechters de macht van de burgerij uit Aversa en omgeving als een criminele strijdkracht beschouwde en niet als de vrucht van zakelijk en economisch talent. Hij wilde briesen dat het vonnis een onrecht was. Alle doden in de provincie Caserta moesten, volgens zijn ellenlange betoog, worden toegeschreven aan vetes die te wijten waren aan de boerencultuur van de plek en niet aan camorraconflicten. Maar Sandokan kreeg dit keer geen toestemming om te spreken. Hij werd als een rumoerig schooljongetje tot zwijgen gemaand. Hij begon te razen en de rechters lieten het geluid uitschakelen. Wat we nog zagen was een beer van een vent die wild tekeerging totdat ook het beeld uitging.

De rechtszaal liep meteen leeg, de politieagenten en carabinieri gingen langzaamaan weg terwijl de helikopter boven de bunker bleef rondcirkelen. Het mag vreemd klinken, maar ik had niet het gevoel dat de clan van de Casalezen verslagen was. Veel mannen waren voor een paar jaar in de bak gegooid, een paar bazen zouden hun hele leven niet meer uit de gevangenis komen, een paar zouden misschien in de loop der tijd besluiten om spijtoptant te worden om zo weer enigszins iets van een bestaan aan de andere kant van de tralies te leiden. De woede van Sandokan moest de verstikkende woede zijn van een machtig man die in zijn hoofd de volledige plattegrond van zijn imperium heeft, maar daar niet rechtstreeks over kan heersen.

De bazen die besluiten om geen spijtoptant te worden, leven van een metafysische, haast denkbeeldige macht en moeten er alles aan doen om de ondernemers te vergeten die zij zelf hebben ondersteund en gelanceerd en die, omdat ze geen lid waren van de clan, erin slaagden de dans te ontspringen. De bazen zouden, als ze daar zin in hadden, ook hen in de bak kunnen laten belanden, maar dan zouden ze spijtoptant moeten worden, en dat zou indirect hun opperste autoriteit aantasten en al hun familieleden in gevaar brengen. Wat dan nog tragischer is voor een boss is dat hij er maar al te vaak niet in zou slagen om de trajecten die zijn geld, zijn legale investeringen afleggen, in kaart te brengen. Ook al zouden ze bekennen, hun macht onthullen, dan nog zouden ze nooit precies weten waar hun geld was gebleven.

De bazen moeten altijd boeten, ze kunnen onmogelijk niet boeten. Ze moorden, ze runnen militaire eenheden, ze zijn de eerste schakel in het bemachtigen van onwettig kapitaal en hierdoor zullen hun misdaden altijd in het oog springen en niet onzichtbaar zijn, zoals de economische misdrijven van hun witte boorden.

Overigens hebben de bazen niet het eeuwige leven. Cutolo maakt plaats voor Bardellino, Bardellino voor Sandokan, Sandokan voor Zagaria, La Monica voor Di Lauro, Di Lauro voor de Spanjaarden en zij weer voor Joost mag weten wie nog meer. De economische macht van het Systeem zit hem in de voortdurende wisseling van de leiders en het criminele beleid. De dictatuur van een man in de clans is altijd maar van korte duur, als de heerschappij van een boss lang zou duren, zou hij de prijzen flink opdrijven, zou hij de markten gaan monopoliseren waardoor er geen rek meer in zou zitten, zou hij altijd in dezelfde sectoren investeren en geen nieuwe markten meer verkennen. Hij zou geen toegevoegde waarde meer zijn voor de criminele economie, maar juist een obstakel vormen voor de business. En daarom staan er kort nadat een boss de macht heeft bereikt, nieuwe figuren op die bereid zijn om diens plaats in te nemen met het verlangen te groeien, als dwergen op de schouders van de reuzen die zijzelf hebben meegeholpen te creëren. Dat zei een van de meest oplettende observatoren van de machtsdynamieken, de journalist Riccardo Orioles, altijd: 'De misdaad is niet de macht, maar een van de machten.'

Er zal nooit een boss komen die zitting wil nemen in de regering. Als de camorra alle macht vertegenwoordigde, zou hun business, die onmisbaar blijkt in de wisselwerking tussen het legale en illegale terrein van de economie, niet bestaan. In die zin lijkt iedere arrestatie, ieder monsterproces eerder een manier om de capi elkaar te laten afwisselen, om de fases te verstoren, dan een actie die een heel stelsel omver kan werpen.

De gezichten die de volgende dag op een rijtje in de kranten stonden, zij aan zij, de gezichten van de camorrabazen, van de soldaten, van de jongste leden en van de oude schoften, vertegenwoordigden geen serie uit de hel van misdadigers, maar scherfjes uit een mozaïek van macht dat niemand twintig jaar lang had kunnen negeren noch trotseren. Na het 'Spartacus-vonnis', begonnen de bazen vanuit de gevangenis bedekte en minder bedekte dreigementen te uiten tegen de rechters, de onderzoeksrechters, de journalisten, tegen al diegenen die zij verantwoordelijk achtten voor het veranderen van een handjevol beton- en buffelboeren in koelbloedige killers in de ogen van de wet.

Senator Lorenzo Diana was ook vanuit de gevangenis het bevoorrechte doelwit van hun haat, met brieven aan plaatselijke kranten, met expliciete dreigementen die geuit werden tijdens de processen. Direct na het Spartacus-vonnis waren een paar lui de forelkwekerij van de broer van de senator binnengedrongen, waar ze de vissen uit het bassin hadden gegooid en ze langzaam hadden laten sterven, spartelend op de grond, gestikt door de lucht. Enkele spijtoptanten hadden zelfs gerapporteerd dat er aanslagen werden voorbereid tegen de senator door haviken van de organisatie, operaties die vervolgens werden tegengehouden door de bemiddeling van de diplomatiekste afdelingen binnen de clan. Ook het escorte had hen ervan weerhouden. De clans laten zich nooit afschrikken door gewapende escortes, ze zijn niet bang voor gepantserde wagens en politieagenten, maar het is een teken, het teken dat die man die zij willen uitschakelen niet alleen is, ze kunnen hem niet zo makkelijk dumpen als iemand wiens dood alleen maar de naaste familie aangaat.

Lorenzo Diana is een van die politici die heeft besloten dat hij de complexiteit van de Casalese macht wil laten zien en niet zomaar wat criminelen wil aangeven. Hij is in San Cipriano d'Aversa geboren, heeft in zijn leven van dichtbij meegemaakt hoe Bardellino en Sandokan aan de macht kwamen, hij heeft de vetes gezien, de bloedbaden, de handel. Als geen ander kan hij over hun macht vertellen, en de clans vrezen zijn kennis en zijn geheugen. Ze vrezen dat van het ene op het andere moment de aandacht van de landelijke media voor de Casalese macht kan ontwaken, ze vrezen dat de senator via de Anti-maffiacommissie bekend kan maken wat de pers alweer is vergeten, en afdoet als kleine criminaliteit. Lorenzo Diana is een van die zeldzame mannen die weten dat het bestrijden van de macht van de camorra engelengeduld vereist, het soort geduld waardoor je steeds weer opnieuw begint, van voren af aan, een voor een de draden van de economische kluwen afwikkelt en zo uitkomt bij de criminele leider. Langzaam maar met volharding, met verbetenheid, ook wanneer alle aandacht verdwijnt, ook wanneer alles echt nutteloos lijkt en oplost in een gedaanteverwisseling waarbij de ene criminele macht de andere opvolgt, zonder dat je ze ooit kunt verslaan.

Nu het proces ten einde was, kon er tussen de Bidognetti's en de Schiavone's een openlijk conflict losbarsten. Jarenlang hadden ze via verschillende clans hun bondgenoten getroffen maar uiteindelijk wogen hun gezamenlijke belangen zwaarder dan hun onderlinge geschillen. De Bidognetti's beschikken over zwaar geschut, hun territorium beslaat het noorden van de provincie Caserta, een domein dat zich uitstrekt tot aan de kust van Domizio. In Castelvolturno hadden ze meedogenloos een barman levend in brand gestoken, Francesco Salvo, eigenaar van de bar waar hij werkte, de Tropicana. Gestraft omdat hij de gokkasten van de Bidognetti's had durven vervangen door de automaten van een rivaliserende clan.

De Mezzanottes waren gekomen met een fosforbom die ze naar de auto van Gabriele Spenuso gooiden terwijl hij over de snelweg tussen Nola en Villa Literno reed. Domenico Bidognetti had in 2001 opdracht gegeven tot de liquidatie van Antonio Magliulo, die het als getrouwd man had gewaagd een meisje, de nicht van een boss, avances te maken. Ze hadden hem op een stoel vastgebonden, op een strand, en met zijn gezicht naar de zee waren ze begonnen zijn mond en neusgaten vol met zand te stoppen. Om te kunnen ademen slikte Magliulo zand in en spuugde het weer uit en probeerde hij het uit zijn neus te blazen. Hij gaf over, kauwde, schudde zijn hoofd, tot het zand met zijn speeksel een soort primitief cement werd, een plakkerige materie waarin hij langzaam stikte.

De barbaarsheid van de Mezzanottes was recht evenredig aan hun macht als ondernemers. De Bidognetti's, die in het vuilniscircuit zaten, hadden – volgens verschillende onderzoeken van de DDA van Napels tussen 1993 en 2006 – de banden met de vrijmetselarij, een zijtak van de P2-loge, aangehaald. Ze verwerkten op illegale wijze, en tegen zeer gunstige prijzen, het chemisch afval van de ondernemers die connecties hadden met de loge. Een neef van Cicciotto Mezzanotte, Gaetano Cerci, gearresteerd in het kader van operatie Adelphi en de onderzoeken naar de ecomaffia, was de schakel tussen de camorra uit Casale en een aantal vrijmetselaars, en zakelijk gezien had hij vaak rechtstreeks contact met Licio Gelli. Een zaak die de onderzoeksleiders hebben weten te ontdekken in de boeken van een enkele betrokken onderneming en die is vastgesteld op ruim 35 miljoen euro.

De twee bazen, Bidognetti en Schiavone, beiden in de gevangenis, beiden veroordeeld tot levenslang, hadden kunnen proberen elkaars veroordeling uit te buiten om hun eigen mannen op te hitsen en te proberen de rivaliserende clan uit te schakelen. Er was een moment waarop alles op één groot conflict leek uit te lopen, zo'n conflict waarbij iedere dag bosjes doden vallen.

In de lente van 2005 was de jongste zoon van Sandokan naar een feestje in Parete gegaan, in het territorium van de Bidognetti's, en daar was hij begonnen – blijkens de onderzoeken – een meisje te versieren, ondanks dat ze daar met iemand was. De telg van de familie Schiavone was zonder escorte en hij geloofde dat het feit dat hij de zoon van Sandokan was hem immuun maakte voor iedere soort agressie. Maar dat liep anders. Een groepje mensen sleurde hem het huis uit en sloeg, stompte en schopte hem van onder tot boven bont en blauw. Na deze afranseling moest hij in allerijl naar het ziekenhuis om daar zijn hoofd te laten hechten.

De volgende dag verscheen een vijftiental mensen op motors en in auto's voor bar Penelope, waar normaal gesproken de jongens die de telg hadden afgerost uithingen. Ze liepen naar binnen met honkbalknuppels en sloegen alles aan diggelen, iedereen die binnen zat werd tot bloedens toe in elkaar geramd, maar ze slaagden er niet in de jongens te vinden die verantwoordelijk waren voor de belediging aan het adres van Schiavone, die hadden hoogstwaarschijnlijk weten te ontsnappen, misschien via een andere uitgang van de bar. En dus was de knokploeg ze op straat achternagegaan en had een tiental schoten gelost, tussen de mensen, midden op straat, waarbij ze een voorbijganger in de onderbuik raakten.

In antwoord daarop kwamen er de volgende dag drie motoren voorrijden bij café Matteotti in Casal di Principe, waar vaak de jongste leden van de Schiavone-clan zaten. De motorrijders stapten langzaam af, om voorbijgangers de tijd te geven om weg te rennen, en toen begonnen ook zij alles kort en klein te slaan. Er werden vuistslagen gerapporteerd en meer dan zestien messteken. Er hing een drukkende sfeer, een nieuwe oorlog kon beginnen.

Een onverwachte onthulling van een spijtoptant, Luigi Diana, voerde de spanning nog verder op. Hij had, volgens een plaatselijke krant, verklaard dat Bidognetti verantwoordelijk was voor de eerste arrestatie van Schiavone, hij was degene die had samengewerkt met de carabinieri en had onthuld dat de voortvluchtige boss in Frankrijk zat. De artillerie bereidde zich voor en de carabinieri stonden gereed om de lijken van het bloedbad op te ruimen. Dit alles werd door Sandokan zelf tegengehouden, met een openlijk gebaar. Ondanks het strenge gevangenisregime lukte het hem om een open brief naar een plaatselijk dagblad te sturen die op 21 september 2005 meteen op de voorpagina verscheen. De boss loste als een succesvolle manager het conflict op door te ontkennen wat de spijtoptant, van wie hij overigens enkele uren na diens bekentenis een familielid had vermoord, had gezegd.

'Wat betreft degene die mij heeft verlinkt en mijn arrestatie in Frankrijk op zijn geweten heeft, zoals aan de hand van bewijzen is vastgesteld: de tip was afkomstig van Carmine Schiavone, en niet van Cicciotto Bidognetti. De waarheid is dat de persoon in kwestie die luistert naar de naam van spijtoptant Luigi Diana, onwaarheden verkondigt en uit eigenbelang tweedracht wil zaaien.'

Bovendien 'adviseerde' hij de directeur van de krant om het nieuws te vertellen zoals het is. 'Ik verzoek u om uzelf niet te laten gebruiken door deze verklikker die zeer, maar dan ook zeer corrupt is en om niet de fout te maken uw serieuze dagblad te veranderen in een roddelkrant, want daardoor zou het onvermijdelijk aan geloofwaardigheid inboeten, zoals een van uw concurrenten overkwam waar ik niet langer op ben geabonneerd, net als straks velen met mij, omdat ze geen krant willen kopen die verworden is tot een marionet.'

Met de brief zet Sandokan de krant die concurreert met het dagblad waar hij zijn brief aan richt buitenspel en bombardeert de andere krant officieel tot zijn nieuwe gesprekspartner.

'Ik bekritiseer niet eens het feit dat uw concurrent er een gewoonte van heeft gemaakt onwaarheden op te schrijven. Ondergetekende is als het water van een bron: glashelder!'

Sandokan spoorde zijn mannen aan om de nieuwe krant en niet langer de oude te kopen; uit tientallen gevangenissen in heel Italië kwamen aanvragen voor abonnementen op de nieuwe krant die door de boss was verkozen en opzeggingen voor de bekritiseerde krant.

De boss wijdde de afsluiting van zijn vredesbrief aan Bidognetti met de volgende woorden: 'Het leven geeft je altijd zoveel als je kunt dragen. Aan die zogeheten spijtoptanten heeft het leven modder gegeven. Net als aan de varkens!'

Het kartel van de Casalezen was niet verslagen. Het was er zelfs sterker door geworden. Volgens de onderzoeken van de Antimaffiadienst van Napels wordt het kartel momenteel geregeerd door Antonio Iovine, bijgenaamd ''o ninno', de zuigeling, omdat hij de top van de clan bereikte toen hij nog maar een jong ventje was, en Michele Zagaria, de boss en manager van Casapesenna, bijgenaamd 'capastorta' oftewel 'scheve kop' omdat hij zo'n onregelmatig gezicht heeft, maar die zich naar het schijnt tegenwoordig 'Manera' laat noemen. Beide bazen zijn al jaren voortvluchtig en staan op de lijst van het ministerie van Binnenlandse Zaken tussen de gevaarlijkste Italiaanse voortvluchtigen. Onvindbaar maar ongetwijfeld altijd in hun dorp aanwezig. Geen enkele boss kan voor al te lange tijd zijn eigen roots in de steek laten omdat daarmee juist al hun macht staat of valt.

Een stuk of wat kilometers, piepkleine dorpjes, smalle steegjes en boerderijen verspreid over het platteland, en toch zijn ze onmogelijk in hun kraag te grijpen. Ze zijn in het dorp. Ze begeven zich op internationale routes maar keren altijd terug naar het dorp, het grootste deel van het jaar zitten ze in het dorp. Dat weet iedereen. En toch krijgen ze hen niet te pakken. De dekmantel zit zo efficiënt in elkaar dat iedere arrestatie wordt belemmerd. Hun villa's worden doorlopend bewoond door familieleden en gezinnen. Die van Antonio Iovine in San Cipriano lijkt op een huis in Liberty-stijl, terwijl de villa van Michele Zagaria echt een heel complex is tussen San Cipriano en Casapesenna, een huis dat in plaats van een dak een glazen koepel heeft zodat het licht naar binnen valt en de groei kan bespoedigen van een gigantische boom die midden in de salon prijkt.

De familie Zagaria bezit tientallen filialen in heel Italië en is – volgens de onderzoeksrechters van de DDA van Napels – de grootste Italiaanse onderneming op het gebied van graafwerkzaamheden. Absoluut de machtigste. Een economische suprematie die niet rechtstreeks voortvloeit uit misdadige activiteiten, maar uit het talent om een balans te vinden tussen rechtmatige en onrechtmatige kapitalen.

Deze firma's slagen erin zichzelf op een uiterst competitieve manier te promoten. Ze hebben heuse criminele kolonies in Emilia, Toscane, Umbrië en Veneto, waar accountantsverklaringen en antimaffiacontroles nog minder voorstellen, en hele bedrijfstakken eenvoudig kunnen worden verhuisd.

Eerst dwongen de Casalezen de ondernemers in het noorden van Campania om pizzo, protectiegeld, te betalen, nu runnen ze de markt rechtstreeks. In de provincies Modena en Arezzo hebben de Casalezen het merendeel van de bouwbedrijven in handen en ze nemen voornamelijk arbeidskrachten uit de provincie Caserta met zich mee.

De lopende onderzoeken laten zien dat de bouwbedrijven die connecties hebben met de Casalezen zich in het noorden bij de bouw van de hogesnelheidslijn naar binnen hebben gewerkt, na eerst hetzelfde te hebben gedaan in het zuiden. Een onderzoek uit juli 1995 onder leiding van rechter Franco Imposimato toont aan dat de grote ondernemingen die de opdracht voor de hogesnelheidslijn, de TAV tussen Napels en Rome, in de wacht hadden gesleept, de werken hadden uitbesteed aan Edilsud, gelieerd aan niemand minder dan Michele Zagaria, maar ook aan tientallen andere bedrijven die waren verbonden aan het kartel van de Casalezen. De hogesnelheidslijn Napels-Rome was een deal die rond de tienduizend miljard lire (ruim vijf miljard euro) had opgeleverd.

De onderzoeken toonden aan dat de Zagaria-clan al overeenkomsten had gesloten met de leden van de 'ndrangheta uit Calabrië, zodat die met hun eigen bedrijven mee zouden kunnen doen aan de aanbestedingen, mochten de hogesnelheidslijnen ook Reggio Calabria bereiken. Ze waren er klaar voor, de Casalezen, en zijn dat tot op de dag van vandaag. De ruggengraat van het Casalese bondgenootschap van Casapesenna is erin geslaagd – volgens de onderzoeken van de Antimaffiadienst van Napels van de afgelopen jaren – om binnen te dringen in een hele reeks publieke werken in Midden- en Noord-Italië, en zo na de aardbeving van 1997 mee te werken aan de wederopbouw van Umbrië. De firma's van de camorra uit Aversa en omstreken kunnen iedere grote aanbesteding en ieder bouwterrein in iedere fase controleren. Ze verhuren machines, doen in graafwerkzaamheden, bouwtransporten, bouwmaterialen en arbeidskrachten.

De firma's uit Aversa en omgeving staan klaar om ertussen te springen: ze zijn goed georganiseerd, goedkoop, vlot en efficiënt. In Casal di Principe zitten officieel 517 bouwbedrijven. Een hoop daarvan stammen rechtstreeks van de clans af, honderden andere zitten verspreid over de dorpen in het landbouwgebied rond Aversa, een heel leger dat er klaar voor is om alles in beton te veranderen.

De clans lijken de ontwikkeling van hun territorium niet te hebben tegengehouden, maar hebben juist flinke winst kunnen wegsluizen naar de bank. Op een lapje grond van luttele kilometers zijn in de afgelopen vijf jaar heuse commerciële monumenten van beton opgetrokken: een van de grootste bioscopen van Italië met meerdere zalen in Marcianise, het grootste winkelcentrum van Zuid-Italië in Teverola, het grootste winkelcentrum van Europa, eveneens in Marcianise, alles in een regio met torenhoge werkloosheidscijfers en met een voortdurende uitstroom van emigranten. Enorme commerciële agglomeraten die in plaats van *non-lieux* – zoals de antropoloog Marc Augé ze zou hebben genoemd – eerder halve plekken leken. Supermarkten waar alles wat je maar kunt kopen en consumeren, ervoor moet zorgen dat het contante geld de kapitalen en het geld witwast die anders op geen enkele manier verantwoord zouden kunnen worden. Plaatsen waar het geld een legale start maakt, zijn officiële doop krijgt. Hoe meer winkelcentra er worden gebouwd, hoe meer bouwterreinen er uit de grond schieten, hoe meer handelswaar er komt, hoe meer leveranciers er werken, hoe meer transporten er plaatsvinden, en dus des te sneller het geld zijn weg zal vinden over de kartelige grenzen van de illegale naar de legale sectoren.

De clans hebben van de structurele ontwikkeling van de provincie geprofiteerd en staan klaar om te delen in de buit. Met spanning wachten ze op de aanvang van de grote bouwprojecten in hun territorium: de metro van Aversa en het vliegveld van Grazzanise, dat een van de grootste van Europa moet worden, op een steenworp afstand van de landbouwbedrijven die van Cicciariello en van Sandokan waren.

De Casalezen hebben de provincie bezaaid met hun bezittingen. Alleen al de door de DDA van Napels in beslag genomen onroerende goederen van de laatste paar jaar komen op 750 miljoen euro. De lijsten zijn schrikbarend. Tijdens de voorbereidingen van het Spartacus-proces hadden ze 199 gebouwen, tweeënvijftig terreinen, veertien vennootschappen, twaalf wagens en drie vaartuigen in beslag genomen. Door de jaren heen was van Schiavone en zijn erfgenamen, tijdens een proces in 1996, voor 450 miljard aan bezittingen in beslag genomen: bedrijven, villaatjes, stukken grond, gebouwen en snelle wagens (waaronder de Jaguar waarin ze Sandokan aantroffen ten tijde van de eerste arrestatie). Inbeslagnames die ieder willekeurig bedrijf te gronde zouden hebben gericht, verliezen die iedere andere ondernemer zouden hebben geruïneerd, financiële klappen die ieder ander concern zouden hebben doen verzuipen. Ieder ander, maar niet het kartel van de Casalezen. Telkens als ik las over de inbeslagname van onroerende goederen, telkens als ik de lijsten onder ogen kreeg met bezittingen van de bazen waar de DDA beslag op had gelegd, bekroop mij een gevoel van moedeloosheid en vermoeidheid; waar ik ook keek, het leek alsof alles van hen was. Alles. Grond, buffelkoeien, landbouwbedrijven, steengroeven, garages en kaasfabrieken, hotels en restaurants. Een soort almachtige camorra, wat ik ook zag, alles was hun eigendom.

Er was een ondernemer die meer dan wie ook deze totale macht, die je heer en meester over alle dingen maakt, had gekend: Dante Passarelli uit Casal di Principe. Hij werd jaren geleden gearresteerd wegens deelname aan de camorra, hij werd ervan beschuldigd de kassier van de Casalese-clan te zijn. De openbare aanklager eiste acht jaar gevangenisstraf wegens artikel 416 B. Hij was niet zomaar een van de vele ondernemers die samen met of door middel van de clans zaken deden. Passarelli was dé ondernemer, de absolute nummer één, de betrouwbaarste, altijd en overal aanwezig. Hij was de voormalige eigenaar van een delicatessenzaak en had een uitstekende neus voor zaken, en meer had hij – volgens de beschuldigingen – niet nodig gehad, aangezien hij werd verkozen tot investeerder van een deel van het kapitaal van de clan. Hij werd grossier en vervolgens industrieel. Hij deed in pasta maar ook in bouwprojecten, zat in de suiker, de catering en uiteindelijk zelfs in het voetbal.

Volgens een schatting van de DIA, het overheidsorgaan belast met de bestrijding van de georganiseerde misdaad, bedroeg het vermogen van Dante Passarelli tussen de drie- en vierhonderd miljoen euro. Een groot deel van die rijkdom was het resultaat van aandelen en aanzienlijke marktquota in de tuinbouw en de levensmiddelensector. IPAM, een van de grootste Italiaanse suikerfabrieken, was van hem. Hij was marktleider in de maaltijdendistributie met zijn firma Passarelli Dante en Zonen, die als beste uit de bus was gekomen bij de aanbesteding voor de ziekenhuiskeukens van Santa Maria Capua Vetere, Capua en Sessa Aurunca; hij was de eigenaar van honderden appartementen, winkelcentra en industrieterreinen.

Ten tijde van zijn arrestatie, op 5 december 1995, werd er op de volgende bezittingen beslag gelegd: negen panden in Villa Literno, een appartement in Santa Maria Capua Vetere, nog een in Pinetamare, een pand in Casal di Principe. En verder terreinen in Castelvolturno, in Casal di Principe, in Villa Literno, in Cancello Arnone, het agrarisch concern La Balzana in Santa Maria la Fossa, bestaande uit 209 hectare grond en vierhonderd landbouwbedrijven. En dan nog zijn pronkstuk: Anfra III, een super-de-luxe jacht met tientallen kamers, een parketvloer en een bubbelbad aan boord, gestald in Gallipoli. Met de Anfra III hadden Sandokan en zijn vrouw een cruise langs de Griekse eilanden gemaakt.

De onderzoeken vorderden en de bezittingen werden geleidelijk verbeurd verklaard toen Dante Passarelli in november 2004 dood werd aangetroffen, van het balkon van een van zijn huizen gevallen. Zijn vrouw vond het lichaam. Zijn schedel was gebarsten, zijn ruggengraat verbrijzeld. De onderzoeken lopen nog steeds. Men weet nog altijd niet of het een ongeluk was of dat de anonieme hand van een goede bekende de ondernemer van het balkon in aanbouw heeft laten vallen. Met zijn dood zijn alle bezittingen, die ter beschikking van de staat hadden moeten worden gesteld, teruggegaan naar zijn familie.

Passarelli's lot was dat van een handelaar die dankzij zijn ondernemerstalent kapitaal in handen had gekregen waar hij anders nooit over had kunnen beschikken, en die dat op een voortreffelijke manier heeft laten aangroeien. Vervolgens kwam het obstakel, kwamen de gerechtelijke onderzoeken, en bleek datzelfde vermogen niet in staat hem tegen de inbeslagnames te beschermen. Zoals zijn talent voor zaken hem een imperium had opgeleverd, zo had de nederlaag van de beslagleggingen hem de dood opgeleverd. De clans tolereren geen fouten.

Toen ze, tijdens een proces, aan Sandokan meedeelden dat Dante Passarelli was overleden, zei de boss doodgemoedereerd: 'Moge hij rusten in vrede.'

De macht van de clans bleef de macht van het beton. Het was op de bouwterreinen dat ik lijfelijk, van top tot teen, al hun macht kon voelen. Een paar zomers lang was ik op de bouwterreinen gaan werken, om cement te mogen mengen hoefde ik alleen maar tegen de voorman te zeggen waar ik vandaan kwam, en niemand die mij werk weigerde. Uit Campania kwamen de beste bouwvakkers van Italië, de kundigste, de snelste, de goedkoopste en de minst lastige.

Het is vreselijk werk, dat ik nooit bijzonder goed onder de knie heb gekregen, een vak dat je een aanzienlijk zakcentje kan opleveren als je bereid bent al je krachten, al je spieren en al je energie te verspelen. Werken onder alle weersomstandigheden, met een bivakmuts op maar evengoed in je onderbroek. Maar met mijn handen en neus in de buurt van het cement komen was de enige manier om te doorgronden waar de macht, de echte macht, op was gefundeerd.

Pas toen Fancesco Iacomino stierf doorzag ik de mechanismen van de bouw echt. Hij was drieëndertig toen ze hem in zijn overall op het wegdek vonden, op de kruising van de Via Quattro Orologi met de Via Gabriele D'Annunzio in Ercolano. Hij was van een steiger gevallen. Na het ongeval was iedereen ervandoor gegaan, de landmeter incluis. Niemand belde de ambulance, bang dat die er zou zijn voordat zij konden wegvluchten. Toen ze op de vlucht sloegen, hadden ze de man, nog levend, midden op de weg laten liggen, terwijl hij bloed ophoestte.

Dit zoveelste overlijdensbericht, een van de driehonderd bouwvakkers die jaarlijks creperen op de bouwterreinen in Italië, leek haast een fysieke reactie bij mij teweeg te brengen. Met de dood van Iacomino kwam er een woede in mij op die meer weg had van een astma-aanval dan van een nerveuze rusteloosheid. Ik had hetzelfde willen doen als de hoofdpersoon uit *La vita agra* van Luciano Bianciardi, die naar Milaan gaat met het idee Pirellone op te blazen om zo de achtenveertig mijnwerkers van Ribolla te wreken die in mei 1954 door een explosie in een mijn werden gedood, in de camorraput die zijn naam dankt aan de erbarmelijke arbeidsomstandigheden. Misschien moest ik ook op zoek gaan naar een gebouw om op te blazen, naar hét gebouw.

Nog voordat ik me kon laten meesleuren in de schizofrenie van een terrorist, dreunde amper nadat ik de astmatische woedeaanval kreeg, het '*Io so*', (Ik weet), van Pier Paolo Pasolini als een muziekje in mijn oren tot ik er gek van werd. En zo ben ik, in plaats van de hele buurt uit te kammen op zoek naar gebouwen om op te blazen, naar Casarsa gegaan, naar het graf van Pasolini. Ik ben er alleen heen gegaan, ook al zou je dit soort dingen samen met iemand anders moeten doen om het minder treurig te maken. Met een heel stel. Een groepje trouwe lezers, je vriendin. Maar ik ben koppig alleen gegaan.

Casarsa is een mooie plek, zo'n plek waarbij je je makkelijker een bewoner kunt voorstellen die van het schrijven wil leven, dan mensen die hun dorp achter moeten laten om verder naar het zuiden af te zakken, voorbij de grens met de hel. Ik ging niet voor een eerbetoon naar het graf van Pasolini, zelfs niet om hem te verheerlijken. Pier Paolo Pasolini. 'Een naam als een drie-eenheid', zoals schrijver en vriend Giorgio Caproni zei. Hij is niet mijn seculiere heilige, noch een literaire Christus. Ik wilde gewoon een plek vinden. Een plek waar het nog mogelijk was om zonder schaamte na te denken over de kracht van het woord. In hoeverre het mogelijk is om, zonder in de afzonderlijke verhalen te blijven hangen, juist in grote lijnen over de mechanismen van de macht te schrijven. Je afvragen in hoeverre het mogelijk is om namen te noemen, een voor een de gezichten aan te wijzen, de lichamen van de misdrijven te ontkleden en ze in te passen in het bouwwerk van de macht. Of het nog mogelijk was om je vast te bijten in de dynamiek van de werkelijkheid, het succes van de machten, zonder er doekjes om te winden, zonder omwegen, enkel met de scherpe punt van je pen.

Ik nam in Napels de trein naar Pordenone, een boemeltreintje met een erg veelzeggende naam over de afstand die hij moest afleggen: Marco Polo. Een enorme afstand lijkt Friuli van Campania te scheiden. Ik was vertrokken om tien voor acht, en arriveerde, na een ijskoude nacht waarin ik nauwelijks een oog dicht had gedaan, om twintig over zeven de volgende dag in Friuli.

In Pordenone nam ik de bus naar Casarsa, waar ik met gebogen hoofd uitstapte zoals iemand die al weet welke kant hij op moet en de straat zelfs via de punten van zijn schoenen kan herkennen. Ik raakte de weg kwijt, natuurlijk. Maar na wat nutteloos te hebben rondgezworven, wist ik toch de Via Valvasone te vinden, de begraafplaats waar Pasolini en heel zijn familie begraven liggen. Aan de linkerkant, vlak na de ingang, lag een perkje met kale grond.

Ik liep naar het vierkante lapje grond met in het midden twee kleine witmarmeren platen en zag het graf. 'Pier Paolo Pasolini (1922-1975)'. Daarnaast, iets verderop, dat van zijn moeder. Het was net of ik minder alleen was, en daar begon ik mijn woede voor me uit te prevelen, met mijn vuisten zo stevig gebald dat mijn nagels in de palm van mijn hand verdwenen. Ik begon mijn eigen 'Io so' uit te spreken, dat van mijn tijd.

Want ik weet het, en ik heb de bewijzen ook. Ik weet hoe economieën ontstaan en waar die lucht van succes en overwinning vandaan komt. Ik weet waardoor hun winst stinkt. Dat weet ik allemaal. En de waarheid van het woord laat niemand opsluiten, omdat het alles op zijn pad meesleurt en overal bewijslast van maakt. En ze hoeft geen tegenbewijzen mee te zeulen of vooronderzoeken op te zetten. Ze observeert, weegt af, kijkt, luistert. Weet. Ze veroordeelt niemand tot het gevang, en haar getuigen kijken niet weg. Niemand toont berouw.

Ik weet het en ik heb de bewijzen. Ik weet waar de pagina's van de economieboeken plaatsmaken voor materie, voor dingen, staal, tijd en contracten. Dat weet ik. De bewijzen zitten niet verstopt in een of andere *memory stick* of verborgen in gaten onder de grond. Ik heb geen compromitterende video's in garages ver weg in onbereikbare bergdorpen. Ik bezit ook geen gestencilde documenten van de geheime dienst. De bewijzen zijn onweerlegbaar want subjectief, geregistreerd door mijn ogen, verteld in mijn woorden en gestaald door mijn emoties die een flinke optater hadden gekregen. Ik zie, vang iets op, kijk, spreek, en zo getuig ik, een lelijk woord dat nog iets kan betekenen als het 'dat klopt niet' fluistert in de oren die luisteren naar de slaapliedjes van de machtsmechanismen. De waarheid is subjectief, als je er een objectieve formule van kon maken, zou er sprake zijn van chemie. Ik weet ervan, en ik heb de bewijzen. En dus vertel ik. Over deze waarheden.

Telkens als ik loop, telkens als ik een trap beklim, in een lift stap, telkens wanneer ik mijn schoenen aan een deurmat afveeg en over een drempel stap, doe ik mijn best de spanning die zich van mij meester maakt tot bedaren te brengen. Ik kan het eindeloze gewoel van mijn ziel over hoe onze gebouwen en huizen worden gebouwd niet stoppen. En als er iemand binnen gehoorafstand is, kost het me moeite om niet te vertellen over hoe hele verdiepingen en balkons van kelder tot dak worden opgetrokken.

Het is geen universeel schuldgevoel dat over mij heen komt, noch een morele afkoopsom jegens degene die uit het historisch geheugen is gewist. Ik probeer eerder een eind te maken aan het brechtiaanse mechanisme dat mijn tweede natuur is geworden, probeer te denken aan de handen en de voeten van de geschiedenis. Kortom, eerder aan de eeuwig lege kommen die uiteindelijk leidden tot de bezetting van de Bastille, dan aan de proclamaties van de Girondijnen en de Jacobijnen. Ik kan er onmogelijk niet aan denken. Een slechte gewoonte van me. Net als iemand die kijkend naar Vermeer eerder denkt aan de persoon die de kleuren heeft gemengd, die het doek heeft opgespannen, de paarlen oorbellen heeft gemaakt, dan gewoon naar het portret kijkt. Een echte perversiteit. Het lukt me daadwerkelijk niet om als ik een trap zie, te vergeten hoe het betoncircuit in elkaar zit en bij het zien van een mooie raampartij vergeet ik niet hoe een steiger in elkaar wordt gezet. Ik kan niet doen alsof ik van niks weet. Ik kan nu eenmaal niet alleen het behang zien, maar denk aan de specie en de troffel.

Misschien heb je als je op een bepaalde breedtegraad bent geboren, op een uitzonderlijke, unieke manier een band met sommige substanties. Niet alle materie wordt overal op dezelfde manier waargenomen. Ik geloof dat in Qatar de geur van olie en benzine de sensatie en smaak oproept van enorme villa's, zonnebrillen en limousines. In Minsk doet diezelfde zure geur van fossiele brandstof vast denken aan zwarte gezichten, gaslekken en geblakerde steden terwijl het in België doet denken aan de geur van knoflook van de Italianen en aan de ui van de Noord-Afrikanen.

Datzelfde gebeurt met het beton voor Italië, voor Zuid-Italië.

Beton, de olie van het zuiden. Alles opgetrokken uit beton. Er bestaat geen economisch imperium dat in het zuiden is ontstaan en de weg naar de top niet dankt aan de bouw: inschrijvingen, aanbestedingen, steengroeven, beton, werklozen, cement, bakstenen, steigers en arbeiders. Dat is het gereedschap van de Italiaanse ondernemer. Voor de Italiaanse ondernemer die de wortels van zijn imperium niet in het beton heeft zitten is er geen enkele hoop. Het is het eenvoudigste vak waarmee je in de kortst mogelijke tijd geld kunt verdienen, vertrouwen kunt winnen, in verkiezingstijd weer banen kunt scheppen, salarissen kunt uitkeren, financieringen kunt binnenhalen, jezelf kunt vereeuwigen door middel van de gevels van de panden die worden gebouwd.

Het talent van de aannemer is dat van de bemiddelaar en van de roofvogel. Hij bezit het monnikengeduld van een documentalist van bureaucratische documenten, die eindeloos kan wachten op vergunningen die traag gestalte krijgen. En dan het talent van een roofvogel, die laag over onopvallende lappen grond scheert en ze voor een appel en een ei weet in te pikken en te bewaren tot iedere centimeter en iedere kuil tegen buitengewone prijzen kan worden doorverkocht. De ondernemer als roofvogel weet hoe hij zijn snavel en klauwen moet gebruiken. De Italiaanse banken weten hoe ze het maximale krediet aan de aannemers kunnen verschaffen, laten we zeggen dat de Italiaanse banken lijken te zijn opgericht ten behoeve van de aannemers. En als hij echt nergens voor deugt, en de huizen die hij zal bouwen niet voldoende zijn als borg, is er altijd wel een goede vriend die voor hem kan instaan.

De tastbaarheid van het cement en van de bakstenen is het enige echte fysieke dat de Italiaanse banken kennen. Onderzoek, laboratorium, landbouw, handwerk, de bankdirecteuren beschouwen ze als vaag terrein, zweverig en boven de zwaartekracht verheven. Kamers, verdiepingen, tegels, telefoonaansluitingen en stopcontacten zijn het enige tastbare wat zij erkennen. Ik weet het en ik heb de bewijzen. Ik weet hoe de helft van Italië is gebouwd. Meer dan de helft. Ik ken de handen, de vingers, de projecten. En het zand. Het zand dat gebouwen en wolkenkrabbers heeft opgetrokken. Wijken, parken, villa's.

In Castelvolturno vergeet niemand de oneindig lange rijen vrachtwagens die al het zand uit de Volturno roofden. Rijen vracht-wagens die over de stukken land reden waarlangs boeren stonden die zulke reuzen van ijzer en rubber nog nooit hadden gezien. Het was ze gelukt om te blijven, om stand te houden zonder te emigre-ren, en alles werd voor hun ogen weggehaald. Nu zit dat zand in de tussenmuren van de appartementen in de Abruzzen, in de flatge-bouwen van Varese, Asiago, Genua. Nu is het niet meer de rivier die naar de zee stroomt maar de zee die de rivier binnenstroomt. Nu wordt er in de Volturno op zeebaars gevist, en zijn de boeren er niet meer. Bij gebrek aan bebouwbare grond zijn ze begonnen buffel-koeien te houden, na de buffels hebben ze bouwbedrijfjes opgezet en jonge Nigerianen en Zuid-Afrikanen aangenomen, die ze heb-ben weggeplukt bij het seizoenswerk, en als ze geen consortium hebben gevormd met de ondernemingen van de clans, zijn ze een vroege dood gestorven.

Ik weet dat, en ik heb de bewijzen. De zandwinningsbedrijven krijgen een vergunning om minimale hoeveelheden te ontginnen, maar in werkelijkheid zetten ze hun tanden in complete bergen en verslinden die. Bergen en heuvels verkruimeld in en vermengd met het cement komen overal terecht, van Tenerife tot Sassuolo. Eerst werden de mensen afgevoerd en nu de dingen.

In een eettentje in San Felice a Cancello heb ik Don Salvatore ontmoet, een oude opzichter. Een soort wandelend lijk, hij was niet ouder dan vijftig maar hij leek wel tachtig. Hij vertelde mij dat hij tien jaar lang de taak had om de as van verbrand afval over de kneed-machines te verdelen. Dankzij de bemiddeling van de firma's van de clans is het clandestien in het cement verwerkte afval de kracht ge-worden waardoor de ondernemingen bij de aanbestedingen met Chinese prijzen kunnen uitpakken. Nu zitten die gifstoffen in gara-ges, tussenmuren en trappenhuizen. Er zal niks veranderen zolang er alleen maar af en toe ergens een arbeider, bijvoorbeeld uit Ma-rokko of Algerije, het stof binnenkrijgt, een paar jaar later het loodje legt en zijn kanker aan het noodlot wijt.

Ik weet het en ik heb de bewijzen. Het beton heeft de Italiaanse ondernemers zo succesvol gemaakt. Zijzelf maken deel uit van het betoncircuit. Ik weet dat voordat ze veranderen in de echtgenoten van fotomodellen, in reders, vijandige overnemers van financiële concerns, in krantenopkopers, overal het beton achter zit, en onderaannemersbedrijven, zand, steenslag, busjes bomvol arbeiders die 's nachts werken en 's ochtends verdwijnen, verrotte steigers, nepverzekeringen. De dikke muren waar de gangmakers van de Italiaanse economie op steunen.

De grondwet zou moeten veranderen. Er zou moeten staan dat die is gefundeerd op beton en aannemers. Zij zijn de ontwerpers ervan en niet Ferruccio Parri, niet Luigi Einaudi, niet Pietro Nenni, niet commandant Valerio. Het waren de dubieuze projectontwikkelaars die het Italië dat door de Sindona-krach en het vonnis zonder hoger beroep van het Internationale Monetaire Fonds de keel werd toegeknepen, uit het slijk hebben getrokken. Betonfabrieken, aanbestedingen, gebouwen en kranten.

In een beslissende fase van hun leven komen de leden in de bouw terecht. Na een carrière als killer, afperser of palo, beland je of in de bouw of op de vuilniswagen. In plaats van filmpjes en bijeenkomsten op school te organiseren, zou het interessant zijn om de nieuwe leden mee te nemen en hen een kijkje op de bouwplaatsen te laten nemen om hun zo te laten zien wat hun te wachten staat. Als het gevang of de dood hun gespaard blijven, zullen ze hun tijd doorbrengen op een bouwplaats, waar ze bloed en kalk ophoestend snel oud zullen worden, terwijl de ondernemers en handige zakenlui die de bazen onder controle dachten te hebben, miljoenenopdrachten zullen krijgen.

Van werken ga je dood. Voortdurend. De snelheid waarmee wordt gebouwd, de noodzaak om op iedere vorm van veiligheid te beknibbelen en geen rekening te houden met werkroosters. Onmenselijke diensten van negen tot twaalf uur per dag, ook op zaterdag en zondag. Het loon: honderd euro per week met een nacht- en zondagstoeslag van vijftig euro voor iedere tien uur. De jongsten draaien zelfs vijftien uur. Misschien met een snuifje coke.

Als er in de werkplaatsen iemand overlijdt, treedt een beproefd mechanisme in werking. Het levenloze lichaam wordt weggedragen en er wordt een auto-ongeluk in scène gezet. Ze stoppen het in een auto die ze vervolgens in een ravijn laten vallen of van een helling af duwen, maar niet voordat ze de wagen in brand steken. Het bedrag dat de verzekering zal betalen, wordt als schadevergoeding overgemaakt naar de familie. Het komt niet zelden voor dat bij het in scène zetten van het ongeluk ook de figuranten ernstig worden toegetakeld, vooral wanneer er een paar deuken in een auto moeten worden gereden, voordat die met het lijk erin in brand wordt gestoken.

Wanneer de opzichter aanwezig is functioneert het mechanisme goed. Wanneer hij er niet is worden de arbeiders vaak door paniek bevangen. En dan pakken ze de ernstig gewonde, het halfdode lichaam, op en laten hem achter in de buurt van een weg die naar het ziekenhuis leidt. Ze rijden er met de auto langs, leggen het lichaam voorzichtig neer en vluchten weg. Als ze echt te veel gewetenswroeging hebben, bellen ze een ambulance. Eenieder die deelneemt aan de verdwijning of het achterlaten van het halfdode lichaam weet dat zijn collega's hetzelfde zullen doen wanneer zijn eigen lichaam te pletter zou vallen of doorboord zou worden. Je weet gewoon dat degene met wie je werkt je bij gevaar meteen te hulp zal schieten louter om je te dumpen, dat hij je de genadeslag zal toedienen. En daarom hangt er een sfeer van wantrouwen op de bouwterreinen. Je naaste collega kan jouw beul zijn, of jij de zijne. Hij zal je niet laten lijden, maar hij zal wel degene zijn die je alleen laat creperen op een trottoir of je in een auto in brand zal steken. Alle aannemers weten dat het zo werkt. En de firma's uit het zuiden hebben de beste naam. Ze komen het werk doen en verdwijnen weer, en ze lossen ieder probleem geruisloos op.

Ik weet het en ik heb de bewijzen. En de bewijzen hebben een naam. In zeven maanden tijd zijn er op de bouwterreinen ten noorden van Napels vijftien bouwvakkers overleden. Gevallen, onder een mechanische schoep beland of geplet door een kraan bestuurd door arbeiders die uitgeput zijn door de lange uren achter het stuur. Want het moet snel gaan. Ook al blijven de werkplaatsen jarenlang bestaan, de onderaannemersbedrijven moeten hun plaats meteen aan anderen afstaan. Verdienen, je loonzakje ophalen en ergens anders naartoe gaan.

Ruim veertig procent van de firma's die in Italië werkzaam zijn komt uit het zuiden, uit de provincies Aversa, Napels, Salerno. In het zuiden kunnen er nog imperiums ontstaan, de mazen van het economische net kunnen worden geforceerd en het evenwicht van de oorspronkelijke accumulatie is nog niet bereikt. In het zuiden, van Puglia tot in Calabrië, zouden ze eigenlijk welkomstborden moeten ophangen voor de ondernemers die zich in de wedloop van het beton willen storten en binnen een paar jaar de Romeinse en Milanese salons willen betreden. Een WELKOM dat fortuin ademt, gezien de velen die zich geroepen voelen en de weinigen die in het drijfzand overeind blijven.

Ik weet het. En ik heb de bewijzen. En de nieuwe aannemers, eigenaren van banken en plezierjachten, de roddelkoningen en de madams van nieuwe hoeren verhullen hun winst. Misschien hebben ze nog een ziel. Ze schamen zich om ervoor uit te komen hoe ze hun geld verdienen. Wanneer in hun grote voorbeeldland, de vs, een ondernemer erin slaagt om een financieel topman te worden, wanneer hij roem en succes bereikt, komt het voor dat hij onderzoekers en jonge economen uitnodigt om zijn eigen economisch talent te tonen, en te onthullen welke wegen hij heeft bewandeld op weg naar de top. Hier: stilte. En geld is maar geld. De succesvolle ondernemers die uit de provincie Aversa komen, uit een gebied dat besmet is met de camorra, antwoorden schaamteloos tegen wie naar hun succes vraagt: 'Ik heb voor tien gekocht en tegen driehonderd verkocht.'

Er is weleens gezegd dat je in het zuiden als God in Frankrijk kunt leven. Je hoeft alleen maar naar de hemel te kijken en nooit, nooit naar beneden. Maar dat is onmogelijk. De vergezichten zijn onteigend, zodat de lucht aan het zicht onttrokken is. In plaats van op vergezichten stuit je op balkons, plafonds, dakramen, appartementencomplexen, elkaar omarmende gebouwen, in elkaar overlopende wijken. Hier geloof je niet dat iets uit de hemel kan komen vallen. Hier zink je weg, de afgrond in. Want je kunt altijd nog dieper vallen.

En daarom is het voor mij onmogelijk wanneer ik trappen en kamers betreed, wanneer ik in liften stap, om niets te voelen. Want ik weet ervan. En het is een perversiteit. En daarom voel ik me niet goed als ik me tussen de beste en meest succesvolle ondernemers bevind. Ook al zijn deze heren nog zo elegant, praten ze op gedempte toon en stemmen ze links. Ik ruik de geur van het kalk en het beton, die in hun sokken en op hun Bulgari-manchetknopen zit, uit hun boekenkasten komt.

Ik weet ervan. Ik weet wie mijn dorp heeft gebouwd en wie het nu nog bouwt. Ik weet dat er vannacht een trein vertrekt uit Reggio Calabria die om kwart over twaalf 's nachts zal stoppen in Napels, en Milaan als eindbestemming heeft. Hij zal bomvol zitten. En op het station zullen de bestelbusjes en de stoffige Fiat Punto's de jongens afvoeren naar nieuwe bouwterreinen. Een emigratie zonder vaste woon- of verblijfplaats, waar niemand een studie van zal maken of berekeningen op los zal laten omdat ze alleen sporen in kalkstof achterlaat.

Ik weet wat de echte grondwet van mijn tijd is, wat de rijkdom van de ondernemingen is. Ik weet hoeveel bloed er aan iedere pijler kleeft. Ik weet het, en ik heb de bewijzen. Ik laat niemand opsluiten.

Don Peppino Diana

Als ik denk aan de strijd tegen de clans van Casal di Principe, San Cipriano, Casapesenna en in alle territoriums die onder hun heerschappij staan vanaf Parete tot Formia, dan denk ik altijd aan witte lakens. Aan witte lakens die van ieder balkon hangen, vastzitten aan iedere balustrade, vastgeknoopt aan ieder venster. Wit, helemaal wit, een spierwitte zee van stof. Ze waren uiting van de woedende rouw die werd uitgehangen toen de begrafenis van Don Peppino Diana zich voltrok.

Ik was zestien, het was in maart 1994. Mijn tante wekte me zoals altijd, maar dit keer met een vreemde ruwheid, ze maakte me wakker door het laken waarin ik me had gewikkeld onder me uit te trekken, als een worst die uit papier wordt gerold. Ik viel bijna uit mijn bed. Mijn tante zei niets en liep met veel kabaal door het huis, alsof ze haar onrust al stampend moest afreageren. Ze knoopte mijn lakens vast aan het balkon, zo strak dat geen tornado ze los zou kunnen rukken. Ze gooide de ramen wagenwijd open, liet het rumoer van de stemmen naar binnen komen en de huiselijke geluiden naar buiten gaan, zelfs de laden van de kasten stonden open.

Ik herinner me de enorme stroom padvinders die hun onbezorgde blik als brave zoons van de familie achterwege hadden gelaten en aan de bizarre geel-groene halsdoek die ze droegen een razende woede leken te ontlenen, want Don Peppino was een van hen geweest. Nooit meer heb ik scouts gezien die zo zenuwachtig en zo weinig bedacht waren op hun uiterlijk en waardigheid, die anders altijd zo aanwezig waren tijdens hun lange marsen.

Van die dag herinner ik me alleen nog maar vlekken, zoals de vacht van een dalmatiër. Don Peppino Diana had een ongewone geschiedenis, die je ergens binnen in jezelf moest bewaren. Diep in je keel, in je vuist geklemd, vlak bij je borstspier, op je kransslagaders.

Een merkwaardig verhaal, voor de meeste mensen onbekend.

Don Peppino had in Rome gestudeerd en daar, ver van zijn dorp, ver van de provincie, ver van smerige zaakjes, zou hij carrière maken. Een klerikale carrière zoals een brave zoon uit de middenklasse betaamt. Maar plotseling besloot hij terug te keren naar Casal di Principe alsof hij zich niet kon losmaken van een herinnering, een gewoonte of een geur. Waarschijnlijk zoals iemand die eeuwig zit te popelen om iets te doen en geen rust heeft voordat hij het doet of het ten minste probeert te doen.

Don Peppino werd een piepjonge priester van de kerk van San Nicola van Bari, een modern gebouw dat ook esthetisch gezien perfect leek aan te sluiten bij zijn idee van engagement. Hij liep in jeans door het dorp, zoiets was nooit eerder gebeurd, tot dan toe droegen de priesters het priesterkleed als een uiting van somber gezag. Don Peppino legde zijn oor niet te luisteren bij familieruzies, hij berispte de mannen niet om hun escapades en ging ook geen bedrogen vrouwen troosten, hij had op natuurlijke wijze de rol van provinciale priester veranderd en besloten zich bezig te houden met machtsdynamieken: niet alleen met de gevolgen van de armoede, hij wilde niet alleen de wond schoonmaken, maar de mechanismen begrijpen van de uitzaaiingen, het koudvuur een halt toeroepen, de oorsprong aanpakken van wat van zijn geboortegrond tot een goudmijn maakte en een spoor van lijken achterliet.

Af en toe rookte hij ook een sigaar in het openbaar, iets wat elders een onschuldig gebaar zou zijn, maar in deze streken trachten de priesters in hun gedrag een zogenaamde onthouding uit te stralen en zich alleen binnenskamers over te geven aan hun zwakheden. Don Peppino wilde dat zijn publieke gezicht steeds meer op zijn eigen gezicht ging lijken als garantie van transparantie, in een streek waar mensen zich juist in allerlei bochten moeten wringen om te laten zien wie ze voorstellen, en daarbij geholpen worden door hun bijnamen, waarmee zij puur op grond van hun uiterlijk macht verkrijgen.

Hij werd geobsedeerd door het idee dat hij iets moest doen en was begonnen een opvangcentrum op te zetten voor de eerste Afri-

kaanse immigranten, waar ze konden eten en slapen. Het was noodzakelijk de immigranten op te vangen om zo te voorkomen – zoals
vervolgens toch gebeurde – dat de clans perfecte soldaten van ze
zouden maken. Om het project op poten te kunnen zetten had hij er
ook zijn eigen spaarcenten, die hij in het onderwijs had verdiend, in
gestoken. Officiële hulp afwachten kan weleens zo lang duren en zo
gecompliceerd worden dat het de meest concrete reden is voor het
gebrek aan activiteit in Zuid-Italië. Sinds hij priester was, had hij de
wisseling van de wacht bij de bosses gezien, de liquidatie van Bardellino, de macht van Sandokan en van Cicciotto di Mezzanotte, de
slachtingen tussen de mensen van Bardellino, en de Casalesi's als de
overwinnende leiders.

Een gebeurtenis uit die tijd die in het nieuws kwam, was de stoet
auto's die door de straten van het dorp reed. Het was rond zes uur
's avonds toen ongeveer tien auto's af en aan reden langs de flats van
de vijand. De winnende groepen van Schiavone kwamen hun vijanden uitdagen voor hun huizen. Ik was nog klein, maar mijn neven
zweren dat ze het met eigen ogen hebben gezien. De auto's reden
langzaam door de straten van San Cipriano, Casapesenna en Casal
di Principe en de mannen zaten schrijlings op de opengedraaide au-
toraampjes met één been in de auto en het andere buiten, allemaal
met een mitrailleur in de hand en een bedekt gezicht. Ze reden stap-
voets, onderweg haalde de stoet andere leden op die met geweren en
halfautomatische wapens naar buiten kwamen en achter de auto's
aan liepen. Ze hielden stil bij de flats van hun vijanden, mensen die
het hadden aangedurfd zich tegen hun overheersing te verzetten.

'Kom naar buiten, klootzakken! Kom naar buiten... als jullie tenminste ballen hebben!'

Deze optocht duurde minstens een uur. Ze reden ongestoord
door de straten waar de rolluiken van de winkels en de bars meteen
naar beneden werden gelaten. Twee dagen lang heerste er een volledig uitgaansverbod. Niemand kwam zijn huis uit, zelfs niet om een
brood te kopen.

Don Peppino begreep dat hij een strijdplan moest hebben. Er
moest een vaste richtlijn worden opgesteld, geen individuele getui-

genissen meer, maar de getuigenissen moesten worden verzameld en deze nieuwe taak van de kerk in het territorium zou hij coördineren. Hij schreef een verrassend document dat werd ondertekend door alle priesters van de parochie van Casal di Principe, een christelijke tekst waarin een zweem van wanhopige menselijke waardigheid, dat de woorden universeel maakte, de religie oversteeg en de zekerheden van de bosses op hun grondvesten liet trillen, wat ertoe leidde dat deze woorden meer werden gevreesd dan een inval van de Antimaffiadienst, meer dan de inbeslagname van de groeves en de betonmolens, meer dan het aftappen van telefoongesprekken waardoor een bevel tot doden achterhaald kon worden. Het was een levendig document met een romantisch sterke titel: *Uit liefde voor mijn volk zal ik niet zwijgen.*

Hij verspreidde het geschrift op eerste kerstdag, hij spijkerde de vellen papier niet op de kerkdeur, hij hoefde niet zoals Luther de katholieke kerk te hervormen. Don Peppino had wel wat anders aan zijn hoofd: hij moest proberen uit te vinden hoe hij een niet-partijgebonden weg kon banen tussen de machten, de enige die de economische en criminele autoriteit van de camorrafamilies aan het wankelen kon brengen.

Don Peppino groef zich door de buitenste laag van het woord heen, dat was uitgehold door de syntaxis, op zoek naar de kracht die het openbare woord, mits duidelijk uitgesproken, nog kon bewerkstelligen. Het was geen intellectuele ongeïnteresseerdheid van iemand die denkt dat het woord zo langzamerhand iedere bron heeft uitgeput en dat het alleen in staat is om de ruimte tussen het ene en het andere trommelvlies op te vullen. Het woord als concrete eenheid, toegevoegd materiaal van atomen waarmee kan worden ingegrepen in de mechanismen van de dingen, als bouwcement, als de punt van een pikhouweel. Don Peppino zocht naar het woord dat nodig was om als een plens water in de besmeurde gezichten te gooien. Het zwijgen in deze streken is geen normale geslotenheid, getooid met pet en een naar de grond gerichte blik. Het is veel meer een 'het gaat mij niet aan', de gebruikelijke houding in deze plaatsen, en niet alleen een keuze zich af te sluiten, dat is de echte stem in het stemlokaal van de status-quo. Het woord wordt een kreet. Gecontroleerd en schel en hoog uitgestoten tegen een gepantserde ruit met de wens hem te laten exploderen.

> Wij kijken machteloos naar de pijn van families die hun kinderen ellendig zien eindigen als slachtoffer of als opdrachtgevers van de camorra-organisaties. [...] De camorra is tegenwoordig een vorm van terrorisme die angst zaait, zijn wetten oplegt en probeert een diepgewortelde component van de maatschappij van Campania te worden. De camorristen leggen met geweld gezag op, wapens op scherp, met onacceptabele regels: afpersingen maken van onze streken, gebieden die steeds meer gesubsidieerd worden zonder enkel zelfstandig vermogen tot ontwikkeling; smeergelden van twintig procent en meer op bouwactiviteiten die de meest onverschrokken ondernemer ontmoedigen, drugshandel, welk gebruik scharen van uitgerangeerde jongeren voortbrengt en ongeschoolde arbeiders die ter beschikking staan van misdadige organisaties; gevechten tussen de verschillende facties die als geselende plunderaars de families in onze streken afmaken; negatieve voorbeelden voor alle jongeren van de bevolking, waarachtige laboratoria van geweld en georganiseerde misdaad [...]

De prioriteit van Don Peppino was om duidelijk te maken dat ten overstaan van de machtsgolf van de clan het nodig was om de zwijgplicht van de biecht op te geven. Hij ploos het woord der profeten na om de noodzaak de straat op te gaan mede te ondersteunen, om aangifte te doen, om te reageren als noodzakelijke voorwaarde om nog enige zin aan je bestaan te geven.

> Onze profetische taak van verkondiging moet niet en mag niet minder worden, God heeft ons geroepen om profeten te zijn.
> De profeet is als wachter aangesteld: hij ziet onrecht, hij

waarschuwt en herroept het oorspronkelijk plan Gods (Ezechiël 3,16-18);
De profeet herinnert het verleden en hij gebruikt het om in het heden het nieuwe te benutten. (Jesaja 43);
De profeet nodigt uit om te leven en hij ervaart zelf de solidariteit van het lijden (Genesis 8,18-23);
De profeet wijst als prioriteit de weg van de rechtvaardigheid aan (Jeremia 22,3 –Jesaja 58).
Aan de priesters, onze herders en confrères vragen we duidelijke taal te gebruiken in hun preken en bij alle gelegenheden waarin een moedige getuigenis wordt vereist. Aan de kerk die geen afstand doet van zijn 'profetische' rol opdat de instrumenten van het signaleren en van de verkondiging worden geconcretiseerd in de capaciteit om nieuw bewustzijn te produceren in het teken van rechtvaardigheid, van de solidariteit en van ethische en burgerlijke waarden.

Het was niet de bedoeling dat het document politiek correct zou zijn ten aanzien van de politieke macht, waarvan hij niet alleen meende dat ze ondersteund werd door de clans maar bovendien bepaald werd door gemeenschappelijke doeleinden, noch was hij toegeeflijk ten aanzien van de sociale werkelijkheid. Don Peppino wilde niet geloven dat de clan een keuze was van het slechte, maar daarentegen het resultaat was van nauwkeurig bepaalde omstandigheden, van bepaalde mechanismen, van herkenbare en door koudvuur aangetaste oorzaken. Nooit had de kerk, noch iemand in deze streken een dergelijk verhelderende taak op zich genomen.

De achterdocht en het wantrouwen van de mensen uit het zuiden ten aanzien van instituties, door de eeuwenoude ontoereikendheid van een politiek die ongeschikt is om de zware problemen die het zuiden kwellen op te lossen, vooral problemen die gerelateerd zijn aan werk, huisvesting, gezondheidszorg en onderwijs;
de niet altijd ongefundeerde achterdocht dat politici mede-

plichtig zijn aan de camorra door in ruil voor verkiezings-
steun of zelfs voor gemeenschappelijke belangen voor dek-
king te zorgen en gunsten toe te zeggen;
het wijdverspreide gevoel van persoonlijke onzekerheid en
van een permanent risico, dat voortvloeit uit de ontoerei-
kende juridische bescherming van personen en goederen,
uit de traagheid van de juridische molen, uit de ambiguïteit
van de wettelijke middelen. [...] hetgeen betekent dat niet
zelden toevlucht wordt genomen tot verdediging van de
clan of tot acceptatie van bescherming door de camorra;
het gebrek aan duidelijkheid op de arbeidsmarkt, waardoor
het vinden van een betrekking meer op een soort camorris-
tisch-cliëntelisme is gebaseerd dan op de uitoefening van
een recht, dat is gebaseerd op de wet van arbeidsbemidde-
ling.
De schaarste of ontoereikendheid, ook van het pastorale
aandeel, is een echte sociale scholing, net alsof een volwassen christen gevormd kan worden zonder de mens en de
burger tot volwassene te vormen.

Don Peppino organiseerde aan het eind van de jaren tachtig nadat
er een massale bestorming had plaatsgevonden op de kazerne van de
carabinieri van San Cipriano d'Aversa een anti-camorrademonstra-
tie. Honderden mensen wilden de kantoren verwoesten en de officiers afranselen omdat verschillende carabinieri het gewaagd hadden tussen een gevecht van twee jongens uit het dorp te komen op
een avond van feestelijkheden van de schutspatroon. De kazerne van
San Cipriano stond in een smal steegje, de sergeanten en agenten
konden geen kant op. De capizona's die rechtstreeks door de bosses
waren gestuurd om het handjevol carabinieri te redden, moesten
tussenbeide komen om de opstand te bedwingen. Destijds deelde
Antonio Bardellino de lakens nog uit en zijn broer Ernesto was de
burgemeester van het dorp.

Wij, herders van de kerken van Campania, beperken ons er niet toe deze situaties te signaleren: maar binnen de mogelijkheden van onze competenties willen wij verbeteringen bewerkstelligen, ook via een herziening en integratie binnen de pastorale activiteiten.

Don Peppino begon het christelijke geloof van de bosses in twijfel te trekken en ontkende uitdrukkelijk iedere band tussen het christendom en de ondernemende, militaire en politieke macht van de clans. In het land van de camorra werd de christelijke boodschap niet in tegenspraak met camorristische activiteiten beschouwd: de clan die zijn activiteiten ten voordele van alle leden ontplooit, vindt dat het christelijk erfgoed daarmee gerespecteerd en nagevolgd wordt. De noodzaak tot het doden van vijanden en verraders wordt gezien als een gelegitimeerde overtreding, het gij zult niet doden van de geboden van Mozes kan in de redenering van de bosses worden geschorst als de moord een hoger doel dient, ofwel de bescherming van de clan, de belangen van de leidinggevenden of het bezit van de groep en dus van iedereen behelst. Moorden is een zonde die wordt begrepen en vergeven door Christus uit naam van de noodzaak.

In San Cipriano d'Aversa nam Antonio Bardellino via het ritueel van bloedbroeders leden op, zoals dat ook gebruikelijk was bij Cosa Nostra: een procedure die tot de rituelen behoorden die geleidelijk aan zijn verdwenen. Er werd in de rechtervingertop van het aspirantlid geprikt en men liet het bloed op de beeltenis van de Madonna van Pompeï sijpelen. Daarna werd het boven een kaars geschroeid en van hand tot hand doorgegeven aan alle leiders die om een tafel heen stonden. Als alle leden de Maria kusten, werd de kandidaat officieel lid van de clan. De godsdienst is een vaste verwijzing voor de camorristische organisatie van de clan, niet alleen als bezwerende vorm of cultureel overblijfsel, maar als spirituele kracht die de meest innerlijke keuzes bepaalt. De camorristische families en in het bijzonder de meest charismatische bosses, beschouwen vaak het eigen handelen als een beproeving: het op zich nemen van de pijn en het gewicht van de zonde voor het welzijn van de groep en de mannen over wie ze heersen.

In Pignataro Maggiore liet de Lubrano-clan op eigen kosten een fresco van een Mariabeeltenis restaureren. De bijnaam van deze Maria was 'Madonna van de camorra', omdat er aan haar bescherming werd gevraagd voor de belangrijkste voortvluchtigen van Cosa Nostra die van Sicilië naar Pignataro Maggiore waren gevlucht. Het is dan ook niet moeilijk om Totò Riina, Michele Greco, Luciano Liggio of Bernardo Provenzano geknield voor te stellen op de houten bankjes voor het fresco van de Madonna, om te smeken verlicht te worden tijdens hun acties en te worden beschermd bij hun vlucht.

Toen Vincenzo Lubrano werd vrijgesproken, organiseerde hij een bedevaart met verschillende bussen naar San Giovanni Rotondo om Padre Pio te bedanken, volgens hem de schepper van de vergiffenis. Standbeelden van levensecht formaat van Padre Pio, aardewerken en bronzen kopieën van Christus met opgeheven armen op de berg Pão de Açucar van Rio, staan in vele villa's van de bosses van de camorra. In Scampia worden er in de drugslaboratoria vaak 33 plakken hasj per keer versneden, evenveel als de jaren van Christus. Dan wordt er 33 minuten gepauzeerd, een kruis geslagen en wordt het werk hervat. Een soort van eerbetoon aan Christus om hem gunstig te stemmen voor de verdiensten en de rust. Hetzelfde gebeurt met de zakjes coke die vaak, voor de distributie aan de pushers, door de capozona worden gezegend met het water van Lourdes in de hoop dat de partijen geen dodelijke slachtoffers maken, te meer omdat slechte kwaliteit van het spul rechtstreeks op hem wordt verhaald.

Het Systeem van de camorra is niet alleen een macht die over lichamen gaat, noch beschikt het alleen over het leven van iedereen, maar het pretendeert ook de zielen in zijn klauwen te hebben. Don Peppino wilde duidelijkheid scheppen over de woorden, de betekenissen, over hun waarden.

> De camorra noemt 'familie' een clan die voor misdadige
> doeleinden in het leven is geroepen, waarin onvoorwaarde-
> lijke trouw wet is, waar iedere uiting van zelfstandigheid is
> uitgesloten en als verraad wordt beschouwd dat de dood

verdient, niet alleen afvalligheid, maar ook de bekering tot de eerlijkheid. De camorra zet alle middelen in om dit soort 'familie' uit te breiden en te bestendigen, zelfs de sacramenten. Voor de christen die is gevormd in de school van het woord Gods, betekent 'familie' alleen een eenheid van mensen die verbonden zijn door een band van liefde, waarin de liefde belangeloos en zorgzaam is, met geven en nemen. De camorra die pretendeert zijn eigen godsdienstigheid te hebben, lukt het soms behalve de getrouwen ook naïeve of onschuldige zielenherders te bedriegen.

Het document probeert zelfs inhoudelijk in te gaan op de sacramenten, afstand te scheppen bij iedere overlapping tussen de communie, de rol van de peetvader, het huwelijk en de strategieën van de camorra, verbonden en andere allianties van de clans te ontdoen van religieuze symbolen. Alleen al bij de gedachte zoiets uit te spreken, zouden de priesters van de streek hun maag vasthouden van angst en naar de wc zijn gerend. Wie zou een boss die klaarstaat een kind van een lid ten doop te houden wegsturen van het altaar? Wie zou hebben geweigerd een bruiloft, die alleen dient om de alliantie tussen twee families te bezegelen, in te zegenen? Don Peppino is duidelijk geweest.

> Sta niet toe dat de functie van 'peetvader' in de sacramenten wordt uitgeoefend door personen wier eerlijkheid in het privé- en openbare leven en christelijke rijpheid in twijfel wordt getrokken. Laat niemand toe tot de sacramenten die onrechtvaardige dwang uitoefent omdat hij de catachese niet heeft gevolgd.

Don Peppino trotseerde de macht van de camorra op het moment waarop Francesco Schiavone, Sandokan, voortvluchtig was, toen hij onderdook in de bunker onder zijn villa in het dorp, terwijl de families Casalesi met hen in oorlog waren en de grote betonconstructies en het afval de nieuwe grens vormden van hun imperiums. Don

Peppino wilde niet de troostende priester zijn, die de kisten van de afgeslachte kindsoldaten naar het graf begeleidt en 'houd moed' brabbelt tegen de moeders in het zwart. In een interview verklaarde hij: 'We moeten de mensen wakker schudden.' Hij nam ook een politiek standpunt in en zei dat de strijd tegen de politieke macht van de criminele ondernemers prioriteit zou krijgen, dat zijn steun naar concrete projecten zou gaan, naar vernieuwing, er zou van zijn kant geen enkele onpartijdigheid zijn. 'Het onderscheid tussen de partij en zijn vertegenwoordiger vervaagt, vaak hebben de voorkeurskandidaten van de camorra geen politiek en geen partij, maar vertegenwoordigen ze alleen de belangen van de camorra.' Het doel was niet om de camorra te overwinnen. Zoals hij zelf zei: 'Winnaars en overwonnenen zitten in hetzelfde schuitje.' Het doel was juist om te begrijpen, transformeren, getuigen, aangeven, een elektrocardiogram maken van het hart van de economische macht de overheersing van de clan te doorbreken.

Op geen enkel moment in mijn leven heb ik me devoot gevoeld, maar toch had het woord van Don Peppino een echo die verder ging dan het godsdienstig tracé. Hij ontwikkelde een nieuwe methode die het godsdienstige en politieke woord ging hervormen. Een vertrouwen in de mogelijkheid zijn tanden in de werkelijkheid te zetten, zonder die los te laten of haar uiteen te rijten. Een woord dat in staat was het traject van het geld te volgen, door achter de bedompte lucht aan te gaan.

Men denkt dat geld geen geur heeft, maar dit is alleen waar in de hand van de keizer. Voordat het zijn handpalm bereikt, *pecunia olet*, stinkt het naar pis. Waar Don Peppino werkte liet het geld zijn geursporen na, heel even, voordat het werd witgewassen. Dergelijke geuren zijn alleen herkenbaar als haar uitwaseming je neusgaten binnendringt. Don Peppino had begrepen dat hij zijn ogen open moest houden en vasthoudend moest zijn en niet moest loslaten, niet mocht weggaan om te kunnen blijven zien en waarschuwen en begrijpen waar en hoe de rijkdommen van de bedrijven steeds groter werden en hoe de slachtingen en de arrestaties, vetes en stiltes veroorzaakt werden. Het instrument lag op de punt van zijn tong, het enig mogelijke dat zijn tijd kon proberen te veranderen: het woord. En dit woord, dat niet kon zwijgen, werd zijn doodvonnis. Zijn killers kozen niet zomaar een datum uit maar zijn naamdag, 19 maart 1994. Heel vroeg in de morgen. Don Peppino had zijn habijt nog niet aangetrokken. Hij stond in de vergaderzaal van de kerk, vlak bij de studeerkamer. Hij was niet onmiddellijk herkenbaar.

'Wie is Don Peppino?'

'Dat ben ik...'

Zijn laatste antwoord. Vijf schoten die nagalmden in de zijbeuken, twee kogels troffen hem in het gelaat, de andere doorboorden het hoofd, de hals en een hand. Ze hadden op het gezicht gemikt, de killers hadden hem vanaf dichtbij te grazen genomen. Een ogief van het projectiel was boven op hem bleven liggen tussen zijn jas en trui in. Een kogel was afgeketst op de sleutelbos die aan zijn broek hing. Don Peppino was voorbereidingen aan het treffen voor de eerste mis. Hij was zesendertig.

Een van de eersten die de kerk binnenliep en zijn lichaam nog op de grond aantrof was Renato Natale, de communistische burgemeester van Casal di Principe. Hij was pas vier maanden eerder gekozen. Het was geen toeval dat ze Don Peppino wilden laten vallen onder zijn korte, bijzonder korte, politieke bewind. Natale was de eerste burgemeester van Casal di Principe die de strijd tegen de clans als absolute prioriteit had gesteld. Uit protest had hij de gemeenteraad verlaten omdat die volgens hem gereduceerd was tot een plek van bekrachtiging van besluiten die elders waren genomen. Op een dag hadden de carabinieri een inval gedaan in het huis van wethouder Gaetano Corvino, waar alle hoogste leiders van de Casalesi-clan bij elkaar waren gekomen voor een vergadering, terwijl de wethouder in het gemeentehuis was bij een zitting van de gemeenteraad. Enerzijds de zaken ván het dorp zelf en anderzijds zaken die vía het dorp liepen. Zaken doen is het enige motief waarvoor je 's morgens je bed uit komt, dat je aan je pyjama trekt en je overeind zet.

Ik heb Renato Natale altijd vanaf een afstand bekeken zoals je dat doet bij personen die zonder het te willen symbolen worden van *commitment*, verzet en moed. Symbolen die haast metafysisch, irreeel, archetypisch zijn. Met een puberale gêne heb ik altijd zijn inzet geobserveerd bij het opzetten van eerstehulpposten voor immigranten, bij het bekendmaken van vetes in de donkere jaren, bij het bestrijden van de macht van de Casalese camorrafamilies met hun zaken in beton en vuilnis. Hij was benaderd, met de dood bedreigd, er was hem verteld dat als hij niet ophield zijn keuze zich tegen zijn familie zou keren, maar hij bleef het bekend maken, met ieder middel, zelfs door overal in het dorp affiches te plakken waarop werd onthuld waarover de clans beslissingen namen en wat ze oplegden. Hoe meer hij met volharding en moed handelde, des te groter werd zijn metafysische bescherming. Je moet de politieke geschiedenis van deze streken kennen om te begrijpen welke specifieke lading de termen 'inzet' en 'wil' hier hebben.

Sinds de wet is aangenomen om gemeenten te ontbinden wegens maffiose infiltratie, zijn er in de provincie Caserta zestien gemeentebesturen ontbonden vanwege de camorra en vijf daarvan zijn twee keer onder leiding van een bewindvoerder gesteld: Carinola, Casal Di Principe, Casapesenna, Castelvolturno, Cesa, Frignano, Grazzanise, Lusciano, Mondragone, Pignataro Maggiore, Recale, San Cipriano, Santa Maria la Fossa, Teverola, Villa di Bruano en San Tammaro. De burgemeesters die zich tegen de clans keren in deze dorpen, vooropgesteld dat het ze lukt gekozen te worden, dat ze het winnen van de omgekochte stemmen in ruil voor gunsten en economische belangen die zich verstrengelen met de politiek, moeten het zien te rooien met de beperkingen van de plaatselijke administrateurs, weinig geld en absolute marginaliteit. Ze moeten beginnen te slopen, steen voor steen. Met dorpsbudgetten moeten ze multinationals trotseren, met provinciekazernes enorme commando's indammen. Zoals in 1988 toen Antonio Cangiano, wethouder van Casapesenna, zich opwierp tegen de penetratie van de clan bij enkele aanbestedingen. Hij werd bedreigd, geschaduwd, hij werd van achteren beschoten op het plein, in het bijzijn van iedereen. Hij liet de Casalesi-clan niet wandelen, dus de Casalesi lieten hem niet meer wandelen. Ze veroordeelden Cangiano tot de rolstoel. De vermoedelijke verantwoordelijken voor de aanslag zijn in 2006 vrijgesproken.

Casal di Principe is geen Siciliaans dorp dat belaagd wordt door de maffia, waar het moeilijk is om het criminele ondernemerschap te bestrijden, aan de zijkant van de eigenlijke actie staan rijen televisiecamera's, journalisten van naam en die op weg zijn naam te krijgen, en heel veel nationale antimaffiavertegenwoordigers die op een of andere manier hun eigen bijdrage weten uit te vergroten. Hier blijft alles wat je doet binnen de omtrek van beperkte ruimtes, en dat alles wordt gedeeld met weinigen. Het is denk ik deze eenzaamheid dat alles wat men moed zou kunnen noemen blokkeert, een soort van wapenrusting waaraan je niet denkt, je draagt het met je mee zonder dat je er erg in hebt. Ga door, doe wat je moet doen, de rest doet er niet toe. Omdat de dreiging niet altijd een kogel tussen je ogen betekent, of tonnen buffelstront die ze voor je huis uitladen.

Je wordt langzaam ontbladerd. Iedere dag een blad, totdat je naakt bent en alleen maar denkt dat je tegen iets aan het vechten bent dat niet bestaat, dat het een delirium is dat in je hoofd zit. Je begint te geloven in de lasterpraat waarin je als een mopperkont wordt betiteld die iemand verwijt dat hij geslaagd is in het leven en hem uit frustratie camorrist noemt. Ze spelen mikado met je. Ze halen alle houten stokjes weg zonder je ooit te laten bewegen, zodat je op het laatst alleen achterblijft en de eenzaamheid je aanvliegt. Een gemoedstoestand die je je hier niet kunt veroorloven. Het houdt een risico in, je waakzaamheid daalt, je begrijpt de mechanismen, de symbolen de keuzes niet meer. Je loopt het risico niets meer te merken. En dan moet je al je energie geven, moet je iets vinden dat de maag van de geest voedt om verder te kunnen gaan. Christus, boeddha, engagement, de moraal, het marxisme, de trots, het anarchisme, de strijd tegen de misdaad, de schoonmaak, de voortdurende en eeuwige woede, de Zuid-Italiaanse kwestie. Iets. Niet een haak waar je je aan ophangt, eerder een ondergrondse wortel, onaantastbaar. In de nutteloze strijd waarin je zeker bent van de rol van de verliezer. Er is iets wat je moet bewaren en weten. Je moet er zeker van zijn dat men er beter van wordt dankzij jouw inzet die neigt naar gekte en obsessie. Die wortel die zich een weg baant in de grond heb ik leren herkennen in de blikken van mensen die hebben besloten wie dan ook recht aan te kijken.

De verdenking van de moord op Don Peppino viel meteen op de groep van Giuseppe Quadrano, een lid dat zich onder de vijanden van Sandokan had geschaard. Er waren ook twee getuigen: een fotograaf die daar was om Don Peppino te feliciteren, en de koster van de kerk van San Nicola. Direct nadat het nieuws de ronde deed dat de politie Quadrano verdacht, belde de boss Nunzio De Falco, bijgenaamd 'de wolf', uit Granada Andalusië, de bruidsschat van de territoriale verdeling van de machten tussen de Casalesi, op naar het hoofdbureau van Caserta om duidelijkheid te verschaffen omtrent een lid van zijn groep. Twee functionarissen van het hoofdbureau te Caserta zouden hem ontmoeten in zijn territorium. Op het vliegveld werden ze door de vrouw van de boss met de auto afgehaald en de ontmoeting vond plaats op het prachtige Andalusische platteland. Nunzio De Falco wachtte hen op, niet in zijn villa in Santa Fe, maar in een restaurant waar hoogstwaarschijnlijk het grootste deel van de gasten figuranten waren die gereedstonden tussenbeide te komen in het geval de politieagenten onvoorzichtig zouden blijken te zijn. De boss verduidelijkte onmiddellijk dat hij hen had gebeld om zijn versie van het gebeurde te geven, een soort interpretatie van een historisch feit en geen aanhouding of aangifte. Het was een heldere en noodzakelijke verhandeling zodat de naam en de autoriteit van de familie niet door het slijk zou worden gehaald. Hij kon niet met de politie samen gaan werken. De boss verklaarde dat de Schiavones Don Peppino Diana hadden vermoord, de rivaliserende familie. Ze hadden de priester vermoord om de verantwoordelijkheid voor de moord bij de De Falco's neer te leggen. De wolf volhardde dat hij het bevel nooit zou hebben gegeven om Don Peppino te vermoorden omdat zijn broer Mario erg aan hem gehecht was. Don Diana was er inderdaad in geslaagd hem ervan te weerhouden geen clanleider te worden, door met hem een discussie aan te gaan en hem te onttrekken aan het Systeem van de camorra. Het was een van de belangrijkste resultaten van Don Peppino, maar de boss De Falco gebruikte het als alibi. Om de thesis van De Falco te ondersteunen kwamen er twee andere clanleden bij: Mario Santoro en Francesco Piacenti.

Ook Giuseppe Quadrano was in Spanje. Eerst was hij gast in de villa van De Falco en daarna vestigde hij zich in een dorp dicht bij Valencia. Hij wilde zijn eigen groep oprichten, hij had talent om zaken te doen met de ladingen drugs die als economische versneller zouden fungeren om de zoveelste Italiaanse criminele ondernemersclan op te bouwen in het zuiden van Spanje. Maar het lukte hem niet. Eigenlijk had Quadrano altijd de tweede viool gespeeld. Hij gaf zichzelf aan bij de Spaanse politie en stelde zich beschikbaar om samen te werken met justitie. Hij ontkende de versie die Nunzio De Falco aan de agenten had verteld. Quadrano plaatste de moord in het kader van de vete tussen zijn eigen groep en die van Schiavone.

Quadrano was capozona van Carinaro en de Casalesi van Sandokan hadden in korte tijd vier van hun leden omgelegd, twee ooms en de man van zijn zuster. Quadrano vertelde dat hij samen met Mario Santoro had besloten Aldo Schiavone te vermoorden, een neef van Sandokan, om de krenking te wreken. Voor de klus belden ze De Falco op in Spanje, geen enkele militaire operatie kan tot uitvoer worden gebracht zonder de toestemming van leiders, maar de boss blaast vanuit Granada alles af omdat Schiavone na de dood van zijn neef zou hebben bevolen alle familieleden van De Falco die nog in Campania woonden af te slachten. De boss gaf aan dat hij Francesco Piacenti op zijn bevel als boodschapper en organisator zou hebben gestuurd. Piacenti reed het stuk van Granada naar Casal di Principe in zijn Mercedes, de auto die in de jaren tachtig en negentig symbool was van dit territorium. Aan het eind van de jaren negentig raakte de journalist Enzo Biagi van streek toen hij voor een van zijn artikelen de verkoopgegevens van de Mercedessen in Italië nodig had. Casal di Principe bleek bij de topscorers in Europa te horen van gekochte voertuigen. Maar er was ook een ander record: het stedelijk gebied met het hoogste aantal moorden van Europa was juist

Casal di Principe. Een verband tussen Mercedessen en moorden die een constante van observatie zou kunnen blijven voor de gebieden van de camorra. Piacenti gaf door – volgens de eerste onthulling van Quadrano – dat Don Peppino Diana gedood moest worden. Niemand kende het motief van het besluit maar iedereen was er zeker van dat 'de wolf wist wat hij deed'. Piacenti verklaarde – volgens de spijtoptant – dat hij zelf de moord gepleegd zou hebben, op voorwaarde dat ook Santoro of een ander van de clan met hem mee zou gaan. Mario Santoro daarentegen aarzelde, hij belde De Falco op om te zeggen dat hij tegen de moord was, maar uiteindelijk accepteerde hij. Om zijn rol als bemiddelaar niet te verliezen bij de drugshandel met Spanje die de wolf hem had gegeven, kon hij zich niet onttrekken aan een zo belangrijk bevel.

Maar moord op een priester en bovendien zonder duidelijk motief kon niet worden geaccepteerd als zomaar een opdracht als alle andere. In het Systeem van de camorra wordt een moord als noodzaak gezien, het is als een storting op de bank, als een aankoop bij een autodealer, als onderbreking van een vriendschap. Het is geen gebaar dat afwijkt van de dagelijkse routine: het maakt deel uit van de zonsopgang en zonsondergang van iedere familie, van iedere boss, van ieder lid. Maar een priester vermoorden, buiten de machtsdynamiek om, bracht het geweten aan het wankelen. Volgens de verklaring van Quadrano trok Francesco Piacenti zich terug en zei dat er te veel mensen in Casale hem kenden en hij dus niet kon meedoen aan de aanslag. Mario Santoro ging wel mee, maar in gezelschap van Giuseppe Della Medaglia, een lid van de Ranucci-clan van Sant'Antimo die al bij meerdere operaties betrokken was geweest. Volgens de spijtoptant spraken ze voor de volgende dag om zes uur 's morgens af. Maar de hele nacht werd het commando gekweld. Ze konden de slaap niet vatten, ze maakten ruzie met hun vrouwen, ze waren opgefokt. Voor de priester waren ze banger dan voor de vuurmonden van de rivaliserende clans.

Della Medaglia kwam niet opdagen, maar het lukte hem die nacht een ander te ronselen, die hij in zijn plaats stuurde, Vincenzo Verde. De anderen waren niet bepaald gelukkig met die keuze. Verde had vaak epileptische aanvallen. Hij liep het risico nadat hij geschoten had stuiptrekkend op de grond te vallen: aanval, tong kapotgebeten en kwijl uit zijn mond. Ze probeerden in zijn plaats nog Nicola Gaglione te strikken, maar die weigerde categorisch. Santoro begon last te krijgen van verdwaalangst. Hij kon de weg maar niet onthouden, en daarom stuurde Quadrano zijn broer Armando om Santoro te begeleiden. Een eenvoudige operatie, een auto die voor de kerk staat te wachten op de killers die langzaam teruglopen nadat ze de klus hebben geklaard. Als na een gebed op de vroege morgen. Na de liquidatie had het commando geen haast om te vluchten. Quadrano werd nog diezelfde avond uitgenodigd om naar Spanje te gaan, maar hij weigerde. Hij voelde zich ingedekt omdat de moord op Don Peppino volledig losstond van de tot dan toe gevolgde militaire praktijk. En aangezien het motief van de executie hun niet bekend was, zouden de carabinieri het ook niet weten. Zodra de politie op alle fronten onderzoeken begon, verhuisde Quadrano naar Spanje. Hij verklaarde zelf dat Francesco Piacenti had onthuld dat Nunzio De Falco, Sebastiano Caterino en Mario Santoro hem moesten afmaken, misschien omdat ze de verdenking koesterden dat hij berouw wilde tonen, maar op de dag van de aanslag zagen ze hem in zijn auto samen met zijn zoontje en hebben ze hem gespaard.

In Casal de Principe hoorde Sandokan steeds vaker dat zijn naam werd geassocieerd met de liquidatie van de priester. Hij liet daarom de familieleden van Don Peppino weten dat als zijn mannen eerder hun handen op Quadrano hadden weten te leggen dan de politie, hij hem dan in drie stukken had laten snijden en hem voor de kerk had gegooid. Meer nog dan wraak was het een duidelijke boodschap dat hij niet verantwoordelijk was voor de aanslag op Don Peppino. Kort daarna, als reactie op de verklaringen van Francesco Schiavone dat hij niet betrokken was, vond er in Spanje een ontmoeting plaats tussen de mannen van de De Falco-clan, waarin Giuseppe Quadrano voorstelt een familielid van Schiavone te vermoorden, hem in stukken te snijden en in een zak buiten de kerk van Don Peppino neer te zetten. Een manier om de verdenking op Sandokan te laten vallen. Beide facties waren, ook al wist de een het niet van de ander, tot dezelfde oplossing gekomen. Lijken in stukken snijden en de delen verspreiden is de beste manier om een boodschap onuitwisbaar te maken. Terwijl de moordenaars het over vlees snijden hadden om een boodschap kracht bij te zetten, dacht ik nog een keer aan de strijd van Don Peppino, aan de prioriteit van het woord, aan dat het werkelijk iets ongelooflijk nieuws en krachtigs was om het woord in het centrum van een strijd tegen de mechanismen van de macht te leggen. Woorden tegenover betonmolens en geweren. En niet metaforisch. Werkelijk. Aangifte doen, getuigen, er zijn. Het woord met zijn enige wapenuitrusting: het uit te spreken. Een woord dat wachter is, getuige, de waarheid die altijd sporen achterlaat. Een woord dat je alleen maar uit kunt roeien door het te vermoorden.

De rechtbank van Santa Maria Capua Vetere veroordeelde Vincenzo Verde, Francesco Piacenti, Giuseppe Della Medaglia in 2001 tot levenslang. Giuseppe Quadrano had zich er sinds een tijd op toegelegd om de figuur Don Peppino in diskrediet te brengen. Gedurende de verhoren brak hij zijn hoofd over een serie motieven voor de moord die erop gericht waren de inzet van Don Peppino op te hangen aan een strop van criminele interpretaties. Hij vertelde dat Nunzio De Falco aan Don Peppino Diana wapens had gegeven, die zonder toestemming door waren gesluisd naar Walter Schiavone: voor deze streek was hij gestraft. Verder verhaalde hij over een crime passionel, met andere woorden hij was vermoord omdat hij de nicht van een boss had belaagd. Om iedere gedachte over een vrouw kort te sluiten, is het genoeg haar te definiëren als 'hoer', en de snelste manier om een oordeel te vellen is door een priester ervan te beschuldigen een hoerenloper te zijn. Uiteindelijk komt het verhaal naar buiten dat Don Peppino vermoord is omdat hij zijn plicht als priester niet heeft gedaan, en de begrafenis van een familielid van Quadrano niet wilde leiden in de kerk. Onwaarschijnlijke, lachwekkende aantijgingen, die erop gericht zijn te vermijden dat Don Peppino een martelaar zou worden, om zijn geschriften niet te verspreiden, om hem niet als een slachtoffer maar als een soldaat te beschouwen. Wie de dynamiek van de macht van de camorra niet kent, denkt dat het doden van een onschuldige een gebaar is van vreselijke naïviteit van de kant van de clans omdat het zijn voorbeeld, zijn woorden legitimeert en uitvergroot als een bevestiging van zijn waarheden. Fout. Zo is het nooit. Zodra je in het gebied van de camorra sterft, word je overspoeld met ontelbare verdenkingen en is de onschuld een verre hypothese, de laatst mogelijke. Je bent schuldig totdat je het tegendeel hebt bewezen. De theorie van het moderne recht is in het gebied van de camorra het omgekeerde.

Aandacht is er dermate weinig dat een verdenking al genoeg is en de media drukken niet het nieuws af over een onschuldige die is vermoord. En als er niet meer doden zijn komt niemand er meer op terug. En op die manier is het vernietigen van het imago van Don Peppino Diana een fundamentele strategie geweest om de druk op de clan te verlichten, de ramp van nationaal belang had te veel moeilijkheden gegeven.

Een plaatselijk dagblad nam het op zich klankbord te zijn van de lastercampagne tegen Don Peppino. Met zulke dikke koppen in de krant dat de letters op je oogleden bleven drukken als je door de krant heen bladerde: 'Don Diana in bed met twee vrouwen.' De boodschap was duidelijk: niemand kon zich tegen de camorra richten. Wie het doet heeft altijd een persoonlijke reden, een akkefietje, een privé-kwestie die zich in dezelfde drek wentelt.

Zijn herinnering werd verdedigd door zijn vrienden van vroeger, familieleden en de mensen die hem volgden, zoals de journalist Raffaele Sardo die zijn herinneringen heeft vastgelegd in artikelen en boeken en de journalist Rosaria Capacchione die de strategieën van de clans, de sluwheden van de spijtoptanten en hun ingewikkelde en beestachtige macht heeft gemonitord.

De uitspraak in hoger beroep in 2003 stelde enkele passages van de eerste versie van Giuseppe Quadrano ter discussie, die Vincenzo Verde en Giuseppe Della Medaglia vrijpleitten. Quadrano had gedeeltelijk de waarheid gezegd en had – vanaf het eerste ogenblik – de strategie uitgezet zich niet volledig verantwoordelijk te verklaren. Maar hij was de killer, herkend door enkele getuigen en bevestigd door ballistische onderzoeken.

Giuseppe Quadrano is de moordenaar van Don Peppino Diana. De uitspraak in hoger beroep sprak Verde en Della Medaglia vrij. Het commando bestond uit Quadrano en Santoro, die als chauffeur had gefungeerd. Francesco Piacenti had informatie over Don Peppino Diana geleverd en hij was de supervisor die door De Falco rechtstreeks uit Spanje was gestuurd om de operatie te leiden. Levenslang voor Piacenti en Santoro werd ook door de uitspraak in hoger beroep bevestigd. Quadrano had zelfs telefoongesprekken met verschillende leden geregistreerd, waarin hij meerdere malen herhaalde dat hij niets met de moord te maken had, registraties die hij vervolgens bij de politie inleverde. Quadrano begreep dat door De Falco was besloten om te moordaanslag te plegen en hij wilde zonder meer worden aangewezen als slechts de gewapende arm van de operatie. Het is niet ondenkbaar dat alle figuren die bij de eerste versie van Quadrano waren betrokken, het in hun broek deden en op wat voor een manier dan ook niet wilden deelnemen aan de aanslag. Soms zijn mitrailleurs en pistolen niet genoeg om een weerloos gezicht en heldere woorden te trotseren.

Nunzio De Falco werd gearresteerd in Albacete, hij zat in een intercity van Valencia naar Madrid. Hij had een machtig crimineel kartel op poten gezet samen met mannen van de 'ndrangheta en enkele asociale figuren van Cosa Nostra. Hij probeerde ook – volgens de onderzoeken van de Spaanse politie – Spaanse zigeuners die in Zuid-Spanje leven op te nemen in een criminele groepsstructuur. Hij had een imperium opgebouwd: vakantiedorpen, casino's, winkels, hotels. De Cosa del Sol kende een kwaliteitssprong in de vakantie-infrastructuur sinds de Casalesi-clan en de Napolitanen hadden besloten er een parel van het massatoerisme van te maken.

De Falco werd in januari 2003 tot levenslang veroordeeld als opdrachtgever tot de moord op Don Peppino Diana. Terwijl het vonnis in de rechtszaal werd voorgelezen, moest ik lachen. Een lach die ik kon onderdrukken door mijn wangen vol lucht te blazen. Ik kon geen weerstand bieden aan het absurde tafereel dat zich voltrok in de rechtszaal. Nunzio De Falco werd verdedigd door advocaat Gaetano Pecorella, die gelijktijdig voorzitter was van de *Commissione*

Giustizia van de Kamer van Afgevaardigden en verdediger van een van de grootste bosses van het camoristische kartel van de Casalesi. Ik lachte omdat de clans zo sterk waren dat ze zelfs de grondregels van de natuur en de sprookjes op zijn kop hadden gezet. Een wolf laat zich verdedigen door een *pecorella*, lam. Maar misschien was mijn gelach een delirium van vermoeidheid en een nervous breakdown.

De bijnaam van Nunzio De Falco staat op zijn gezicht geschreven. Hij heeft echt een wolvenkop. De signalementsfoto is verticaal gevuld met het lange gezicht met puntoren dat bedekt is met een korte ruige baard als een tapijt van naalden. Kroeshaar, donkere huid en een driehoekige mond. Hij lijkt precies op een weerwolf uit de *horror movies*. En toch wijdde een plaatselijke krant, dezelfde die prat ging op de banden tussen Don Peppino en de clan, de eerste bladzijden aan zijn kwaliteiten als *latin lover*, waar vurig naar verlangd werd door vrouwen en meisjes. De titel op de voorpagina van 17 januari 2005 was veelzeggend: 'Nunzio De Falco, koning van de vrouwenverslinders'.

Casal di Principe (Ce)

Ze zijn niet knap maar geliefd want het zijn bosses. Zo is dat. Als er een top tien zou zijn van playboybosses uit de provincie, dan zouden er twee bovenaan staan die meerdere keren waren veroordeeld uit Casal di Principe. Ze zijn niet zo knap, zoals Antonio Bardolino die altijd de meest aantrekkelijke van allemaal is geweest. Het zijn Francesco Piacenti alias 'de Kokker' en Nunzio De Falco alias 'de wolf'. Volgens de verhalen heeft de eerste vijf vrouwen gehad en de tweede zeven. Natuurlijk hebben wij het hier niet over echte huwelijken maar over langdurige relaties waaruit kinderen zijn geboren. Het schijnt dat Nunzio De Falco meer dan twaalf kinderen bij verschillende vrouwen heeft. Maar bijzonder interessant is dat niet alle vrouwen in kwestie Italiaans zijn. Een Spaanse, een Engelse en een Portugese. Op

iedere plek waar ze naartoe gingen, ook in tijden van voort-
vluchtigheid, stichtten ze een gezin. Zoals zeebonken? Bijna [...] niet toevallig zijn er ook aan enkele van hun vrouwen, die allemaal mooi en elegant zijn, getuigenissen
gevraagd. Vaak is het zwakke geslacht de oorzaak van de
ondergang van een boss. Vaak zijn zij het die indirect tot de
gevangneming van de meest gevaarlijke bosses hebben geleid. Detectives die hen schaduwden hebben voor de vangst
gezorgd van de boss van het kaliber van Francesco Schiavone Cicciariello [...] Uiteindelijk zijn ook voor de bosses
vrouwen hun kruis en hun genot.

De dood van Don Peppino was de prijs die betaald moest worden
voor de vrede tussen de clans. Ook het vonnis refereert aan deze hypothese. Tussen de twee strijdende groepen moest een akkoord komen, en dat is misschien gesloten op het lijk van Don Peppino. Als
een geofferde geit, als zoenoffer. Hem liquideren betekende een
probleem oplossen voor alle families en gelijktijdig de aandacht van
de onderzoeken naar hun zaken afleiden.

Ik had horen spreken over een jeugdvriend van Don Peppino, Cipriano, die een vurige tirade had geschreven om op de begrafenis
voor te lezen, een scheldtirade geïnspireerd op een betoog van Don
Peppino, maar hij durfde die ochtend geen vin te verroeren. Hij was
jaren eerder uit het dorp weggegaan en woonde in de buurt van Rome, hij had besloten nooit meer een voet in Campania te zetten. Er
was mij verteld dat de pijn over de dood van Don Peppino hem
maandenlang aan bed had gekluisterd. Als ik aan zijn tante vroeg
hoe het met hem ging, antwoordde ze steevast altijd op dezelfde be-
grafenistoon: 'Hij heeft zich in zichzelf opgesloten. Cipriano heeft
zich afgesloten!'

Af en toe sluit iedereen zich weleens af. Het is in deze streek niet
vreemd om zoiets te horen zeggen. Iedere keer als ik deze uitdrukking hoor moet ik aan Giustino Fortunato denken, die in het begin
van 1900 – om de situatie beter te leren kennen van de dorpen op de
zuidelijke Appennijnen – daar maandenlang had gelopen en alle

dorpen aandeed, waar hij overnachtte in de huizen van de dagloners en luisterde naar de getuigenissen van woedende boeren zodat hij de stem en de geur van de Zuid-Italiaanse kwestie leerde kennen. Toen hij daarna senator was geworden, kwam hij bij toeval terug in deze dorpen en vroeg hij naar de mensen die hij jaren daarvoor had ontmoet, de meest strijdlustigen die hij zou willen inschakelen bij zijn projecten. Maar vaak kreeg hij van hun familie het antwoord: 'Die heeft zich afgesloten!' Zich afsluiten, zwijgzaam worden, bijna stom, een wens om in zichzelf te vluchten en op te houden te weten, te begrijpen en te handelen. Ophouden te vechten, een keuze tot kluizenaarschap vlak voordat hij de werkelijkheid aanvaardt. Ook Cipriano had zich afgesloten. In het dorp werd me verteld dat hij zich was begonnen af te sluiten sinds de keer dat hij op sollicitatiegesprek was gekomen om te worden aangesteld als personeelschef in een vervoersbedrijf van Frosinone. De examinator die zijn curriculum hardop voorlas, hield op bij zijn woonplaats. 'Aha, ik weet waar u vandaan komt! Uit het dorp van die beroemde boss... Sandokan toch?'

'Nee, uit het dorp van Peppino Diana!'

'Van wie?'

Cipriano was opgestaan van zijn stoel en weggelopen. Om te kunnen rondkomen had hij een kiosk in Rome. Ik was achter zijn adres gekomen via zijn moeder, die ik toevallig was tegengekomen: ik stond achter haar in de rij in de supermarkt. Ze moest hem hebben gewaarschuwd voor mijn komst, want Cipriano beantwoordde de intercom niet. Hij wist misschien waarover ik wilde praten. Maar ik wachtte uren voor zijn huis, ik was bereid om in zijn trappenhuis te gaan slapen. Hij besloot naar buiten te komen. Hij groette me zuinigjes. We liepen een parkje in dicht bij zijn huis. Hij liet me plaatsnemen op een bankje, deed een schrift met lijntjes open, zo eentje van de lagere school met van die iele lijntjes en op die bladzijden stond zijn met de hand geschreven tirade. Wie weet of er op die blaadjes ook een krabbel van Don Peppino stond. Ik durfde het hem niet te vragen. Een betoog dat ze samen zouden ondertekenen. Maar toen waren de killers gekomen, de dood, de smaad, de onpeilbare eenzaamheid. Hij begon het op een toon van een ketterse broeder voor te lezen, die gebarend als fra Dolcino door de straten liep om de apocalyps aan te kondigen.

Wij staan het mensen niet toe dat onze geboortegronden camorraplaatsen worden, een groot Gomorra dat verwoest moet worden. Wij staan geen camorristen toe, en geen beesten, mensen zoals iedereen, dat alles wat elders legaal is hier zijn illegaliteit vindt, wij staan niet toe dat elders wordt opgebouwd wat hier wordt verwoest. Jullie scheppen de woestijn rondom jullie villa's, kom niet tussen datgene wat jullie zijn en wat jullie absolute wil is. Herinner. Toen liet de Heer uit de hemel zwavel en vuur neerkomen op Sodom en Gomorra en hij vernietigde die steden en de hele vallei, met de inwoners van al de steden en met alles wat er op het land groeide. De vrouw van Lot, die achter hem liep, keek om en veranderde in een zuil van zout. (Genesis 19:12-29)

We moeten het riskeren om van zout te worden, we moeten omkijken om te zien wat er gebeurt, wat zijn woede koelt op Gomorra, de volledige verwoesting waar het leven wordt opgeteld of afgetrokken van jullie economische operaties, zien jullie niet dat deze streek Gomorra is, zien jullie dat niet? Herinner. Wanneer ze zien dat heel de bodem door zwavel en zout is vergiftigd zodat zaaien geen zin heeft en er helemaal niets meer wil groeien, net zoals toen de Heer in zijn grote woede Sodom en Gomorra, Adma en Seboïm weggevaagd had (Deuteronomium 29:22) De mensen sterven door een ja en door een nee, men geeft zijn leven voor een bevel en de keuze van iemand, jullie gaan decennia de gevangenis in om een dodelijke macht te verwerven, jullie verdienen bergen geld die jullie investeren in huizen waar jullie niet in wonen, in banken waar jullie nooit komen, in restaurants die jullie niet beheren, in bedrijven die jullie niet leiden, jullie bevelen dodelijke macht

en proberen een leven te beheersen dat jullie verborgen onder de grond slijten, omringd door bodyguards. Jullie
moorden en worden vermoord in een schaakspel waarin
jullie niet de koning zijn maar degene die van jullie rijkdom
afneemt en elkaar laat verslinden totdat niemand meer
schaak gezet kan worden en er een pion overblijft op het
schaakbord. En dat zullen jullie niet zijn. Wat jullie hier
verslinden, spugen jullie elders weer uit, ver weg, zoals de
vogels die het voedsel overgeven in de bek van hun jongen.
Maar het zijn geen jongen die jullie voeren, maar gieren en
jullie zijn geen vogels maar buffels die gereed zijn om zichzelf te vernietigen op een plek waar bloed en macht de termen zijn van de overwinning. Het wordt *tijd om op te houden
een Gomorra te zijn...*

Cipriano hield op met lezen. Het leek dat hij in zijn geest alle gezichten voor zich zag waarin hij die woorden had willen smijten. Hij
haalde moeizaam adem, als iemand die aan astma lijdt. Hij deed het
schrift dicht en liep weg zonder me te groeten.

Hollywood

Het 'Centrum voor eerste en tijdelijke opvang van minderjarigen in afwachting van toewijzing' in Casal di Principe was opgedragen aan Don Peppino en gehuisvest in een in beslag genomen villa van Egidio Coppola, lid van de Casalesi-clan. Het was een luxueuze villa waar veel kamers in gemaakt konden worden. Het bureau voor renovatie, ontwikkeling en veiligheid in het territorium, de AGRORINASE dat de gemeentes van Casapesenna, Casal di Principe, San Cipriano d'Aversa en Villa Literno omvat, is erin geslaagd om enkele panden van camorristen om te bouwen tot nuttige voorzieningen voor de mensen in het dorp.

De in beslag genomen villa's van de bosses blijven zolang ze niet daadwerkelijk in hergebruik zijn genomen, de sfeer van de bouwer en bewoner behouden. Ook leeg symboliseren de villa's de overheersing. Rijdend langs de akkers van Aversa lijkt het alsof je een soort van catalogus doorbladert, met een opsomming van alle architectonische stijlen van de afgelopen dertig jaar.

De meest imponerende villa's van aannemers en landeigenaren staan model voor de huisjes van de employés en handelaren. Als de eerste categorie op vier Dorische zuilengalerijen van gewapend beton troont, dan heeft de tweede er twee en zullen de zuilen half zo hoog zijn. Het spel van de imitatie zorgt ervoor dat het territorium bezaaid is met agglomeraties van villa's die onderling wedijveren in indrukwekkendheid, complexiteit en onschendbaarheid, op zoek naar een wonderbaarlijke eigenheid, door bijvoorbeeld de lijnen van een schilderij van Mondriaan te reproduceren op het hekwerk buiten.

De villa's van de camorristen zijn de betonnen parels die verborgen liggen aan de dorpswegen in de streek Caserta, beschermd door omheiningen en camera's. Er staan er honderden. Marmer en parket, zuilengalerijen en trappen, schouwen met de initialen van de boss in graniet uitgehakt. Maar één is er heel beroemd, het is de meest weelderige van allemaal en de villa waarover de meeste legendes bestaan. Voor iedereen in het dorp is dat 'Hollywood'. Je hoeft de naam maar te horen om het te begrijpen.

Hollywood is de villa van Walter Schiavone, broer van Sandokan en vele jaren hoofd van de betonbusiness voor de clan. Zo ingewikkeld is het niet om de achtergrond van de naam raden. Het is makkelijk zich de ruimtes en de pracht en praal voor te stellen. Maar dat is niet het werkelijke motief. De villa van Walter Schiavone had echt wat met Hollywood te maken. In Casal di Principe wordt verteld dat de boss aan zijn architect had gevraagd een villa te bouwen die identiek was aan die van Tony Montana in *Scarface*, de Cubaanse gangster in Miami. Hij had de film eindeloos vaak gezien en was er zo van ondersteboven dat hij zich identificeerde met het personage, gespeeld door Al Pacino. En om eerlijk te zijn had zijn scherpe gelaat, met enige fantasie, iets weg van het gezicht van de acteur. Alles ademt de sfeer van een legende. De boss, zo zeggen ze in het dorp, overhandigde meteen de videoband van de film aan zijn architect. De villa moest hetzelfde worden als die in de film *Scarface* en niet anders. Dit leek op een van de verhalen die de macht van iedere boss omhoog zou doen schieten, een aura die zich vermengt met een legende, met heuse mythes uit het moederland.

Iedere keer dat de naam Hollywood viel, was er altijd wel weer iemand anders die als klein jongetje de constructiewerkzaamheden had gezien, allemaal achter elkaar op de fiets om de villa van Tony Montana te aanschouwen die langzaam midden op straat verrees, alsof hij rechtstreeks vanaf een scherm kwam. Iets vreemds overigens, want in Casal werden de villa's pas gebouwd nadat de hoge ommuring was opgetrokken.

Ik heb het verhaal van Hollywood geloofd. Van buitenaf gezien leek de villa van Schiavone op een bunker, omgeven door dikke muren met daarbovenop dreigend hekwerk. Iedere toegang werd beschermd door gepantserde hekken. Je weet niet wat er zich aan de andere kant van die muren bevindt, maar het moet wel iets kostbaars zijn, gezien het verdedigende pantser.

Er is één aanwijzing buiten de muur, een stille boodschap bij de hoofdingang; aan weerszijden van het hekwerk, dat op dat van een boerenlandhuis leek, staan twee Dorische zuiltjes met bovenop een timpaan. Ze passen totaal niet bij de gedisciplineerde soberheid van de huisjes in de buurt, bij de dikke muren, bij het lelijke rode hek. Het is het beeldmerk van de familie: de eigentijdse heidense timpaan, als boodschap voor wie de villa al kende.

Alleen door het te zien zou ik zekerheid krijgen dat de constructie, waarover al jaren werd gefantaseerd, echt bestond. Ik had al honderden keren bedacht het hek binnen te lopen om Hollywood met eigen ogen te aanschouwen. Het bleek onmogelijk. Ook na de beslaglegging werd het beschermd door pali van de clan. Op een ochtend, voordat er een beslissing was genomen over de toekomstige bestemming, raapte ik al mijn moed bij elkaar en slaagde erin via een secondaire toegang binnen te komen, buiten bereik van de indiscrete blikken van de pali die zenuwachtig zouden kunnen worden van mijn binnendringen.

De villa zag er indrukwekkend uit, licht, de façade dwong hetzelfde ontzag af als bij het zien van een monument. De twee verdiepingen hoge zuilen met timpanen van verschillende grootte liepen verticaal af en waren gerangschikt in een halve cirkel. De entree was een architectonisch delirium, met twee gigantische trappen die als marmeren vleugels naar de tweede verdieping leidden, waar je vanaf de galerij op de onderliggende salon neerkeek. Het atrium was identiek aan dat van Tony Montana. Er was ook een galerij met een centrale toegang tot de studio, dezelfde waar *Scarface* eindigt in een regen van kogels. De villa is een kleurenpracht van Dorische zuilen die binnen roze zijn gestuukt en buiten zeegroen. De zijkanten van de villa worden gevormd door dubbele zuilengalerijen met kostbare gietijzeren versieringen. Het hele landgoed strekt zich uit over 3400 vierkante meter, de villa beslaat 850 vierkante meter over drie etages, de waarde van het onroerend goed was aan het eind van de jaren negentig ongeveer vijf miljard lire, nu zou dezelfde constructie een handelswaarde hebben van vier miljoen euro.

Op de eerste verdieping bevinden zich gigantische vertrekken en iedere vertrek beschikt over minstens één badkamer. Sommige vertrekken zijn luxueus en enorm, andere juist klein en compact. In de kinderkamer hangen nog de posters van zangers en voetballers aan de muren en een zwartgeblakerd schilderijtje van twee kleine engeltjes, misschien hing het bij het hoofdeinde van het bed. Een krantenknipsel: *Albanova maakt zich op voor de strijd*. Albanova was het elftal van Casal di Principe en San Cipriano d'Aversa, door de Antimaffiacommissie ontbonden in 1997. Het was opgericht met clangeld, een speelgoedelftal voor de bosses. Die verbrande knipsels op het rottende pleisterwerk waren het enige dat over was van de zoon van Walter, die bij een verkeersongeluk om het leven was gekomen toen hij een puber was.

Vanaf het balkon had je uitzicht op de achtertuin, met her en der palmbomen, en er was ook een kunstmatig aangelegd meertje met een houten bruggetje dat naar een klein eilandje liep vol planten en bomen met daaromheen een droog muurtje. In dit deel van het huis liepen, toen de familie Schiavone er nog woonde, de honden, rottweilers, rond, het zoveelste teken van machtsvertoon. Achter de villa lag een grasveld met een elegant, ellipsvormig zwembad, zodat je 's zomers in de schaduw van de palmen kon zitten. Dit deel van de villa was een kopie van het bad van Venus, werkelijk een parel in de Engelse tuin van het koninklijke paleis van Caserta. Het standbeeld van de godin die zich op het wateroppervlak neervlijde met dezelfde sierlijkheid als die van Vanvitelli.

De villa staat leeg sinds de arrestatie in 1996 van de boss hier in deze vertrekken. Walter had niet zoals zijn voortvluchtige broer Sandokan onder zijn enorme villa in het centrum van Casal di Principe een diepe en vorstelijke schuilplaats laten bouwen. Sandokan vluchtte toen hij werd gezocht naar een klein fort zonder deuren en ramen, met onderaardse gangen en natuurlijke grotten waardoor hij in geval van nood kon ontsnappen, waar ook een appartement was van honderd vierkante meter met alles erop en eraan. Een onwerkelijk appartement, met witte majolica vloeren en verlicht door neonbuizen.

De bunker was voorzien van een video-intercom, en had twee

toegangen die onmogelijk van buitenaf te zien waren. Er waren geen deuren te bekennen, omdat alleen de hele schuifwanden van gewapend beton open konden. Als er gevaar dreigde voor huiszoekingen, kon de boss vanuit de eetzaal via een verborgen valluik een serie van elf met elkaar in verbinding staande gangen onder de grond bereiken, die een soort van ondergrondse 'foyer' vormden, waarin Sandokan tenten had laten opzetten. Een bunker in de bunker. Om hem in 1998 op te kunnen pakken had de DIA een jaar en zeven maanden moeten wachten, voordat ze met een elektrische zaag door de muur heen kwamen om de schuilplaats binnen te gaan.

Pas nadat Francesco Schiavone zich had overgegeven, was het mogelijk de hoofdingang te onderscheiden in een opslagplaats van een villa in Via Salerno, tussen lege plastic dozen en tuingereedschap. Er ontbrak niets in de bunker. Er stonden twee koelkasten waarin genoeg etenswaar zat om twee weken lang minstens zes personen te kunnen voeden. Een hele wand stond vol met een hightech stereo-installatie, met videorecorders en projectoren. De recherchedienst van Napels had tien uur nodig om de alarminstallaties te controleren van de twee toegangen. In de badkamer was uiteraard een badkuip met watermassage. Alles ondergronds, levend in een hol, tussen valluiken en onderaardse gangen.

Walter daarentegen verborg zich niet onder de grond. Toen hij voortvluchtig was kwam hij naar het dorp voor de belangrijkste vergaderingen. Hij keerde in het volle daglicht terug naar huis met zijn stoet van bodyguards, overtuigd als hij was van de ontoegankelijkheid van zijn villa. De politie arresteerde hem haast per toeval. Ze voerden routinecontroles uit. Acht, tien, twaalf keer per dag patrouilleren politieagenten en carabinieri langs de huizen van de families van gezochte personen, ze controleren, onderzoeken, doen huiszoekingen, maar proberen vooral op hun zenuwen te werken om de familie steeds minder solidair te laten worden met de keuze van hun eigen familielid om onder te duiken.

Mevrouw Schiavone ontving de agenten altijd vriendelijk en zeker van zichzelf. Ze bood hun rustig thee en koekjes aan die categorisch werden geweigerd. Op een middag echter klonk Walters vrouw door de intercom al gespannen, door de traagheid waarmee het hek werd opengedaan merkten de politieagenten meteen dat er die dag iets bijzonders was. Toen ze door de villa liepen, werden ze door mevrouw Schiavone achternagelopen en groette zij ze niet zoals gewoonlijk vanaf onder aan de trappen zodat haar woorden door de hele villa galmden.

Ze vonden een stapel pasgestreken overhemden op het bed waarvan de maat te groot was om van hun zoon te zijn. Walter was thuis. De politieagenten hadden het begrepen en verspreidden zich over de kamers van de villa om hem te zoeken. Ze kregen hem te pakken toen hij over de muur probeerde te klimmen. Dezelfde muur die hij had laten maken om zijn villa ondoordringbaar te maken, verhinderde zijn ontsnapping, als een gauwdief werd hij in de kraag gepakt terwijl hij zich aan de gladde muur probeerde vast te grijpen.

De villa werd meteen in beslag genomen, zes jaar lang was het bouwwerk van niemand. Walter gaf opdracht alles wat mogelijk was weg te halen. Als hij het niet meer tot zijn beschikking had, dan mocht het niet meer bestaan. Het was van hem of van niemand. Hij liet de deuren uit hun scharnieren halen, de kozijnen uit hun sponningen, hij liet het parket weghalen, vernietigde het marmer van de trappen, ontmantelde de kostbare schouwen, en liet zelfs de tegels uit de badkamers weghalen en de massief houten trapleuningen eruit trekken; de kroonluchters, de keuken, de achttiende-eeuwse meubels werden weggehaald, de vitrines, de schilderijen. Hij zorgde ervoor dat overal in het huis autobanden werden neergelegd die in brand werden gestoken om de vloeren, het stucwerk en de zuilen te verruïneren. Ook hiermee leek hij een boodschap achter te hebben gelaten. Het enige dat intact bleef, was de badkuip op de tweede etage, zijn meest geliefde object. Een vorstelijke badkuip in de salon op de tweede etage. Het stond op een verhoging van drie treden met een vergulde leeuwenkop als kraan waaruit het water stroomde. De kuip die achter het raam met booggewelf was geplaatst, gaf rechtstreeks uitzicht over de villatuin. Een teken van zijn macht als bouwer en als camorrist, net zoals een schilder die zijn schilderij heeft uitgewist maar zijn handtekening op het doek heeft laten staan.

Langzaam liep ik door Hollywood heen. Wat ik had afgedaan als overdreven kletspraat, bleek met de werkelijkheid in overeenstemming te zijn. De Dorische kapitelen, de imponerende structuur van het gebouw, de dubbele timpaan, het bad in de kamer en vooral alle trappen in de entree zijn exacte kopieën van de villa in *Scarface*.

Ik liep door de zwartgeblakerde kamers met het gevoel dat mijn borst opgezwollen was, alsof mijn organen één groot hart waren geworden. Ik voelde het overal en steeds harder kloppen. Mijn speeksel was opgedroogd door het diepe inademen om mijn angst te beheersen. Als de pali die de villa nog bewaakten mij betrapten, zouden ze me aftuigen en ik zou kunnen krijsen als een speenvarken, maar niemand zou me horen. Maar kennelijk had niemand me naar binnen zien gaan of misschien werd de villa niet meer bewaakt.

Er kwam een razende woede in me op, ik zag in een flits beelden voorbijschieten van geëmigreerde vrienden, van vrienden die bij de clan waren gekomen of in het leger waren gegaan, de trage middagen in deze woestijngebieden, de afwezigheid van alles behalve de zaken, de politici meegezogen door corruptie en de imperiums die werden opgebouwd in Noord-Italië en in Midden-Europa, hier alleen maar afval en dioxine achterlatend. Ik kreeg zin om iemand in elkaar te slaan. Ik moest me ontladen. Ik kon het niet weerstaan. Ik ging op de rand van het bad staan en begon erin te pissen. Een belachelijk gebaar, maar hoe leger mijn blaas werd hoe beter ik me ging voelen.

Die villa leek de bevestiging van een gemeenplaats, de concretisering van een kletspraatje. Ik had het belachelijke gevoel dat Tony Montana op het punt stond uit een kamer te komen en met wijd gebarende, parmantige arrogantie zou zeggen: 'Alles wat ik op de wereld bezit is mijn lef en mijn woord. Dat neemt niemand van me af, is dat duidelijk?'

Wie weet had Walter er ook van gedroomd en zich voorgesteld om te sterven als Montana, naar beneden vallend in zijn hal doorzeefd met kogels, in plaats van zijn dagen in de gevangenis te slijten, gekweld door de ziekte van Graves-Basedow, die zijn ogen aantast en zijn bloeddruk opstuwt.

Er bestaat geen cinema die de criminele wereld doorvorst om de meest interessante gedragingen te verzamelen. Precies het tegenovergestelde vindt plaats. De nieuwe generaties van bosses doorlopen niet exclusief een crimineel traject, ze brengen hun dagen niet op straat door met als referentiepunt de guappo van de wijk, ze dragen geen mes op zak, of littekens op hun gezicht. Ze kijken tv, studeren, gaan naar de universiteit, studeren af, gaan naar het buitenland en zijn op hun studeerkamer vooral bezig met investeringsmechanismen.

Het geval van de film *Il Padrino*, De Peetvader, is veelzeggend. Niemand binnen de criminele organisaties van Sicilië of van Campania heeft ooit de term padrino gebruikt, dat het gevolg is van een weinig filologische vertaling van het Engelse *godfather*. De term die wordt gebruikt om een *capofamiglia*, familiehoofd, aan te geven of een lid, is altijd *compare* geweest. Na de film vervingen de maffiafamilies in Amerika die oorspronkelijk Italiaans waren het uit de mode geraakte compare en *compariello* door padrino.

Veel Italo-Amerikaanse jongeren die aan maffiose organisaties zijn verbonden, imiteren de donkere brillen, de krijtstreep en de verheven woorden. John Gotti zelf wilde zich veranderen in een levende versie van Vitto Corleone. Ook Luciano Liggio, boss van Cosa Nostra, liet zich fotograferen terwijl hij zijn kaak vuil maakte zoals het familiehoofd van *Il Padrino*.

Mario Puzo werd niet geïnspireerd door een Siciliaanse boss, maar door de geschiedenis en door het uiterlijk van een boss van Pignasecca, de markt in de oude Napolitaanse binnenstad, Alfonso Tieri, die – na de dood van Charles Gambino – zijn plaats innam aan de top van de heersende Italiaanse maffiose families in de Verenigde Staten.

Antonio Spavone ofwel 'de slechterik', de Napolitaanse boss verbonden aan Tieri, verklaarde in een interview in een Amerikaanse krant dat 'zoals de Sicilianen hadden geleerd om stil en stom te blijven, hadden de Napolitanen het aan de wereld duidelijk gemaakt hoe je je dient te gedragen wanneer je de lakens uitdeelt. In één beweging overbrengen dat bevelen beter is dan verneuken'. Het grootste gedeelte van de misdadige archetypes, de top van het maffiose charisma, was afkomstig uit een paar luttele kilometertjes in Campania.

Ook Al Capone kwam oorspronkelijk uit Campania. Zijn familie kwam uit Castellammare di Stabia. Hij was de eerste boss die zich aan de film waagde. Zijn bijnaam Scarface had hij te danken aan een litteken op zijn wang. In 1983 werd hij door Brian De Palma gevraagd voor de film over de Cubaanse boss, maar *Scarface* was al de titel geweest van een film van Howard Hawks in 1932. Al Capone liet zich toen regelmatig op de set zien, iedere keer kwam hij met zijn escorte aanzetten als er actiescènes en wat buitenopnamen waren waaraan hij mee mocht doen. De boss wilde controleren of Tony Camonte, het personage in *Scarface* dat op hem was geïnspireerd, niet te gewoontjes werd. En hij wilde zoveel mogelijk lijken op Tony Camonte, zodat hij er zeker van was dat nadat de film was uitgekomen, hijzelf het symbool van Capone werd, en niet zijn model.

De film werd een symbool waar veel uitdrukkingen aan ontsproten zijn. In Napels is Cosimo Di Lauro exemplarisch. Als je zijn houding bekijkt, doet iedereen dat aan *The Crow* van Brandon Lee denken. De camorristen moeten een crimineel imago waarmaken dat ze vaak niet hebben, en dat ze wel in de film vinden. Door zichzelf uit te vergroten op een herkenbaar Hollywood-sjabloon, doorlopen ze een kortere route om herkend te worden als angstaanjagend personage. De cinematografische inspiratie conditioneert ook hun techniek bij het vasthouden van een pistool en de manier van schieten. Een veteraan van de Napolitaanse recherche vertelde me een keer hoe de killers de film imiteerden. 'Na Tarantino zijn die lui opgehouden met behoorlijk schieten zoals Christus dat heeft bedoeld! Ze schieten niet meer met een rechte loop. Ze hebben altijd een scheve, platgeslagen loop. Ze schieten met kromme pistolen zoals in de film, en deze gewoonte veroorzaakt rampen. Ze schieten laag in de onderbuik, in de ingewanden, in de benen, ze brengen vreselijk verwondingen toe zonder te doden. Zodat ze altijd gedwongen zijn hun slachtoffer met een nekschot af te maken. Een gratis bloedzee, een volkomen overvloedige barbaarsheid bij de executie.'

De bodyguards van de vrouwelijke bosses zijn gekleed als Uma Thurman in *Kill Bill*: blonde pagekopjes en fosforiserende gele pakken. Een vrouw uit de Quartieri Spagnoli, Vincenza Di Domenico, die even met justitie samenwerkte, had de veelzeggende bijnaam, Nikita, als de heroïne-killer uit de film van Luc Besson. De film, vooral de Amerikaanse, wordt niet ervaren als een verre plek waar iets afwijkends plaatsvindt, niet als een plek waar het onmogelijke gebeurt, maar juist als de meest naaste omgeving.

Ik liep langzaam de villa uit, en bevrijdde mijn voeten uit de jeneverbesstruiken en het onkruid dat zich meester had gemaakt van de zo door de boss verlangde Engelse tuin. Ik liet het hek openstaan. Nog maar enkele jaren geleden zou ik nog voordat ik bij deze plek was aangekomen, zijn geïdentificeerd door minstens tien wachters. Nu ben ik met mijn handen in mijn zakken naar buiten gelopen en met mijn hoofd naar beneden, zoals wanneer je de film uitkomt en nog verdoofd bent van wat je hebt gezien.

Het is niet moeilijk te begrijpen dat in Napels de film *Il camorrista* van Giuseppe Tornatore veruit het meest tot ieders verbeelding sprak. Je hoeft alleen maar de grapjes tussen de mensen te horen, al jaren dezelfde.
'Zeg tegen de professor dat ik hem niet heb verraden.'
'Ik weet hoeveel hij waard is, maar ik weet ook hoeveel ik waard ben.'
'Dat bedorven stuk vlees is een maffioso van niks!'
'Wie heeft je gestuurd?'
'Degene die beslist of hij je laat leven of je laat sterven.'
De muziek van de film is een soort van klankzuil van de camorra geworden, dat gefloten wordt wanneer er een capozona langsloopt, of vaak alleen maar om winkeliers de stuipen op het lijf te jagen. De film is zelfs doorgedrongen tot in discotheken waar wordt gedanst

op minstens drie gemixte versies van de bekendste zinnen van de boss Rafaele Cutolo, in de film uitgesproken door Ben Gazarra.

Twee jochies uit Casal di Principe, Giuseppe M. en Romeo P. droegen uit hun hoofd de dialogen uit *Il camorrista* voor. Ze speelden hele scènes uit de film na: 'Hoeveel gewicht legt een *picciotto*, loopjongen van de camorra, in de weegschaal? Net zoveel als een veertje in de wind.'

Ze hadden hun rijbewijs nog niet toen ze in Casale en San Cipriano d'Aversa groepen leeftijdsgenoten lastigvielen. Ze hadden het nog niet omdat ze geen van tweeën achttien waren. Het waren twee patsertjes. Dikdoeners, geinponems, ze gingen uit eten en lieten het dubbele bedrag achter als fooi. Hun overhemd stond open en liet hun onbehaarde borst zien, een wandeling waarbij luidruchtig werd gedeclameerd, alsof iedere stap opnieuw gewroken moest worden. Kin in de lucht, een vertoon van zekerheid en macht dat zich in werkelijkheid alleen in hun eigen verbeelding afspeelde.

Ze waren altijd met zijn tweeën. Giuseppe speelde de boss, en liep altijd een stap voor zijn maat. Romeo had de rol van zijn bodyguard, zijn rechterhand, vertrouweling. Vaak noemde Giuseppe hem Donnie, zoals Donnie Brasco. Ook al was hij een geïnfiltreerde politieagent, het feit dat hij een echte maffioso in hart en nieren werd, redde hem van deze oorspronkelijke zonde. In Aversa joegen ze de jongeren die net hun rijbewijs hadden gehaald angst aan. Het liefst hadden ze stelletjes, ze botsten met hun brommer tegen hun auto en wanneer de jongen uitstapte om hun gegevens voor de verzekering op te nemen, liep een van de twee op het meisje af en spuugde haar in het gezicht en wachtte af tot haar vriend reageerde om hem vervolgens tot moes te slaan. De twee tartten ook volwassenen en belangrijke mensen. Ze deden wat in hen opkwam. Ze kwamen uit Casal di Principe en dat moest volgens hun inbeelding voldoende zijn. Ze wilden laten weten dat ze werkelijk te vrezen waren en dat ze gerespecteerd moesten worden, iedereen die hen benaderde moest naar zijn eigen voeten kijken, je moest niet het lef hebben om hen aan te kijken.

Op een dag gingen ze echter te ver in hun hufterigheid. Ze gingen de straat op met een automatisch pistool, ergens opgeduikeld in een opslagplaats van de clans, en hielden stil voor een groep jongens. Ze moesten hebben geoefend, want ze schoten op de groep maar zorgden ervoor niemand te raken, hen alleen de geur van het kruit te laten ruiken en het gefluit van de kogels te laten horen. Voordat ze schoten zei een van de twee iets. Niemand had begrepen wat hij uitkraamde, maar een getuige zei dat het wel iets uit de Bijbel leek, en dacht dat de jongens zich voorbereidden op het vormsel. Maar na een paar zinnen werd duidelijk dat het geen deel uitmaakte van het vormsel. Het was inderdaad de Bijbel, maar niet de catechismus maar een passage die Jules Winnfield uitsprak in *Pulp Fiction* van Quentin Tarantino, voordat hij de jongen vermoordde die het kostbare koffertje van Marcellus Wallace had laten verdwijnen:

Ezechiël 25:17 The path of the righteous man is beset on all sides by the
   inequities of the selfish
and the tyranny of evil men. Blessed is he who, in the name of charity and
   good will, shepherds the weak through the valley of the darkness for he is
   truly his brother's keeper and the finder of lost children
And I will strike down upon thee with great vengeance
and furious anger those who attempt to poison and destroy my brothers
And you will know my name is the Lord when I lay my vengeance upon
   thee.

Giuseppe en Romeo declameerden het zoals in de film en daarna schoten ze. Giuseppes vader was camorrist, eerst was hij spijtoptant, daarna was hij herintreder in de organisatie van Quadrano-De Falco die verslagen was door de Schiavones. Een verliezer dus. Maar Giuseppe had bedacht dat als hij het goede deel zou spelen, het de film van zijn leven misschien zou kunnen veranderen. De twee kenden de grappen uit hun hoofd, de hoogtepunten uit iedere misdaadfilm. Meestal sloegen ze er vanwege een blik al op los. In de contreien van de camorra maakt 'de blik' deel uit van het territorium, het is als een invasie in je eigen huis, als het intrappen van de huisdeur bij iemand en vervolgens ruw binnendringen. Een blik is zelfs nog erger dan een belediging. Iemand te lang aankijken is eigenlijk al een openlijke uitdaging.

'*You talkin' to me? You talkin' to me?*'

En na de beroemde monoloog uit *Taxi Driver* regende het klappen en stompen tegen het borstbeen, die in je borstkas doordreunen en ook op een afstand te horen zijn.

De Casalesi-bosses namen het probleem met deze twee jongens serieus. De vechtpartijen, twisten en bedreigingen konden niet meer door de beugel: te veel zenuwachtige moeders, te veel aangiften. Dus krijgen ze een 'waarschuwing' van een capozona die hen tot orde roept. Hij ontmoet ze in een café en zegt dat het geduld van de capi op begint te raken. Maar Giuseppe en Romeo gaan door met hun denkbeeldige film, ze slaan wie ze willen, pissen in de benzinetanks van de motoren van jongeren uit het dorp.

Ze worden voor de tweede keer opgeroepen. De boss wil rechtstreeks met hen praten, de clan kan hun gedrag niet langer verdragen, de vaderlijke tolerantie, normaal in deze contreien, slaat om in de plicht tot bestraffing en ze moeten dus een 'oplawaai' krijgen, een keihard pak op hun sodemieter in het openbaar om ze weer in het gareel te krijgen. Ze negeren de uitnodiging, blijven onderuitgezakt in cafés hangen, videopoker spelen, zitten hele middagen aan de tv gekluisterd de dvd's van hun films te kijken en brengen uren door met het uit het hoofd leren van frases en houdingen, zegswijzen en welke schoenen ze aan moeten trekken.

De twee jongens denken dat ze iedereen de baas zijn, zelfs de belangrijkste personen. Sterker nog, ze denken dat juist de baas te spelen over belangrijke mensen ze extra gevreesd maakt. Zonder grenzen, zoals Tony en Manny in *Scarface*. Ze bemiddelen met niemand, ze gaan door met hun rooftochtjes, hun intimidaties, langzamerhand lijken ze onderkoning van de streek Caserta te worden.

De twee jongens hadden niet gekozen om bij de clan te gaan. Ze probeerden het niet eens. Het was een traject dat veel te langzaam en gedisciplineerd was, een stil omhoog werken waar ze geen zin in hadden. Na jaren gaven de Casalesi de jongens die echt wat in hun mars hadden een plek in de economische sectoren van de organisatie, en zeker niet in de militaire structuur. Giuseppe en Romeo waren compleet tegen het nieuwe model camorrasoldaat. Ze waren in staat mee te liften op de golf van de allerslechtst bekendstaande dorpen. Ze waren niet lid, maar wilden wel genieten van de privileges van de camorristen. Ze pretendeerden dat de cafés hun gratis bedienden, de benzine voor hun brommers was een verplichte tol, voor hun moeders moesten de boodschappen betaald worden en wanneer er iemand tegenin durfde te gaan, lagen zijn ruiten meteen aan diggelen en kregen groenteboeren en winkelmeisjes klappen.

In het voorjaar van 2004 hadden afgezanten van de clan een afspraak met hen gemaakt even buiten Castelvolturno, in het gebied van Parco Mare. Een gebied met zand, zee en afval, alles door elkaar. Misschien een aanlokkelijk voorstel, een of andere zaak, of misschien zelfs wel meedoen met een aanslag. De eerste echte aanslag van hun leven. Toen de bosses er niet in waren geslaagd om ze in te laten gaan op slechte voorstellen, probeerden ze hen tegemoet te komen met een goede deal.

Ik stelde me de jongens voor die op hun tot het uiterste opgevoerde brommers de hoogtepunten van de filmpassages aan het doornemen waren, de momenten waarin de belangrijke mensen moeten buigen voor de hardnekkigheid van de nieuwe helden. Zoals de jonge Spartanen ten oorlog trokken met in hun hoofd de gebaren van Achilles en Hector, gaat men in deze gebieden uit moorden en laat men zich vermoorden met in het hoofd *Scarface*, *Quei bravi ragazzi (Die goeie jongens)*, *Donnie Brasco* en *Il Padrino*.

Iedere keer als ik langs Parco Mare rijd, stel ik me de scène voor die in de kranten stond en door de politie was gereconstrueerd. Giuseppe en Romeo kwamen veel vroeger dan afgesproken op hun brommers aanrijden. Stijf van opwinding. Ze stonden daar op de auto te wachten. Er stapte een groep mensen uit. De twee jochies gingen naar hen toe om ze te begroeten, maar ze hielden Romeo onmiddellijk tegen en begonnen Giuseppe af te tuigen. Daarna werd de loop van een automaat tegen zijn borst gezet en werd hij neergeschoten. Ik ben er zeker van dat Romeo de scène voor zich zag van

Quei bravi ragazzi toen Tommy De Vito werd uitgenodigd om in het bestuur van Cosa Nostra in Amerika plaats te nemen, en hij in plaats van in een zaal met alle bosses te worden ontvangen naar een lege zaal werd gebracht waar ze hem door zijn hoofd schoten.

Het is niet waar dat film een leugen is, het is niet waar dat je niet kunt leven zoals in films en het is niet waar dat je merkt dat de dingen buiten het doek anders zijn dan erop. Er is slechts één moment dat anders is, en dat is het moment waarop Al Pacino uit de fontein stapt waar de mitrailleurschoten zijn stand-in in hadden laten vallen, en zijn gezicht afdroogt om het nepbloed weg te wissen, Joe Pesci wast zijn haar en laat zo de nepbloeding ophouden. Maar dat wil je niet weten en daarom begrijp je het niet. Toen Romeo Giuseppe op de grond zag liggen, weet ik heel zeker dat hij nooit het exacte verschil tussen film en werkelijkheid zou gaan kennen, tussen decoropbouw en de stank in de lucht, tussen het echte leven en een draaiboek. Het was zijn beurt. Ze schoten hem in de keel en maakten hem af met een hoofdschot. Bij elkaar opgeteld kwam hun leeftijd nauwelijks boven de dertig uit.

De Casalesi-clan had zo deze microcriminele uitwas, die was aangewakkerd door de film, opgelost. Ze belden niet eens anoniem de politie of een ambulance. Ze lieten de handen van de lijken van de jongens pikken door de meeuwen en hun neuzen en lippen aanvreten door zwerfhonden die langs de afvalstranden liepen. Maar dit laten de films niet zien, ze houden net iets daarvoor op.

Er is geen werkelijk verschil tussen de filmkijkers in de camorragebieden en de kijkers elders. Overal worden de cinematografische toespelingen gevolgd als imitatiemythologie. Als je elders *Scarface* leuk vindt en je voelt je in je hart hetzelfde als hij, dan kan je hier Scarface zijn, maar dan moet je het wel door en door zijn.

Maar ook de camorragebieden brengen mensen voort die verslingerd zijn aan kunst en literatuur. Sandokan had in zijn villabunker een enorme bibliotheek met vele boekwerken over twee buitengewone onderwerpen, de geschiedenis van het rijk van de Dos Sicilias en Napoleon Bonaparte. Schiavone voelde zich aangetrokken tot de staat van de Bourbons waar zijn invloedrijke voorouders tussen de functionarissen van de afdeling *Terra e Lavoro* zaten, hij was gefascineerd door het genie Bonaparte, die in staat was geweest half Europa te veroveren, opgeklommen uit de laagste militaire rang, bijna net als hijzelf die oppergeneraal van een van de machtigste clans van Europa was geworden, de clan waarin hij als gewoon soldaat was begonnen. Sandokan, met een verleden als student medicijnen, die het liefst zijn tijd als voortvluchtige doorbracht met het schilderen van religieuze iconen en portretten van Bonaparte en Mussolini. Ze zijn nu nog te koop, onverwachts in winkeltjes in Caserta, met de wel heel bijzondere gelaten van heiligen die door Schiavone waren gemaakt en waar hij op de plaats van het gelaat van Christus zijn eigen gezicht had geschilderd.

Schiavone was een verwoed lezer van epische literatuur; Homerus, de cyclus van Koning Arthur en Walter Scott waren zijn lievelingsboeken. Zijn voorliefde voor Scott had hem er zelfs toe gebracht een van zijn vele zoons de welluidende en fiere naam Ivanhoe te geven.

De namen van de afstammelingen krijgen altijd iets mee van de passie van hun vaders. Giuseppe Misso, een Napolitaanse boss van de clan uit de wijk Sanità, heeft drie kleinkinderen: Ben Hur, Jezus en Emiliano Zapata. Misso, die gedurende de processen altijd de houding had van een politiek leider, van een conservatief denker en rebel, heeft onlangs een roman geschreven, *I leoni di marmo* (*De marmeren leeuwen*). In een paar weken tijd gingen er in Napels duizenden exemplaren over de toonbank. Het verhaal waarvan de syntaxis krom is maar waarin in woedende stijl het Napels in de jaren tachtig en negentig wordt beschreven, de tijd waarin de boss is gevormd en waarin zijn personage, neergezet als een solidair strijder, opkomt tegen de camorra van de racket en drugs, iemand die staat voor een niet duidelijk te achterhalen ridderlijke erecode bij overvallen en diefstal. Gedurende de verschillende arresten in zijn zeer lange criminele carrière, is Misso altijd aangetroffen in gezelschap van de boeken van Julius Evola en Ezra Pound.

Augusto La Torre, boss van Mondragone, is een geleerde op het gebied van de psychologie, fervent lezer van Carl Gustav Jung en kenner van het werk van Sigmund Freud. Tussen de titels die de boss heeft aangevraagd in de gevangenis duiken lange biografieën op van geleerden in de psychoanalyse, terwijl zijn manier van spreken bij de processen steeds meer doorvlochten wordt met citaten van Lacan, met overdenkingen uit de school van de gestaltpsychologie; kennis die de boss gebruikte bij de uitoefening van zijn macht, als een onverwacht managements- en militair wapen. Ook een getrouwe van Paolo Di Lauro is een kunst- en cultuurliefhebber: de camorrist Tommasso Prestieri, producer van het leeuwendeel van de Napolitaanse zangers van moderne muziek, en bovendien een verfijnd kenner van moderne kunst. Maar verzamelaars-bosses zijn er veel. Pasquale Calasso had in zijn villa een privé-museum van ongeveer driehonderd antieke stukken, zijn juweel was de troon van Francesco I van Bourbon, terwijl Luigi Vollaro, bijgenaamd 'de kalief', een doek bezat van zijn favoriet Botticelli.

De politie arresteerde Prestieri door gebruik te maken van zijn liefde voor de muziek. Hij werd dan ook opgepakt in het Teatro Bellini in Napels, terwijl hij, als voortvluchtige, een concert bijwoonde. Prestieri verklaarde na een veroordeling: 'In de kunst ben ik vrij, ik hoef daarvoor niet buiten de gevangenis te zijn.' Een evenwicht van schilderijen en liederen die een onmogelijke sereniteit aan een in ongenade gevallen boss als hij heeft gegeven, de boss die op het slagveld twee broers verloor, koelbloedig vermoord.

Aberdeen, Mondragone

De boss en psychoanalist Augusto La Torre was een van de lievelingen van Antonio Bardellino: als jongen had hij de plaats van zijn vader ingenomen en was zo de absolute leider geworden van de clan van de '*Chiuovi*', de spijkers, zoals ze in Mondragone werden genoemd. Een clan die heerste in het noorden van de provincie Caserta, in het zuiden van Lazio en langs de hele kust van Domizio. Ze hadden partij gekozen voor de vijanden van Sandokan Schiavone, maar in verloop van tijd had de clan bewezen een ondernemersgeest te bezitten en in staat te zijn het territorium te controleren, de enige elementen die iets konden veranderen aan de conflictueuze verhoudingen tussen de camorrafamilies. Hun zakelijk talent bracht de La Torres nader tot de Casalezen die hun de gelegenheid gaven om samen met hen, maar ook zelfstandig, op te treden.

Augusto was niet zomaar een naam. La Torre vernoemde de eerstgeborenen van zijn familie altijd naar de Romeinse keizers. Ze hadden de historische volgorde omgedraaid; in de Romeinse geschiedenis kwam eerst Augustus en vervolgens Tiberius, maar het was juist de vader van Augusto La Torre die luisterde naar de naam Tiberio.

De villa van de Afrikaan Scipio, in de buurt van het Patria-meer, de veldslagen van Hannibal bij Capua en de onoverwinnelijke macht van de Samnieten, de eerste Europese guerrillastrijders die de Romeinse legioenen aanvielen en de bergen in vluchtten, leven in de verbeeldingswereld van de families uit deze streek voort als dorpslegendes, verhalen weliswaar uit een ver verleden maar waarmee iedereen zich verbonden voelt. Het wijdverbreide idee van Mondragone als hoofdstad van de mozzarella steekt schril af tegen deze historische grootheidswaanzin van de clans.

Mijn vader liet mij een hele berg mozzarellakaasjes proeven uit

Mondragone en omgeving, maar het was onmogelijk te zeggen welk gebied de allerlekkerste mozzarella had. De smaken liepen te zeer uiteen: de zoetige en zachte smaak van de mozzarella uit Battipaglia, de zoute en krachtige smaak van de mozzarella uit Aversa en dan de pure smaak van de mozzarella uit Mondragone. Maar de kaasmeesters uit Mondragone wisten wel waar je kwalitatief goede mozzarella aan kon herkennen. Goede mozzarella moet een smaak in je mond achterlaten die de boeren *''o ciato 'e bufala'* noemen, oftewel de buffeladem. Als die buffelsmaak nadat je een stukje hebt doorgeslikt niet in je mond achterblijft, dan is het geen goede mozzarella.

Wanneer ik naar Mondragone ging, liep ik graag over de steiger, heen en weer. Voordat hij werd gesloopt, was het een van mijn favoriete plekken om in de zomer naartoe te gaan. Een tong van gewapend beton, gebouwd in zee, waar boten konden aanmeren. Een nutteloze constructie die nooit was gebruikt.

Van het ene op het andere moment werd Mondragone voor alle jongens uit de buurt van Caserta en Agro Pontino die naar Engeland wilden emigreren, de plek waar je naartoe moest. Emigratie als de kans van je leven, eindelijk ervandoor, maar niet als ober, afwasser bij McDonald's of barman die in pinten donker bier krijgt uitbetaald. Je ging naar Mondragone om te proberen in contact te komen met de juiste mensen, vanwege de gunstige huren, de kans om belangstellend en beleefd door de kroegbazen te worden onthaald. In Mondragone kon je de juiste mensen ontmoeten die je een baan bij een verzekeraar of op een makelaarskantoor zouden kunnen bezorgen, en als er echt wanhopige dagloners kwamen opdagen, langdurig werklozen, zouden de juiste contacten ervoor zorgen dat ze fatsoenlijke contracten kregen aangeboden en waardig werk. Mondragone was de poort naar Groot-Brittannië.

Van het ene op het andere moment betekende sinds eind jaren negentig het hebben van een vriend in Mondragone dat je op waarde werd geschat zonder dat je jezelf hoefde te promoten of een aanbevelingsbrief nodig had. Een zeldzaam iets, zeer zeldzaam, onmogelijk zelfs in Italië en al helemaal in het zuiden. Om serieus te worden genomen, gewoon om wie je bent, heb je in deze contreien altijd iemand nodig die je beschermt, en als zijn bescherming er niet voor zorgt dat je wordt voorgetrokken, dan moet die er in ieder geval voor zorgen dat ze je in gedachten houden. Jezelf zonder beschermheer laten zien, is net als op pad gaan zonder armen en benen: je mist wat.

In Mondragone pakten ze je cv en bekeken ze naar wie in Engeland ze het zouden sturen. Talent telde wel, maar het was nog belangrijker hoe je besloten had het te gebruiken. Maar alleen in Londen of Aberdeen, niet in Campania, niet in de provincie van de provincie van Europa.

Op een dag had een vriend van mij, Matteo, besloten om het te proberen, om voorgoed weg te gaan. Hij had wat geld opzij gezet, had cum laude weten af te studeren en had zich met stages en op werkplaatsen drie slagen in de rondte gewerkt om te overleven. Hij had de naam gekregen van een jongen in Mondragone die hem naar Engeland zou sturen, en eenmaal daar zou hij verschillende sollicitatiegesprekken hebben. Ik ging met hem mee. We wachtten urenlang buiten bij een lido waar de contactpersoon met ons had afgesproken. Het was zomer. De stranden van Mondragone worden overspoeld door vakantiegangers uit heel Campania, de mensen die zich geen vakantie aan de kust van Amalfi kunnen veroorloven, die voor de zomer geen huisje aan zee kunnen huren en dus maar pendelen, heen en weer, tussen het binnenland en de kust.

Tot halverwege de jaren tachtig verkocht men hier mozzarella in houten bakjes, tot aan de rand gevuld met kokendhete buffelmelk. De badgasten aten de mozzarella met hun vingers terwijl de melk langs hun handen naar beneden droop en kleine kinderen likten eerst hun hand, die zoutig smaakte, af voordat ze in de witte substantie beten. Later verkocht niemand meer mozzarellakaasjes en kwamen de gezouten krakelingen en de stukken kokosnoot.

Die dag kwam onze contactpersoon twee uur te laat. Toen hij eindelijk arriveerde zagen we een gebruinde jongen in niet meer dan een strak zwembroekje. Hij legde ons uit dat hij laat had ontbeten en dat hij daardoor laat had gezwommen en zich laat had afgedroogd. Dit was zijn excuus, de schuld van de zon dus. Onze contactpersoon bracht ons naar een reisbureau en dat was het. We dachten dat we ontvangen zouden worden door weet ik wat voor tussenpersoon, maar we hoefden alleen maar te worden voorgesteld aan een reisbureautje dat niks bijzonders was. Niet zo een met honderden folders, maar gewoon een of ander hok. Je kon van hun diensten gebruikmaken als je door een contactpersoon uit Mondragone werd geïntroduceerd. Als er gewoon iemand naar binnen liep zou het er weer aan toegaan zoals op ieder willekeurig reisbureau.

Een heel jong meisje vroeg Matteo om zijn cv en ze liet ons de eerste beschikbare vlucht zien. Aberdeen was de stad waar ze hem naartoe zouden sturen. Ze gaven hem een papiertje met daarop een reeks kantoren waar hij naartoe kon gaan voor een sollicitatiegesprek. In ruil voor een luttel bedrag maakte het bureautje zelfs afspraken met de secretaresses van de personeelsfunctionarissen. Ik had nog nooit zo'n efficiënt bemiddelingsbureau gezien. Twee dagen later vlogen we naar Schotland, een snelle en goedkope reis als je uit Mondragone kwam.

In Aberdeen was het net alsof we thuis waren. En toch bestond er niets dat zo ver van Mondragone af lag als deze Schotse stad. De derde stad van Schotland, een donkere, grauwe stad, ook al regende het er niet zo vaak als in Londen. Voordat de Italiaanse clans er arriveerden wist de stad de kansen die de vrije tijd en het toerisme boden niet goed te benutten en alles op het gebied van restaurants, hotels en het uitgaansleven was op de treurige Engelse manier georganiseerd. Dezelfde uitgaanspatronen, stampvolle cafés waar iedereen één dag in de week aan de bar hangt.

Volgens de onderzoeken van de Antimaffiadienst van Napels was het Antonio La Torre, de broer van boss Augusto, die in Schotland een reeks commerciële activiteiten in gang had gezet en al in een paar jaar tijd naam maakte als de trots van de Schotse ondernemerswereld. Een groot deel van de activiteiten van de La Torre-clan in Engeland zijn volstrekt legaal, de aankoop en het beheer van onroerend goed en de commerciële bedrijven, de import van Italiaanse levensmiddelen. Een gigantische business die maar moeilijk in cijfers te vangen is.

In Aberdeen hoopte Matteo alles te vinden waarvoor hij in Italië nooit erkenning had gekregen. Voldaan liepen we door de straten, alsof het feit dat we Campanezen waren voor het eerst in ons leven voldoende voorwaarde was om erkenning te krijgen. Op Union Terrace 27 en 29 stond ik voor een restaurant van de clan, Pavarotti's, eigendom van niemand minder dan Antonio La Torre. Het had zelfs een vermelding in de online-reisgidsen van de Schotse stad. Dit was de stijlvolle ontmoetingsplek van Aberdeen, de chique gelegenheid, de plek waar je fantastisch kon dineren en de plek bij uitstek om belangrijke zaken te bespreken. Zelfs in Parijs, tijdens de Italissima, het gastronomische evenement van de Franse hoofdstad, is er reclame gemaakt voor de ondernemingen van de clan als zijnde het summum van datgene wat uit Italië komt. Antonio La Torre heeft er zijn activiteiten in de restaurantbranche gepresenteerd en zijn eigen merk gepromoot waarmee hij een van de succesvolste Schotse ondernemers in Europa is geworden.

Antonio La Torre werd in maart 2005 in Aberdeen gearresteerd, er hing hem een Italiaans arrestatiebevel boven het hoofd wegens banden met een criminele organisatie, met name de camorra. Jarenlang kon hij zowel zijn arrestatie als zijn uitzetting ontlopen, afgeschermd door zijn Schotse nationaliteit en het feit dat de misdaden die hem ten laste waren gelegd door de Britse autoriteiten niet werden erkend. Schotland wilde een van zijn meest briljante ondernemers niet kwijtraken.

In 2002 vaardigde de rechtbank van Napels een bevel tot voorlopige hechtenis uit met betrekking tot dertig mensen die connecties hadden met de La Torre-clan. Uit de beschikking kwam naar voren dat het criminele consortium immense geldbedragen verdiende met afpersingen, hun economische activiteiten en aan de aanbestedingen op hun vakgebied, om die vervolgens te kunnen herinvesteren in het buitenland, Groot-Brittannië in het bijzonder, waar inmiddels een heuse kolonie van de clan was ontstaan. Het ging om een kolonie die niet domineerde, die niet door concurrentie zorgde voor de prijsdaling van de arbeidskrachten, maar die een economische *boost* had gegeven en zo de toeristische sector nieuw leven in had geblazen, de import-exporthandel in gang had gezet die de stad daarvoor niet had gekend en aan de vastgoedsector nieuw elan had gegeven.

Maar de internationale kracht die van Mondragone uitgaat werd ook gepersonifieerd door 'Rockefeller'. In het dorp noemen ze hem zo vanwege zijn onmiskenbare talent voor zaken en vanwege de enorme liquiditeit die hij bezit. Rockefeller is Raffaele Barbato, tweeënzestig jaar, geboren in Mondragone. Zijn echte naam is zelfs hij misschien wel vergeten. Hij had een Nederlandse echtgenote, deed tot eind jaren tachtig zaken in Nederland waar hij twee casino's bezat die werden bezocht door klanten van internationaal kaliber; van de broer van Bob Cellino, oprichter van de gokpaleizen van Las Vegas, tot belangrijke Slavische maffiosi die kwartier hielden in Miami. Zijn partners waren een zekere Liborio, een Siciliaan met ingangen bij de Cosa Nostra, en nog iemand, Emi, een Nederlander die vervolgens naar Spanje is verhuisd waar hij een hotel, wat appartementencomplexen en een paar discotheken opende.

Rockefeller was – volgens de verklaringen van spijtoptanten Mario Sperlongaro, Stefano Piccirillo en Girolamo Rozzera – een van de breinen die samen met Augusto La Torre plannen maakte om naar Caracas te gaan, om te proberen in contact te komen met Venezolaanse drugsbaronnen die, in vergelijking met de Colombianen (de leveranciers van de Napolitanen en Casalezen), tegen concurrerende prijzen coke verkochten. Naar alle waarschijnlijkheid was het Augusto gelukt om in de hele drugskwestie een onafhankelijke positie in te nemen, iets wat de Casalezen zelden toestaan. In ieder geval had Rockefeller voor Augusto een slaapplek gevonden waar hij het naar zijn zin zou hebben in de tijd dat hij in Nederland zat ondergedoken. Hij had hem ondergebracht bij een schietvereniging. Zo kon de boss, ook al was hij nog zo ver van het platteland van Mondragone vandaan, op kleiduiven schieten om in vorm te blijven.

Rockefeller had een enorm netwerk van contacten, hij was een van de bekendste zakenlieden niet alleen in Europa, maar ook in de Verenigde Staten vanwege het feit dat hij de eigenaar van een paar gokpaleizen was, hetgeen hem in contact had gebracht met Italiaans-Amerikaanse maffiosi die Europa steeds meer zagen als een investeringsmarkt nu ze langzaam maar zeker werden verjaagd door de Albanese clans die het in New York steeds vaker voor het zeggen kregen en die steeds nauwere banden onderhielden met de camorrafamilies uit Campania. Mensen die in staat waren om drugs te verhandelen en hun geld in restaurants en hotels te investeren, dankzij de Mondragonezen die hen binnenlieten.

Rockefeller is de eigenaar van het lido Adamo ed Eva dat was omgedoopt tot La Playa, een mooi toeristisch appartementencomplex aan de kust bij Mondragone waar – volgens de beschuldigingen van de onderzoeksrechters – veel leden graag ondergedoken zaten. Hoe comfortabeler de schuilplaats is, des te minder de verleiding zich opdringt om spijtoptant te worden teneinde te kunnen ontkomen aan een voortdurend leven op de vlucht. En de La Torres hadden meedogenloos opgetreden tegen hun spijtoptanten.

Francesco Tiberio, Augusto's neef, had naar Domenico Pensa gebeld die tegen de Stolder-clan had getuigd en had hem luid en duidelijk te verstaan gegeven dat hij het dorp moest verlaten. 'Van Stolder heb ik begrepen dat jij tegen ze hebt gecollaboreerd en omdat wij geen collaborateurs van justitie in ons dorp dulden, moet je weg uit Mondragone, anders komt er iemand langs om je kop af te hakken.'

Augusto's neef had talent voor het telefonisch terroriseren van iedereen die het waagde om te collaboreren of informatie te lekken. Ook tegen Vittorio Di Tella sprak hij duidelijke taal en zei dat hij het kostuum voor in zijn kist maar moest gaan kopen. 'Koop maar alvast zwarte hemden als je zonodig moet praten, ja, verrader, ik maak je af.'

Voordat er spijtoptanten in de clan opstonden, kon niemand zich een voorstelling maken van de onvoorstelbare omvang van de zaken van de Mondragonezen. Onder de vrienden van Rockefeller bevond zich ook een zekere Raffaele Acconcia, Mondragonees van geboorte, en ook hij was overgeplaatst naar Nederland. Hij was de eigenaar van een restaurantketen en volgens spijtoptant Stefano Piccirillo een drugsbaron van internationaal kaliber.

In Nederland, waarschijnlijk in een of andere bank, ligt het vermogen van de La Torre-clan nog steeds verborgen, miljoenen euro's omgezet via bemiddelingen en handeltjes die de onderzoekers nooit hebben opgespoord. In het dorp is deze vermeende kluis in de Nederlandse bank een soort symbool van absolute rijkdom geworden dat alle verwijzingen naar internationale rijkdom heeft vervangen. Er wordt niet meer gezegd: 'Ik ben de Italiaanse Bank niet' maar 'Ik ben de Nederlandse Bank niet'.

De La Torre-clan, met handlangers in Zuid-Amerika en bases in Nederland, was van plan een deel van de cokehandel op de Romeinse markt in handen te krijgen. Voor alle ondernemende camorrafamilies uit de provincie Caserta staat Rome boven aan de ranglijst als het gaat om de handel in verdovende middelen en onroerende goederen. Rome wordt een verlengstuk van de provincie Caserta. De bevoorradingsroutes waar de La Torres gebruik van maakten, hadden hun basis aan de kust van Domizio. De villa's aan de kust waren ooit van essentieel belang voor de handel in gesmokkelde sigaretten, daarna voor de handel in alles wat maar kon worden verhandeld.

In dat gebied lag ook de villa van Nino Manfredi. Vertegenwoordigers van de clan kwamen bij hem langs om te vragen of hij zijn villa wilde verkopen. Manfredi probeerde zich op alle mogelijke manieren te verzetten, maar zijn huis stond op een strategische plek, waar motorbootjes konden aanmeren, en de druk van de clan nam toe. Ze vroegen hem niet meer of hij wilde verkopen maar dwongen hem om zich tegen een door hen vastgestelde prijs gewonnen te geven. Manfredi wendde zich zelfs tot een boss van de Cosa Nostra, vertelde in januari 1994 zijn verhaal op de radio, maar de Mondragonezen waren machtig en geen enkele Siciliaan waagde het met hen te onderhandelen. Alleen door zijn televisieoptreden en de aandacht van de landelijke media slaagde de acteur erin om te laten zien onder wat voor druk hij door de strategische belangen van de camorra stond.

De drugshandel haakte aan bij alle andere handelskanalen. Enzo Boccolato, een neef van de La Torres en eigenaar van een restaurant in Duitsland, had besloten te investeren in de kledingexport. Samen met Antonio La Torre en een Libanese ondernemer kocht hij kleding in Puglia – aangezien de textielproductie van Campania al volledig in handen was van de clans uit Secondigliano – en verkocht die door aan Venezuela via een tussenpersoon, een zekere Alfredo, die in de onderzoeken een van de grootste diamanthandelaren van Duitsland wordt genoemd. Door toedoen van de camorraclans uit Campania werden de diamanten in korte tijd, dankzij hun grote prijsschommelingen en tegelijkertijd vanwege hun eeuwige nominale waarde, het populairste goed om geld mee wit te wassen.

Enzo Boccolato was een bekende op de luchthavens van Venezuela en Frankfurt, hij had onder de douanebeambten handlangers die naar alle waarschijnlijkheid niet alleen voor de verzending en de ontvangst van de kledingstukken zorgden, maar die zich ook voorbereidden op het weven van een groot cocaïnenetwerk.

Het lijkt er misschien op dat de clans, als de vorming van groot kapitaal eenmaal is voltooid, hun criminele activiteiten stopzetten, waarmee ze hun eigen DNA min of meer verwoesten en het naar legaal niveau converteren. Net zoals de familie Kennedy in Amerika tijdens de drooglegging enorme kapitalen had verdiend aan alcohol maar daarna iedere band met de misdaad verbrak. In werkelijkheid is het illegale Italiaanse ondernemerschap juist zo sterk omdat er altijd op twee paarden wordt gewed en de ondernemers nooit hun criminele roots verloochenen. In Aberdeen noemt men dit systeem *scratchen*. Zoals de rappers of de dj's die met hun vingers het ronddraaien van een plaat op de draaitafel tegenhouden, zo houden de ondernemers van de camorra een seconde lang het draaien van de legale plaat van de handel tegen. Ze houden hem tegen, scratchen, om hem daarna sneller dan voorheen weer te laten draaien.

Uit de verschillende onderzoeken van de Antimaffiadienst van Napels over de La Torres kwam naar voren dat wanneer het legale traject aan een crisis onderhevig was, er meteen werd overgeschakeld op criminele activiteiten. Als er geen cash flow was, lieten ze valse munten slaan, als er in korte tijd veel kapitaal nodig was, lichtte men de boel op met de verkoop van valse obligaties. De concurrentie had door de afpersingen geen schijn van kans, de handelswaar

werd belastingvrij geïmporteerd. Het scratchen met de legale economie zorgt ervoor dat de klanten kunnen genieten van een constante in plaats van een sterk schommelende prijsstandaard, dat de
kredietverschaffers altijd tevreden kunnen zijn, dat het geld blijft
circuleren en de producten gekocht blijven worden. Scratchen ver-
nauwt het diafragma tussen de wet en het economisch gebod, tussen
datgene wat de norm verbiedt en waartoe de winst verplicht.

Door de zaken van de La Torres in het buitenland werd de aanwezigheid van Engelse vertegenwoordigers, die uiteindelijk zelfs lid
werden, op verschillende niveaus binnen de organisatie van de clan
onontbeerlijk. Een van hen is Brandon Queen, hij zit gevangen in
Engeland en krijgt uit Mondragone altijd stipt op tijd zijn maandsalaris, evenals de dertiende maand. In het bevel tot voorlopige hechtenis uit juni 2002 is te lezen dat 'Brandon Queen op nadrukkelijk
verzoek van Augusto La Torre systematisch op de loonlijst van de
clan voorkomt'.

De leden wordt normaal gesproken naast lichamelijke bescherming, een salaris, rechtsbijstand en indien noodzakelijk de dekmantel van de organisatie geboden. Hoe dan ook, om deze zekerheden
rechtstreeks van de boss te mogen ontvangen, moest Queen een belangrijke rol spelen in het zakenapparaat van de clan, waardoor hij
de allereerste camorrist uit de Italiaanse en Britse misdaadgeschie-
denis werd die van Engelse origine was.

Ik hoorde al jaren over Brandon Queen maar had hem nooit gezien, zelfs geen foto. Toen ik eenmaal in Aberdeen was, moest ik wel
naar hem informeren, naar de vertrouwensman van Augusto La
Torre, naar de Schotse camorrist, naar de man die zonder ook maar
één probleem en slechts met de kennis van het organigram van het
bedrijf en de spelregels van de macht de resterende banden met de
oeroude clans van de Highlands had verbroken om toe te treden tot
de clan van Mondragone.

Bij de bars van de La Torres hingen altijd groepjes jongeren uit de
buurt rond; het waren geen luie crimineeltjes, geen muiters aan het
bier in afwachting van een of andere knokpartij of straatroof. Het

waren slimme jongens, actief op verschillende niveaus binnen de legale ondernemingen: transport, reclame en marketing. Als ik naar Brandon vroeg, kreeg ik geen vijandige blikken of vage antwoorden alsof ik had gevraagd naar een bondgenoot in een dorp in de provincie Napels. Het leek erop dat iedereen Brandon Queen al sinds jaar en dag kende, of nog waarschijnlijker was hij een soort mythe geworden waar iedereen het over had. Queen was de man die het had gemaakt. Hij was niet gewoon zoals zij een werknemer van een restaurant, firma, winkel, makelaarskantoor of een werknemer met een vast salaris. Brandon Queen was meer, hij had de droom van veel Schotse jongens waargemaakt door niet gewoonweg deel te nemen aan de legale nevenproductie, maar onderdeel te worden van het Systeem, van het operationele deel van de clan. Hij was camorrist geworden in alle opzichten, het nadeel van zijn Schotse origine ten spijt, die je doet geloven dat de economie maar één weg kent, de alledaagse, die van Jan en alleman, de weg van regels en nederlagen, van eerlijke concurrentie en van prijzen.

Ik stond ervan te kijken dat ze mij ondanks mijn Engels, dat doorspekt was met een zwaar Italiaans accent, niet als emigrant zagen, niet als de spichtige versie van Jake La Motta, niet als de landgenoot van criminele indringers die waren gekomen om geld uit hun land te pompen, maar als de vertegenwoordiger van een vormleer die de absolute macht van de economie beschrijft, die in staat is om over alles en iedereen te beslissen, die het aandurft zichzelf geen beperkingen op te leggen, ook al levert het hem levenslang of zelfs de dood op. Het was onvoorstelbaar, maar terwijl ze praatten werd me duidelijk dat ze Mondragone, Secondigliano, Marano en Casal di Principe op hun duimpje kenden, gebieden waarover de ondernemende camorrabazen, die door deze streken en langs de restaurants waar de jongens werkten trokken, hadden verteld als ware het een epos over een ver land.

Geboren worden in het land van de camorra betekende voor deze Schotse leeftijdsgenoten dat je een groot voordeel had, dat je een brandmerk droeg dat je eraan herinnerde dat het bestaan een arena was waar het ondernemerschap, de wapens en zelfs je eigen leven enkel en alleen een middel zijn om geld en macht te verwerven: de dingen die het de moeite waard maken om te bestaan en adem te halen, waardoor je met volle teugen van het leven kunt genieten, zonder dat je je ergens anders mee bezig hoeft te houden.

Brandon Queen heeft dit bereikt zonder dat hij in Italië is geboren, zonder dat hij Campania ook maar ooit heeft gezien, zelfs zonder dat hij per auto vele kilometers langs bouwterreinen, vuilstortplaatsen en buffelhouderijen heeft afgelegd. Het was hem gelukt een echte machtsfiguur te worden, een camorrist.

Maar toch had deze grote, internationale commerciële en financiële organisatie de clan niet soepeler gemaakt bij het controleren van zijn eerste territorium. In Mondragone had Augusto La Torre met harde hand geregeerd. Om het kartel zo machtig te maken als het was, had hij meedogenloos opgetreden. Zijn wapens liet hij, met honderden tegelijk, uit Zwitserland komen. Tactisch had hij verschillende fases doorlopen; eerst was hij alomtegenwoordig als er aanbestedingen te vergeven waren, daarna bemoeide hij zich alleen nog met bondgenootschappen en uiteindelijk liet hij zich nog maar sporadisch zien, terwijl hij wachtte tot zijn zaken genoeg bekendheid kregen, zodat de politiek uiteindelijk zelf bij zijn ondernemingen in de rij zou staan.

Mondragone was de eerste Italiaanse gemeente die in de jaren negentig werd opgeheven wegens infiltratie door de camorra. In de loop der jaren hebben de politiek en de clan zich nooit echt van elkaar losgemaakt. Een Napolitaanse voortvluchtige had in 2005 onderdak gevonden in het huis van een kandidaat op de partijlijst van de aftredende burgemeester. Lange tijd heeft diens dochter met een meerderheid in de gemeenteraad gezeten, een ambtenaar die ervan werd beschuldigd steekpenningen aan te nemen van de La Torres.

Augusto had ook streng opgetreden tegen de politici. De tegenstanders van zijn familiebusiness moesten in ieder geval allemaal meedogenloze straffen krijgen die als voorbeeld moesten dienen. De procedure voor het fysiek uitschakelen van La Torres vijanden was altijd dezelfde, dusdanig zelfs dat Augusto's militaire methode in het criminele jargon inmiddels bekendstaat als de methode *alla mondragonese*. De techniek bestaat eruit dat de lichamen, die door een groot aantal schoten zijn doorzeefd, in waterputten op het platteland worden gedumpt waarna er een handgranaat in wordt gegooid; op die manier wordt het lichaam aan flarden gescheurd en stort de aarde zich over de overblijfselen die in de modderpoel blijven steken.

Dit had Augusto La Torre gedaan met Antonio Nugnes, de christen-democratische locoburgemeester die in 1990 verdween. Nugnes vormde een obstakel voor de behoefte van de clan om de gemeentelijke openbare aanbestedingen rechtstreeks in handen te krijgen en om bij alle politieke en administratieve aangelegenheden een vinger in de pap te hebben. Augusto La Torre had geen zin in bondgenoten, hij wilde zoveel mogelijk zaken zelf, in eigen persoon runnen. Het was een periode waarin militaire beslissingen niet bijzonder zorgvuldig werden overwogen. Eerst werd er geschoten, daarna pas nagedacht.

Augusto was nog maar een broekie toen hij de boss van Mondragone werd. Het doel van La Torre was om aandeelhouder te worden van een privé-kliniek in aanbouw: de Incaldana-kliniek, waarvan Nugnes een behoorlijk aandelenpakket bezat. Een van de meest prestigieuze klinieken tussen Lazio en Campania, op steenworp afstand van Rome, die aardig wat ondernemers uit Zuid-Lazio zou aantrekken, waarmee het gebrek aan efficiënte gezondheidszorg aan de kust van Domizio en in Agro Pontino zou worden opgelost.

Augusto had het dagelijks bestuur van de kliniek een naam opgedrongen, de naam van een van zijn opvolgers en tevens ondernemer van de clan die veel geld had verdiend met het beheren van een vuilstortplaats. Augusto wilde dat die zijn familie zou vertegenwoordigen. Nugnes was tegen, hij begreep dat de strategie van de La Torres zich niet zou beperken tot het participeren in een gigantische business, maar veel meer zou inhouden. Daarom stuurde La Torre een afgezant naar de locoburgemeester in een poging die milder te stemmen, zover te krijgen dat hij zijn voorwaarden voor het financieel management zou accepteren. Voor een christen-democratisch politicus was het geen schande contacten te onderhouden met een boss, te onderhandelen met diens zakelijke en militaire vermogen. De clans waren de primaire economische strijdkracht van de streek, contact met hen weigeren zou hetzelfde zijn geweest als wanneer een locoburgemeester uit Turijn een ontmoeting met een afgevaardigde bestuurder van de Fiat zou weigeren.

Augusto La Torre was niet van plan om een aantal aandelen van de kliniek tegen een gunstige prijs te kopen, zoals een diplomatieke boss dat zou hebben gedaan, hij wilde gratis aandelen in de kliniek. In ruil daarvoor zou hij ervoor instaan dat al zijn aanbieders op het gebied van dienstverlening, interieurverzorging, keukens, vervoer, bewaking, professioneel en tegen een zeer gunstige aanbestedingsprijs zouden werken. Hij garandeerde zelfs dat zijn buffelkoeien de lekkerste melk zouden produceren als hij die kliniek zou krijgen.

Nugnes werd opgehaald bij zijn agrarisch bedrijf met de smoes dat hij de boss zou ontmoeten en werd naar een boerderij in Falciano del Massico gereden. Nugnes werd volgens de verklaringen van de boss behalve door hemzelf ook opgewacht door Jimmy oftewel Girolamo Rozzera, en Massimo Gitto, Angelo Gagliardi, Giuseppe Valente, Mario Sperlongano en Francesco La Torre. Allemaal wachtten ze tot de val zou dichtklappen. Zodra hij uit zijn auto stapte, liep de locoburgemeester op de boss toe.

Terwijl Augusto zijn armen uitstrekte om hem te begroeten, mompelde hij iets tegen Jimmy, zoals de boss tegenover de rechters verklaarde: 'Kom, oom Antonio is er.'

Een duidelijke en beslissende boodschap. Jimmy ging vlak achter Nugnes staan en loste twee schoten die in zijn slapen binnendrongen, de genadeschoten werden door de boss zelf gelost. Ze gooiden zijn lichaam in een veertig meter diepe put in het open veld en gooiden er twee handgranaten achteraan. Jarenlang wist men niet wat er met Antonio Nugnes was gebeurd. Er kwamen telefoontjes binnen van mensen die hem in heel Italië hadden gezien, maar hij lag in een put, begraven onder tonnen zand.

Dertien jaar later wezen Augusto en zijn volgelingen de carabinieri waar ze het stoffelijk overschot konden vinden van de locoburgemeester die het had gewaagd in te gaan tegen de groei van het bedrijf van de La Torres. Toen de carabinieri begonnen met het verzamelen van de overblijfselen, merkten ze dat die van meer dan één man waren. Vier scheenbenen, twee schedels, drie handen. Meer dan tien jaar had het lichaam van Nugnes naast dat van Vincenzo Boccolato gelegen, een camorrist gelieerd aan Cutolo, die vervolgens na de nederlaag toenadering had gezocht tot de La Torres.

Boccolato was ter dood veroordeeld omdat hij in een brief die hij vanuit de gevangenis naar een vriend van hem had gestuurd, Augusto zwaar had beledigd. De boss had de brief per toeval gevonden, terwijl hij rondsnuffelde in de woonkamer van een van zijn leden. Bladerend door de papieren en briefjes had hij zijn naam herkend, en nieuwsgierig was hij de stortvloed aan beledigingen en kritiek die Boccolato aan zijn adres uitte, gaan lezen. Nog voordat hij de brief had uitgelezen, had hij het doodvonnis over Boccolato uitgesproken. Hij stuurde Angelo Gagliardi om hem te vermoorden, net als Boccolato een ex-Cutoliano, iemand bij wie hij zonder enige achterdocht in de auto zou stappen. Je vrienden zijn de beste killers, zij zijn degenen die het schoonste werk kunnen leveren, zonder dat ze hun doelwit er gillend vandoor zien gaan en het achterna hoeven te rennen. In stilte, wanneer je het allerminst verwacht, plaatst hij de loop van zijn pistool tegen je nek en vuurt.

De boss wilde dat de afrekeningen in een vriendschappelijke, intieme sfeer plaatsvonden. Augusto La Torre kon er niet tegen als hij werd uitgelachen, hij wilde niet dat iemand die zijn naam uitsprak meteen daarna in lachen uitbarstte. Ze moesten het lef eens hebben.

Luigi Pellegrino daarentegen, bij iedereen bekend als Gigiotto, was zo iemand die graag roddelde over alles wat maar met de machthebbers van zijn stad te maken had. Er zijn een hoop jongens in het territorium van de camorra die smiespelen over de seksuele voorkeuren van de camorrabazen, over de orgies van de capizona, over de hoerige dochters van de ondernemers van de clans. Maar over het algemeen doen de bazen daar niet moeilijk over, want ze hebben echt wel iets beters om zich druk over te maken en bovendien is het onvermijdelijk dat er rond het leven van degenen die het bevel voeren, een heuse roddelcultuur ontstaat.

Gigiotto roddelde over de vrouw van de boss, hij vertelde overal dat hij haar samen met een van de belangrijkste vertrouwelingen van Augusto had gezien. Hij had gezien hoe ze tijdens die afspraakjes met haar minnaar door de chauffeur van de boss werd gereden. De topman van de La Torres, die alles runde en controleerde, had een vrouw die hem voor zijn neus bedroog en had het niet eens door. Gigiotto vertelde zijn roddels in steeds gedetailleerdere varianten en verschillende versies. Verzonnen of niet, het verhaaltje over de vrouw van de boss die had aangepapt met de rechterhand van haar echtgenoot, werd inmiddels door iedereen rondverteld en allemaal letten ze er goed op de bron te vermelden: Gigiotto.

Op een dag liep Gigiotto door het centrum van Mondragone toen hij het geluid hoorde van een motorfiets die opvallend dicht bij de stoeprand reed. Zodra hij in de gaten kreeg dat de motorfiets langzamer ging rijden, zette hij het op een lopen. Vanaf de motorfiets werden een paar schoten gelost, maar Gigiotto slaagde erin om zigzaggend tussen de lantaarnpalen en de mensen door de killer, die zich vasthield aan de rug van de bestuurder, zijn hele magazijn leeg te laten schieten. Daarom moest de motorrijder Gigiotto, die in een café was gaan schuilen en zich achter de tap probeerde te verstoppen, te voet achterna. Hij haalde zijn pistool tevoorschijn en schoot op Gigiotto's hoofd in het bijzijn van flink wat mensen die er vlak na de moord stilletjes en vlug vandoor gingen. Volgens de onderzoeken was het Giuseppe Fragnoli, de vertegenwoordiger van de clan, die hem wilde uitschakelen en die zonder ook maar enige toestemming te vragen besloot die roddelkont uit de weg te ruimen omdat hij het imago van de boss door het slijk haalde.

In het hoofd van Augusto moesten Mondragone, het platteland eromheen, de kust, de zee, niet meer dan een werkplaats zijn, een laboratorium ter beschikking van hem en zijn co-ondernemers, een gebied waaruit je stoffen kunt delven waar je bedrijven flinke winst uit kunnen halen. Hij had ten stelligste verboden drugs te dealen in Mondragone en langs de kust van Domizio, het opperste bevel dat de camorrabazen uit de provincie Caserta aan hun ondergeschikten en alle anderen gaven. Het verbod had een moralistische grondslag, ze wilden hun eigen stadsgenoten beschermen tegen heroïne en cocaïne, maar vooral vermijden dat de arbeidskrachten van de clan die in de drugshandel meewerkten, zichzelf in de schoot van de macht konden verrijken en onmiddellijke economische macht konden verwerven waardoor ze zich tegen de leiders van de familie zouden kunnen keren.

De drugs die het kartel uit Mondragone via Nederland naar de dealersplekken in Lazio en Rome bracht, waren uitdrukkelijk off-limits. De Mondragonezen moesten de auto pakken en naar Rome rijden om stuff, coke en heroïne te kopen die via de Napolitanen, de Casalezen en via de Mondragonezen zelf, de hoofdstad bereikten. Katten die hun eigen staart achterna renden maar die niet te pakken kregen. De clan richtte een groep op die zelfs door de politiekorpsen officieel werd erkend, en bekend was onder de afkorting: GAD, de Gruppo Anti Droga. Als ze je snapten met een injectienaald tussen je tanden, braken ze je neusbeentje in tweeën, als iemands echtgenote een zakje coke ontdekte, was het voldoende dat iemand bij de GAD het te horen kreeg. Die verbood de benzinepomphouders dan de persoon in kwestie genoeg benzine tot Rome te geven, en verkocht hem een paar schoppen en klappen in het gezicht, waardoor de zin om te snuiven hem wel verging.

Een Egyptische jongen, Hassa Fakhry, betaalde een hoge prijs voor zijn heroïneverslaving. Hij hoedde varkens, van die zwarte, uit de omgeving van Caserta, een zeldzaam ras. Gitzwarte varkens, nog zwarter dan buffelkoeien, klein en harig, vetharmonica's waar dunne worstjes, smakelijke salami's en lekkere karbonaadjes van worden gemaakt. Geen populair beroep, dat van varkenshoeder. Altijd maar stront scheppen en vervolgens met gebogen hoofd de varkentjes kelen en het bloed in teilen opvangen.

In Egypte had hij als chauffeur gewerkt, maar hij kwam uit een boerenfamilie en zodoende kon hij met dieren omgaan. Maar niet met varkens. Hij was moslim en werd nergens zo ziek van als van varkens. Maar het was nog altijd beter om op varkens te passen dan om de hele dag buffelpoep te moeten scheppen, zoals de Indiërs doen. Varkens schijten twee keer minder en de varkensstallen zijn in vergelijking met de koeienstallen van minuscule omvang. Dat weten alle Arabieren en daarom willen ze best voor varkens zorgen, om vooral maar niet tussen de buffelkoeien flauw te vallen van vermoeidheid.

Hassa begon heroïne te gebruiken, keer op keer pakte hij de trein naar Rome, haalde zijn doses en ging terug naar zijn varkensstal. Hij raakte echt verslaafd en had dus nooit genoeg geld, en daarom adviseerde zijn pusher hem om te proberen te gaan dealen in Mondragone, een plaats waar helemaal geen drugs werden verhandeld. Hij ging op het voorstel in en begon voor de deur van café Domizia te dealen. Hij had een klantenkring opgebouwd die hem in tien uur tijd een loon kon bezorgen waar hij als varkenshoeder zes maanden voor moest werken.

Een telefoontje van de eigenaar van het café, een telefoontje zoals er in deze contreien zoveel worden gepleegd, was voldoende om een einde aan zijn handeltje te maken. Je belt een vriend die zijn neef belt, die verwijst naar zijn maat die het bericht bij de aangewezen persoon bezorgt, een traject waarvan men alleen het vertrek- en eindpunt kent.

Na een paar dagen gingen de mannen van La Torre, die zichzelf hadden uitgeroepen tot GAD, rechtstreeks naar zijn huis. Om hem geen kans te geven tussen de varkens en buffels door te ontsnappen, waardoor ze genoodzaakt zouden zijn hem door de blubber en de stront te achtervolgen, belden ze aan via de intercom van zijn flatje en deden zich voor als politieagenten. Ze duwden hem in de auto en reden weg. Maar de auto reed niet naar het politiebureau.

Zodra Hassa Fakhry doorhad dat ze hem gingen vermoorden, kreeg hij last van een vreemde allergische reactie, alsof de angst een anafylactische shock had veroorzaakt. Zijn lichaam begon op te zwellen; het leek wel alsof iemand met geweld lucht in hem pompte. Augusto La Torre zelf was nog steeds verbijsterd over die metamorfose toen hij het de rechters vertelde: de ogen van de Egyptenaar werden minuscuul alsof ze door zijn schedel werden opgeslorpt, zijn poriën scheidden een stroperige zweetlaag af, als honing, en uit zijn mond droop klonterige witte kwijl. Ze vermoordden hem met z'n achten, maar er schoten er maar zeven.

Eén spijtoptant, Mario Sperlongano, verklaarde: 'Het leek me volslagen nutteloos en idioot te schieten op een levenloos lichaam.'

Maar zo was het altijd gegaan, Augusto leek wel beneveld door zijn eigen naam, door de symboliek ervan. Al zijn legionairs, de legionairs van de camorra, moesten achter hem en al zijn acties staan. Moorden die door een paar mannen, één, hooguit twee, konden worden uitgevoerd, werden door al zijn aanhangers volbracht. Vaak werd er aan iedere aanwezige gevraagd om ten minste één schot te lossen, ook als het lichaam al een lijk was. Eén voor allen en allen voor één.

Augusto vond dat al zijn mannen mee moesten doen, ook als dat overbodig was. De voortdurende angst dat iemand zich zou terugtrekken, maakte dat hij altijd in groepen opereerde. Het was niet ondenkbaar dat de zaken in Amsterdam, Aberdeen, Londen en Caracas een van de leden naar het hoofd zouden stijgen en diegene het idee zouden geven dat hij voor zichzelf zou kunnen beginnen. Hier vormt wreedheid de basis van iedere handelsactiviteit: mededogen tonen betekent alles verliezen.

Nadat ze hem hadden afgemaakt, werd het lichaam van Hassa Fakhry ettelijke malen doorboord met insulinenaalden, dezelfde die heroïneverslaafden gebruiken. Een boodschap op zijn huid die iedereen van Mondragone tot Formia meteen moest begrijpen. En de boss handelde zonder aanzien des persoons. Toen een van de leden, Paolo Montano – ook wel 'Zumpariello', de sprongenmaker, genaamd – een van de trouwste mannen uit zijn artillerie, drugs begon te gebruiken en niet meer van de coke af kon blijven, liet hij hem door een van diens trouwe vrienden uitnodigen voor een ontmoeting op een boerderij. Eenmaal op de plek aangekomen had Ernesto Cornacchia zijn wapen op hem leeg moeten schieten, maar hij wilde niet schieten uit angst dat hij de boss zou raken die te dicht in de buurt van het slachtoffer stond. Toen Augusto zag hoe hij aarzelde, trok hij zijn pistool en schoot Montano dood, maar diezelfde kogels doorboorden vervolgens ook de zij van Cornacchia, die liever een kogel in zijn lijf kreeg dan dat hij riskeerde zijn boss te verwonden. Ook Zumpariello werd in een put gegooid en opgeblazen, *alla mondragonese*.

De legionairs zouden alles voor Augusto over hebben gehad: zelfs toen de boss spijtoptant werd, volgden ze zijn voorbeeld. In januari 2003 besloot hij, nadat zijn vrouw was gearresteerd, om de grote stap te wagen en spijtoptant te worden. Hij beschuldigde zichzelf en zijn aanhangers van een veertigtal moorden, hij zorgde ervoor dat in de heuvels rond Mondragone de overblijfselen werden gevonden van de mensen die hij op de bodem van de putten had opgeblazen; hij gaf zichzelf aan wegens ontelbare afpersingen. Een bekentenis die eerder was toegespitst op de militaire dan op de economische aspecten van zijn handelen. Korte tijd later volgden zijn aanhangers Mario Sperlongano, Giuseppe Valente, Girolamo Rozzera, Pietro Scuttini, Salvatore Orabona, Ernesto Cornacchia en Angelo Gagliardi.

Als camorrabazen eenmaal in de gevangenis zitten, is hun stilzwijgen het beste wapen waarmee ze hun gezag kunnen handhaven, waarmee ze formeel de macht kunnen behouden, ook al ontneemt het strenge gevangenisregime hun de mogelijkheid om rechtstreeks te besturen. Maar de zaak van Augusto La Torre is bijzonder: doordat hij heeft gepraat en al de zijnen hem volgden, hoefde hij niet bang te zijn dat zijn familie vanwege zijn afvalligheid zou worden afgeslacht. Ook lijkt zijn samenwerking met justitie geen aantasting te zijn geweest van het economisch imperium van dit kartel uit Mondragone. Zijn bekentenis bleek alleen van essentieel belang om inzicht te kunnen krijgen in de logica achter de bloedbaden en de geschiedenis van de macht aan de kust van Caserta en Lazio.

Augusto La Torre heeft over het verleden gepraat, zoals zoveel camorrabazen. Zonder spijtoptanten kan de geschiedenis van de macht niet worden geschreven. De waarheid van de feiten, de details, de mechanismen: zonder de spijtoptanten worden ze pas tien, twintig jaar later ontdekt, een beetje zoals een mens die pas na zijn dood begrijpt hoe zijn eigen organen bij leven functioneerden.

Als Augusto La Torre en zijn staf spijtoptanten worden, brengt dat het risico met zich mee dat ze flinke strafvermindering krijgen, dat ze in ruil voor zijn verhaal over datgene wat is geweest na een paar jaar uit de gevangenis komen, en hun legale economische macht overeind blijft aangezien ze de militaire macht inmiddels aan anderen, de Albanese families in het bijzonder, hebben overgedragen. Alsof ze met het oog op het ontlopen van levenslange gevangenisstraffen en interne vetes om de wisseling van de macht, hadden besloten hun feitenkennis, nauwkeurig en oprecht naar buiten gebracht, als compromis te gebruiken om daarna alleen nog van hun legale activiteiten te blijven leven.

Augusto had de cel altijd onverdraaglijk gevonden. In tegenstelling tot de grote bazen met wie hij was opgegroeid, kon hij niet tegen decennialange gevangenschap. Hij eiste dat de keuken in de gevangenis rekening hield met zijn vegetarische dieet, en omdat hij van films hield maar het niet mogelijk was om een videorecorder in de cel te hebben, vroeg hij meerdere malen aan de redacteur van een lokale zender in Umbrië, waar hij gevangenzat, om wanneer hij er zin in had de drie delen van *The Godfather* 's avonds voor hij ging slapen uit te zenden.

Volgens de rechters heeft de dubbelzinnigheid altijd van de verklaringen van La Torre afgedropen; hij is er nooit in geslaagd zijn rol van boss op te geven. En dat zijn onthullingen als spijtoptant een verlengstuk van zijn macht waren, bewijst de brief die Augusto bij zijn oom liet opduiken en waarin hij hem verzekerde hem te hebben 'gered' van iedere betrokkenheid bij de zaken van de clan. Maar zoals het een begiftigd verteller betaamt kan hij het niet laten een helder dreigement tegen zijn oom en nog twee andere familieleden te uiten, waarmee hij de kans op het ontstaan van een verbond tegen de boss in Mondragone, bezweert: 'Jouw schoonzoon en zijn vader voelen zich veilig bij de mensen die hun lijk mee uit wandelen nemen.'

Ook al was hij spijtoptant, toch vroeg de boss zelfs vanuit de gevangenis in l'Aquila nog om geld; hij omzeilde de controles en schreef brieven met bevelen en verzoeken die hij aan zijn chauffeur

Pietro Scuttini en aan zijn moeder meegaf. Die verzoeken betroffen volgens de rechtbank afpersingen. Een briefje op beleefde toon, geadresseerd aan de eigenaar van een van de grootste kaasfabrieken van de kust van Domizio, vormt het bewijs dat Augusto hem nog altijd onder de duim had.

'Beste Peppe, ik vraag je om een grote gunst omdat ik helemaal aan de grond zit, als je me tenminste wilt helpen, maar ik vraag het je alleen uit naam van onze oude vriendschap en niet om andere redenen en ook als je nee zegt, wees gerust, ik zal je altijd beschermen! Ik heb dringend tienduizend euro nodig en wil weten of je duizend euro per maand kunt missen, die heb ik nodig om voor mijn kinderen te kunnen zorgen...'

De levensstijl waar de familie La Torre aan was gewend, kon niet worden bekostigd door de financiële steun die de staat biedt aan spijtoptanten. Pas nadat ik de dossiers van het mega-onderzoek had gelezen dat in 1992 was uitgevoerd in opdracht van de rechtbank van Santa Maria Capua Vetere, kreeg ik inzicht in de business van de familie. Ze legden beslag op onroerende goederen voor een actuele waarde van om en nabij de 230 miljoen euro, negentien ondernemingen voor een waarde van 323 miljoen euro, waar nog eens 133 miljoen euro bij kwam met betrekking tot bewerkingsinstallaties en machines. Het ging om talloze fabrieken, gelegen tussen Napels en Gaeta, langs het kustgebied van Domizio, waaronder een kaasfabriek, een suikerfabriek, vier supermarkten, negen villa's aan zee, fabriekspanden met bijbehorende terreinen, snelle wagens en motoren. Ieder bedrijf telde ongeveer zestig werknemers.

De rechters bevolen bovendien de inbeslagname van de vuilophaaldienst die de aanbesteding van de gemeente Mondragone in de wacht had gesleept. Het was een gigantische operatie die een buitengewone economische macht uitwiste die echter in vergelijking met de daadwerkelijke business van de clan microscopisch was. Ze legden ook beslag op een enorme villa, een villa die zelfs tot in Aberdeen bekendheid genoot. Vier verdiepingen pal boven zee, zwembad met onderwaterlabyrint, gebouwd in de wijk Ariana in Gaeta, naar het ontwerp van de villa van Tiberius – niet de stamvader van de clan van Mondragone, maar de keizer die zich had teruggetrokken om op Capri te regeren. Het is me nooit gelukt een voet in deze villa te zetten dus zijn de verhalen en de juridische documenten de bril geweest waardoor ik het bestaan van dit keizerlijk mausoleum, dat onder de Italiaanse bezittingen van de clan viel, heb ontdekt.

Het kustgebied had een soort oneindige ruimte aan zee kunnen zijn, dat alle mogelijke architectonische fantasieën vrij spel had kunnen geven. Maar mettertijd is de kust van de provincie Caserta een allegaartje van huizen en villaatjes geworden, in allerijl gebouwd om het toerisme vanuit het zuiden van Lazio naar Napels te stimuleren. Voor de kust van Domizio bestond geen enkel bestemmingsplan, geen enkele vergunning. En zo werden de villaatjes tussen Castelvolturno en Mondragone de nieuwe onderkomens waar legio Afrikanen in konden worden gestouwd en zijn de aangelegde parken, de stukken grond die omwille van het toerisme plaats hadden moeten bieden aan nieuwe vakantiehuisjes en -appartementen, veranderd in ongecontroleerde vuilstortplaatsen.

Geen enkele kustplaats beschikt over een zuiveringsinstallatie. Een bruine zee overspoelt inmiddels de vervuilde stranden. In een paar jaar tijd is alles wat ook maar een zweempje schoonheid had weggevaagd. 's Zomers veranderden enkele clubs aan de kust van Domizio in heuse bordelen. Sommige vrienden van mij maakten zich op voor de nachtelijke jacht en lieten hun lege portefeuille zien. Er zat wel geld in, maar geen verzilverd zegel met cirkelvormig hart, oftewel geen condoom. Ze maakten duidelijk dat het geen punt was als je in Mondragone zonder condoom wilde neuken: 'Vanavond lekker zonder!'

Augusto La Torre was het voorbehoedsmiddel van Mondragone. De boss had zich voorgenomen ook te waken over de gezondheid van zijn onderdanen. Mondragone werd een soort tempel van absolute bescherming tegen de meest gevreesde infectieziekte van allemaal. Terwijl de wereld werd besmet met hiv, stond het noorden van de provincie Caserta onder streng toezicht. De clan stond op scherp en hield daarom de tests van alle leden in de gaten.

Voorzover het bij te houden was, had de clan een complete lijst met zieken; het territorium mocht niet worden geïnfecteerd. Zo wisten ze meteen dat een trouwe vriend van Augusto, Fernando Brodella, seropositief was. Dat kon weleens riskant worden, want hij deed het met de meisjes uit het dorp. Ze waren niet van plan hem aan de zorg van een goede arts over te laten, noch om adequate behandelingen voor hem te betalen; ze deden niet wat de Bidognetticlan deed, die operaties in de beste Europese klinieken betaalde voor zijn eigen leden, hen toevertrouwde aan de beste artsen. Brodella werd op zijn schouder getikt en in koelen bloede vermoord. De zieken elimineren om de epidemie te stoppen: dat was de opdracht van de clan. Een infectieziekte die bovendien werd overgedragen door de minst controleerbare handeling, seks, kon alleen worden gestopt door de geïnfecteerden voor altijd tot staan te brengen. Alleen als zieken dood zijn kun je met zekerheid zeggen dat ze niemand meer zullen besmetten.

Ook de investeringen van hun eigen kapitaal in Campania moesten veilig zijn. Daarom hadden ze een villa gekocht die zich in het territorium van Anacapri bevindt, een pand waar het plaatselijke bureau van de carabinieri was gehuisvest. Doordat ze van de carabinieri huur ontvingen, konden ze er zeker van zijn dat ze niet met onaangename tekorten te kampen zouden krijgen. Toen de La Torres in de gaten kregen dat de villa meer zou hebben opgebracht met toerisme, gooiden ze de carabinieri eruit en deelden ze het pand op in zes appartementen met tuin en parkeerplaats, en transformeerden zo de villa in een toeristisch complex voordat de Antimaffiacommissie alles in beslag kwam nemen. Heldere, veilige investeringen, zonder enig duister, speculatief risico.

Na de onthullingen van Augusto kreeg de nieuwe boss, Luigi Fragnoli, trouwe volgeling van de La Torres, problemen met een aantal leden, waaronder Giuseppe Mancone, bijgenaamd 'Rambo' vanwege zijn vage gelijkenis met Stallone en zijn opgepompte sportlijf. Hij zette een dealersplek op die kort gezegd van hem een belangrijke leider zou maken, en vandaaruit zou hij de oude camorrabazen voor weinig een trap kunnen verkopen, want hun charisma lag na Augusto's verklaringen toch aan diggelen.

Volgens de Antimaffiadienst hadden de clans uit Mondragone de familie Birra uit Ercolano gevraagd om een paar killers in te huren. En zo arriveren er in augustus 2003 twee Ercolanezen in Mondragone om Rambo uit te schakelen. Ze kwamen aan op van die enorme patserige scooters die niet zo makkelijk te besturen zijn, maar er wel dusdanig intimiderend uitzien dat je ze bij een hinderlaag wel móet gebruiken. Ze hadden nog nooit een voet in Mondragone gezet, maar hadden snel genoeg door dat hun doelwit, zoals altijd, in de Roxy Bar zat.

De scooter kwam tot stilstand. Er stapte een jongen af die vastberaden op Rambo af liep, een heel magazijn op hem leegschoot en vervolgens weer op het zadel van de scooter sprong. 'Alles oké? Klaar?'

'Ja, klaar, rijden, rijden, rijden...'

Vlak bij de bar stond een groepje jonge vrouwen, ze waren plannen aan het maken voor Maria-Hemelvaart. Zodra ze de jongen naar buiten zagen komen rennen, begrepen ze het meteen, ze hadden gehoord dat de knallen van een machinegeweer kwamen en niet van rotjes. Ze gingen allemaal met hun gezicht naar de grond liggen, bang dat de killer hen zou kunnen zien en ze dus getuigen zouden worden. Maar één vrouw keek niet naar beneden. Een van hen bleef de killer aankijken zonder haar ogen neer te slaan, zonder haar borst tegen het asfalt te drukken of haar gezicht met haar handen te bedekken. Ze was een kleuterjuf van vijfendertig. De vrouw getuigde, identificeerde de daders en deed aangifte.

In de veelvoud aan motieven om te zwijgen, om te doen alsof er niets was gebeurd, om naar huis te gaan en verder te kunnen gaan met leven, was daar zoals altijd de schrik, de angst voor de intimidaties en nog sterker het gevoel van nutteloosheid: waarom een killer laten oppakken, een van de velen? Maar de juf uit Mondragone vond tussen de prullaria van redenen om te zwijgen één motivatie om te spreken: de waarheid. Een waarheid die smaakt naar vanzelfsprekendheid, zoals een gewoon, normaal, helder gebaar, net zo noodzakelijk als ademhalen.

Ze deed aangifte zonder er iets voor terug te vragen. Ze eiste geen vergoeding of bescherming, ze hing geen prijskaartje aan haar verhaal. Ze deed uit de doeken wat ze had gezien, beschreef het gezicht van de killer, zijn hoekige jukbeenderen, zijn dikke wenkbrauwen.

Nadat de jongen had geschoten, sjeesde de scooter het dorp in waarbij hij meerdere keren verkeerd reed, doodlopende steegjes in schoot en om moest keren. Ze deden eerder denken aan schizofrene toeristen dan aan killers. Op het proces dat volgde op de getuigenissen van de juf, werd Salvatore Cefariello tot levenslang veroordeeld. Vierentwintig jaar oud, een killer op de loonlijst van de clans uit Ercolano.

De rechter die de getuigenis van de juf had opgenomen, beschreef haar als 'een roos in de woestijn', ontloken in een land waar de waarheid altijd die van de machthebbers is, waar zelden van wordt afgeweken en die wordt bestempeld als zeldzame waar die voor een beetje winst kan worden geruild.

En toch heeft deze bekentenis haar het leven zuur gemaakt, alsof ze een kluwen garen op een pin had vastgezet, zodat haar hele bestaan zich gelijktijdig met haar moedige getuigenis ging ontrafelen. Ze stond op het punt te gaan trouwen maar werd in de steek gelaten, ze heeft haar baan verloren, is overgebracht naar een beveiligde omgeving, ontvangt een minimuminkomen dat haar door de staat wordt aangereikt om te kunnen overleven, een deel van haar familie heeft zich van haar gedistantieerd en een onmetelijke eenzaamheid heeft zich over haar uitgestort. Een eenzaamheid waar je in het dagelijkse leven keihard mee wordt geconfronteerd als je zin hebt om te dansen maar er niemand is om mee te dansen, mobieltjes die rinkelen in het luchtledige en vrienden die langzaam maar zeker afstand nemen totdat ze niets meer van zich laten horen.

Het is niet de getuigenis op zich die angst aanjaagt, het is niet het aanwijzen van een killer dat het schandaal veroorzaakt. Zo simpel is de logica van de omerta niet. Wat het gebaar van de jonge vrouw schandelijk maakt, is haar keuze om de mogelijkheid tot getuigen als vanzelfsprekend, instinctief en van levensbelang te beschouwen. Deze manier van leven is net als oprecht geloven dat de waarheid mag bestaan, en dat wordt, in een land waar men verdient aan de leugen en verliest met de waarheid, een onverklaarbare keuze.

Zo kan het gebeuren dat de mensen in je omgeving het gevoel krijgen dat ze in de problemen zitten, ze voelen zich betrapt door de blik van degene die de regels van het leven zelf aan zijn laars heeft gelapt, maar die zij volkomen hebben geaccepteerd. Zonder schaamte, omdat het zo nu eenmaal hoort te gaan, omdat het zo altijd is gegaan, omdat je niet alles eigenhandig kunt veranderen en je dus maar beter je krachten kunt sparen en op het rechte pad kunt blijven, en leeft zoals het is toegestaan te leven.

In Aberdeen was ik keihard met mijn neus op de materie van het Italiaanse ondernemerssucces gedrukt. Het is gek om naar deze verre uitlopers te kijken als je hun oorsprong kent. Ik weet niet hoe ik het moet omschrijven, maar als je de restaurants, de kantoren, de verzekeringsmaatschappijen, de gebouwen voor je ziet, voelt het alsof iemand je bij je enkels vastpakt, alsof je ondersteboven wordt gehangen en net zolang wordt geschud totdat al je kleingeld, je huissleutels en alles wat maar uit je broek en je mond kan vallen, valt, zelfs je ziel als die verkoopbaar is. De geldstromen kwamen overal vandaan, als een stralenkrans die zich voedde met de energie die hij uit zijn eigen centrum zoog. Weten is echter niet hetzelfde als zien.

Ik was met Matteo meegegaan naar een sollicitatiegesprek. Natuurlijk werd hij aangenomen. Hij wilde dat ik ook in Aberdeen zou blijven. 'Hier kun je gewoon jezelf zijn, Robbe'...'

Matteo had zijn Campanese afkomst nodig, had dat aureool nodig om te worden gewaardeerd om zijn cv, zijn bul, zijn werklust. Door dezelfde afkomst die van hem in Schotland een volwaardig burger maakte, zou hij in Italië automatisch worden beschouwd als weinig meer dan menselijk afval, zonder bescherming, zonder betekenis, de strijd al bij voorbaat verloren omdat hij zijn eigen leven een valse start had gegeven. Ineens zat hij midden in een explosie van geluk zoals hij die nooit eerder had meegemaakt.

Hoe enthousiaster hij werd, des te meer bekroop mij een bittere zwaarmoedigheid. Ik heb me gevoelsmatig nooit kunnen distantiëren, me nooit ver kunnen distantiëren van waar ik ben geboren, van de gedragingen van de mensen die ik haatte, heb nooit afstand kunnen nemen van die meedogenloze dynamiek die levens en verlangens platwalste. Op bepaalde plekken worden geboren betekent dat je de pup van een jachthond bent die met de geur van de haas al in zijn neus wordt geboren. Je kunt je nog zo hard verzetten, je rent toch die haas achterna, ook al kun je hem daarna, als je hem hebt ingehaald, laten lopen terwijl je je snijtanden stevig op elkaar zet. Zo slaagde ik er dus in de tracés, de wegen, de paden te doorzien, me niet bewust van mijn obsessie, met een vervloekt talent om de veroverde territoria tot op het bot te doorgronden.

Ik wilde alleen maar weg uit Schotland, om er nooit meer één voet te zetten. Ik vertrok zo snel ik kon. In het vliegtuig kon ik de slaap maar moeilijk vatten, de luchtzakken, de duisternis aan de andere kant van het raampje, ze grepen me bij de keel alsof een stropdas met zijn knoop heel hard tegen mijn adamsappel drukte. Mijn claustrofobie was waarschijnlijk niet te wijten aan de krappe stoel en het kleine vliegtuig, noch aan de duisternis aan de andere kant van het raampje, maar aan het gevoel dat ik werd gewurgd door een realiteit die deed denken aan een stal volgepakt met uitgehongerde beesten, die eten om niet gegeten te worden. Alsof alles één enkel territorium was met maar één dimensie en één syntaxis die overal werd verstaan. Een gevoel van reddeloosheid, de druk om wel of geen onderdeel van de grote strijd te zijn.

Ik ging terug naar Italië met in mijn hoofd een duidelijk beeld van de twee snelste wegen; twee wegen die in een richting het kapitaal vervoeren dat ze laten uitmonden in de Europese economie, en in de andere richting alles naar het zuiden brachten wat elders geen vervuiling mocht veroorzaken, en wat door de geforceerde mazen van de open en flexibele economie in een vicieuze cirkel naar binnen en naar buiten kroop om elders rijkdommen te kunnen scheppen die op de plek van herkomst nooit hadden kunnen ontstaan.

Het afval had de buik van Zuid-Italië doen opzwellen, had die opgerekt als een zwangere buik waarin de foetus nooit zou volgroeien omdat die het geld afstootte om vervolgens meteen weer zwanger te raken, om weer opnieuw af te stoten, en weer opnieuw vol te lopen, net zolang tot het afval het lichaam zou ruïneren, de aders zou laten dichtslibben, de luchtwegen zou verstoppen, de zenuwbanen zou verwoesten. Steeds weer opnieuw, en opnieuw en opnieuw.

Vurenland

Je iets voorstellen is niet ingewikkeld. In gedachten een mens, een gebaar, of iets wat niet bestaat maken, is niet moeilijk. Het is zelfs niet lastig om je je eigen dood in te beelden. Het meest ingewikkeld is je een voorstelling maken van een economie in al haar facetten. De geldstromen, de winstpercentages, de onderhandelingen, de schulden, de investeringen. Er zijn geen uiterlijke kenmerken die je kunt visualiseren, exacte dingen die je je voor de geest kunt halen. Je kunt je een voorstelling maken van de verschillende economische begrippen, maar niet van de stromen, de bankrekeningen of de individuele operaties. Als je probeert je een voorstelling te maken van de economie loop je het gevaar dat je je ogen sluit om je te concentreren en ze zo hard dichtknijpt dat je kleurige, psychedelische vervormingen op je netvlies ziet.

Ik probeerde steeds harder om in gedachten het beeld van de economie te reconstrueren, iets wat zou kunnen lijken op de productie, op de verkoop, de kortingsacties en de aanschaf. Het was onmogelijk een organigram te vinden, een nauwkeurige iconische consistentie. Misschien kon je de wedijverende economie maar op één manier voorstellen en wel door een idee te hebben van wat ze achterliet, door de nasleep ervan te achtervolgen, de onderdelen die ze als dode huidschilfers liet vallen terwijl ze zich nietsontziend een pad baande.

De vuilstortplaatsen waren het meest concrete symbool van iedere economische kringloop. Ze stapelen alles wat geweest is op, ze zijn de feitelijke nasleep van de consumptie, meer nog dan het spoor dat door ieder product op de aardkorst wordt achtergelaten. Zuid-Italië is de eindhalte van al het giftige afval, de onbruikbare restjes, het bezinksel van de productie.

Als al het afval dat aan de officiële controle is ontsnapt tot een enkele klomp zou worden samengesmolten, zou het – volgens een schatting van de milieuorganisatie Legambiente – in zijn totaliteit een bergketen worden van 14 miljoen ton; praktisch een berg van 14.600 meter met een omtrek van drie hectaren. De Mont Blanc is 4810 meter hoog, de Mount Everest 8844. Deze berg met afval, ontglipt aan de officiële registers, zou de hoogste berg ter wereld zijn.

Zo heb ik me het DNA van de economie, haar commerciële operaties, het optellen en aftrekken van de administrateurs en de winstdividenden voorgesteld: als deze gigantische berg. Een enorme bergketen die – als ze tot ontploffing was gebracht – zich over het grootste deel van Zuid-Italië zou hebben verspreid, de vier regio's met het hoogste aantal milieudelicten: Campania, Sicilië, Calabrië en Puglia. Dezelfde lijst als wanneer men het heeft over de gebieden met de meeste criminele genootschappen, met het hoogste werkloosheidscijfer en de meeste aanmeldingen voor het toelatingsexamen voor vrijwilligers bij het leger en de politiekorpsen. Steeds dezelfde, eeuwige, onveranderlijke lijst. De provincie Caserta, het territorium van de Mazzoni's, tussen de rivier Garigliano en het Patria-meer, heeft dertig jaar lang tonnen giftig en gewoon afval geabsorbeerd.

De streek die het meest is getroffen door de kanker van de gifhandel ligt tussen de gemeenten Grazzanise, Cancello Arnone, Santa Maria La Fossa, Castelvolturno, Casal di Principe – een omvang van bijna 300 vierkante kilometer – en in de omtrek van Napels tussen Giugliano, Qualiano, Villaricca, Nola, Acerra en Marigliano. Geen enkel gebied in de westerse wereld gaat gebukt onder een grotere last illegaal gestort afval, zowel giftig als niet-giftig. Dankzij deze business is de omzet die bij de clans en hun tussenpersonen is binnengestroomd, in vier jaar tijd opgelopen tot 44 miljard euro. Een markt die de afgelopen tijd een totale toename van 29,8 procent heeft gekend, die alleen te vergelijken is met de groei van de cocaïnehandel.

Vanaf eind jaren negentig zijn de camorraclans de continentale leiders geworden op het gebied van afvalverwerking. Al in het rapport naar het parlement, in 2002 opgesteld door het ministerie van Binnenlandse Zaken, sprak men duidelijk over een overgang van het ophalen van afval naar een *business deal* met een aantal betrokken ambtenaren, gericht op het volledig in handen krijgen van het gehele circuit. Met zijn dubbele vertakking, waarvan er een wordt geleid door Sandokan Schiavone en de andere door Francesco Bidognetti, alias Cicciotto di Mezzanotte, verdeelt de clan van de Casalezen de business. Een markt die zo enorm is dat die hen – zelfs onder voortdurende spanningen – nooit tot een frontale botsing heeft gebracht.

Maar de Casalezen zijn niet alleen. Er is ook nog de clan van Mallardo di Giugliano, een kartel dat zeer behendig is in het snel verplaatsen van de opbrengsten van hun eigen handeltjes, en die een immense hoeveelheid afval over zijn eigen territorium kan vervoeren. In de omgeving van Giugliano is een verlaten groeve gevonden die helemaal vol met afval zat. De geschatte hoeveelheid komt overeen met ongeveer 28.000 vrachtwagens, een hoeveelheid die kan worden voorgesteld als een rij vrachtwagens, bumper aan bumper, die loopt van Caserta tot Milaan.

De camorrabazen kennen geen enkele remming als ze hun eigen dorpen volstoppen met giffen, als ze de stukken grond die rond hun eigen villa's en domeinen liggen, laten verrotten. Het leven van een camorrabaas is kort, de macht van een clan kan tussen vetes, arrestaties, bloedbaden en levenslange gevangenisstraffen door niet lang duren. Een streek verzuipen in chemisch afval, je eigen dorpen omgeven met giftige bergketens kan alleen maar tot een probleem leiden voor degene die op lange termijn over macht beschikt en over maatschappelijke verantwoordelijkheid. In het hier en nu van het zakendoen heeft men alleen oog voor de hoge winstmarge en zijn er geen mitsen en maren.

Het meest consistente deel van het transport van chemisch afval kent maar één vector: noord-zuid. Sinds het einde van de jaren negentig zijn 18.000 vaten chemisch afval vanuit Brescia vertrokken en tussen Napels en Caserta verwerkt, en een miljoen vaten zijn, in vier jaar tijd, allemaal in Santa Maria Capua Vetere beland. Vanuit het noorden werd het afval dat in de vuilverwerkingsinstallaties van Milaan, Pavia en Pisa was bewerkt, naar Campania getransporteerd.

In januari 2003 hebben het parket van Napels en dat van Santa Maria Capua Vetere dankzij de onderzoeken onder leiding van Donato Ceglie van het openbaar ministerie ontdekt dat er in veertig dagen tijd meer dan 6500 ton afval vanuit Lombardia naar Tentola Ducenta, in de buurt van Caserta, is gebracht.

Het platteland van de provincies Napels en Caserta is de wereldkaart van het vuilnis, het lakmoespapier van de Italiaanse industriële productie. Als je een kijkje gaat nemen bij vuilstortplaatsen en groeven, kun je het lot van hele decennia Italiaanse industriële producten zien. Ik heb het altijd leuk gevonden om op mijn Vespa rond te rijden over de smalle weggetjes die langs de vuilstortplaatsen lopen. Het is alsof je over de overblijfselen van een beschaving loopt, over de laagvorming van commerciële transacties, het is alsof je naast piramides van producties staat, naast de sporen van geconsumeerde kilometers. Landwegen die vaak helemaal zijn volgestort met beton om het de vrachtwagens makkelijk te maken, gebieden waar het landschap van de objecten een gevarieerd en bont mozaïek is. Het afval van ieder productieproces en iedere activiteit vindt in deze gebieden een eigen bestemming.

Ooit was een boer een veld aan het ploegen dat hij nog maar net had gekocht, precies op de grens tussen de provincies Napels en Caserta. De motor van de tractor verzoop, het was alsof de aarde die dag extra stevig was. Plotseling begonnen er stroken papier aan de zijkanten van de ploegschaar uit te steken. Het was geld. Duizenden en duizenden bankbiljetten, honderdduizenden.

De boer sprong van zijn tractor en begon koortsig alle geldsnippers op te rapen, als een buit die door Joost mag weten wat voor schurk was verstopt, het resultaat van god mag weten wat voor grootscheepse overval. Alleen was het versnipperd en verkleurd geld. Vermaalde bankbiljetten afkomstig van de Italiaanse Bank, tonnen geldbundels, gebruikt en uit de omloop gehaald. De tempel van de lire was onder de grond geëindigd, de resten van het oude papiergeld lieten hun lood achter in een bloemkolenveld.

In de buurt van Villaricca ontdekten de carabinieri een stuk grond waar het papier werd verzameld dat was gebruikt voor het schoonmaken van koeienuiers, afkomstig van honderden veehouderijen uit Veneto, Emilia en Lombardia. Koeienuiers worden voortdurend schoongemaakt, twee, drie, vier keer per dag. Iedere keer als de stalknechten de melkbekers van de melkmachine bevestigen, moeten ze de uiers schoonmaken. Vaak krijgen de koeien last van uierontstekingen en andere ziektes, en beginnen ze pus en bloed af te scheiden, maar krijgen ze toch geen rust: ze moeten gewoon ieder halfuur worden schoongemaakt, anders komen het pus en het bloed in de melk terecht en kun je hele vaten weggooien.

Toen ik door de bergen uiertissues reed, rook ik de stank van bedorven melk. Misschien was het maar suggestie, misschien misleidde de gelige kleur van het opgehoopte papier ook wel mijn zintuigen. Feit blijft dat dit afval, decennialang opgestapeld, de horizon opnieuw heeft gedefinieerd, nieuwe geuren heeft ontwikkeld, vlekken van denkbeeldige heuvels heeft doen verrijzen, de bergen die door de groeven zijn opgeslokt hebben plotseling hun verloren massa teruggekregen. Wandelen door het binnenland van Campania is als het absorberen van de geuren van alles wat de fabrieken produceren. Als je de aarde vermengd ziet met het slagaderlijke bloed van de fabrieken uit de hele streek, doet dat denken aan een bal van plastiline die in alle mogelijke kleuren door kinderen in elkaar is gezet.

Dicht bij Grazzanise was alle grond bedolven onder het vuilnis van de gemeente Milaan. Decennialang werd het door de Milanese vuilnismannen in containers verzamelde vuilnis, het straatvuil dat 's ochtends werd opgeveegd, opgehaald en hierheen gestuurd. Iedere dag komt er achthonderd ton afval uit Milaan in Duitsland terecht. De totale productie bedraagt echter dertienhonderd ton. Vijfhonderd daarvan schitteren dus door afwezigheid. Men weet niet waar die naartoe gaan. Naar alle waarschijnlijkheid slingert dit spookafval in Zuid-Italië rond.

Dan heb je nog de printertoners die de aarde vervuilen, zoals in 2006 is ontdekt door de operatie 'Madre Terra', Moeder Aarde, gecoördineerd door het parket van Santa Maria Capua Vetere. Tussen

Villa Literno, Castelvolturno en San Tammaro werden de toners van Toscaanse en Lombardische kantoren 's nachts gedumpt door vrachtwagens die officieel compost vervoerden. De geur was zuur en penetrant, en kwam iedere keer als het regende in alle hevigheid vrij. De grond zat vol zeswaardig chroom. Als je dat inademt, bijt het zich vast in je rode bloedlichaampjes en in je haren, en veroorzaakt het maagzweren, ademhalingsmoeilijkheden, nieraandoeningen en longkanker.

Iedere meter grond is belast met zijn eigen soort afval. Een vriend van mij die tandarts is, vertelde mij een keer dat een paar jongens wat schedels hadden meegebracht. Echte schedels, van mensen, om de tanden te laten schoonmaken. Als kleine Hamlets hielden ze een schedel in hun ene en een stapeltje geld in hun andere hand om de schoonmaakbehandeling mee te betalen.

De tandarts had hen uit zijn praktijk gegooid en belde me vervolgens nerveus op. 'Hoe komen ze in godsnaam aan die schedels? Waar halen ze die vandaan?' Hij zag apocalyptische scènes voor zich, satanische rituelen, kleine jongetjes die in de leer van Beëlzebub werden ingewijd.

Ik lachte. Het was niet zo moeilijk te bedenken waar ze vandaan kwamen. Toen ik in de buurt van Santa Maria Capua Vetere reed, kreeg ik op een keer een lekke band. Er was een snee in de band van mijn Vespa gekomen doordat ik over een scherpe stok was gereden die ik aanzag voor het bot van een buffel. Maar hij was te kort. Het was een menselijk bot.

De begraafplaatsen ruimen op gezette tijden de graven, ze verwijderen wat de jongste grafdelvers de 'aartsdoden' noemen, degenen die al meer dan veertig jaar geleden zijn begraven. Ze zouden ze samen met hun kisten en al het andere van het graf, tot aan de lichtjes toe, moeten laten vernietigen door gespecialiseerde bedrijven, maar de verwerkingskosten zijn erg hoog, en dus geven de directeuren van de begraafplaatsen een stapeltje geld aan de grafdelvers opdat die alles opgraven, en vervolgens wordt alles in vrachtwagens gegooid. Aarde, vergane doodskisten en botten. Betovergrootouders, overgrootouders, voorouders uit Joost mag weten welke steden stapelden zich op het platteland van Caserta op. Er werden er zoveel gedumpt, zo ontdekte de NAS (de gezondheidsinspectie van de carabinieri) van Caserta in februari 2006, dat de mensen die er langskomen tegenwoordig een kruisje slaan, alsof het een kerkhof is.

De jongetjes pikten de afwashandschoenen van hun moeders en – al gravend met handen en lepels – zochten ze naar schedels en intact gebleven borstkassen. Voor een schedel met witte tanden boden de koopmannen op vlooienmarkten soms wel honderd euro. Een intacte borstkas daarentegen, met alle ribben nog op de juiste plaats, kon wel driehonderd euro opbrengen. Voor scheenbenen, dijbenen en armen is geen markt. Voor handen wel, maar daarvan raken makkelijk stukjes zoek in de aarde. Schedels met zwarte tanden leveren vijftig euro op, er is geen grote markt voor. Het is niet zozeer het idee van de dood dat de klanten smerig vinden, maar eerder het feit dat het tandglazuur langzaam begint te rotten.

Van Noord tot Zuid slagen de clans erin van alles af te wateren. De bisschop van Nola omschreef Zuid-Italië als de illegale stortplaats van het rijke en geïndustrialiseerde Italië. Het afval afkomstig van de aluminiumindustrie, de gevaarlijke roetneerslag, vooral het roet dat wordt voortgebracht door de staalindustrie, door de thermo-elektrische centrales en door de verbrandingsinstallaties. Verfresten, vervuilende vloeistoffen die door zware metalen zijn verontreinigd, asbest, vervuilde grond afkomstig van saneringswerkzaamheden die andere, niet verontreinigde gebieden weer gaan vervuilen. En dan nog het afval dat wordt geproduceerd door de gevaarlijke installaties van gewezen petrochemische maatschappijen zoals het voormalige Enichem uit Priolo, de rotzooi van de leerlooierijen uit de omgeving van Santa Croce sull'Arno, de rotzooi van de zuiveringsinstallaties van Venetië en Forlì, in bezit van maatschappijen met overwegend publiek kapitaal.

Het mechanisme van de illegale vuilverwerking begint bij ondernemers van grote bedrijven of ook wel van kleine ondernemingen die tegen spotprijzen hun afval willen afvoeren, het restmateriaal dat je niks meer oplevert behalve een hoop kosten.

In de tweede fase bevinden zich de eigenaren van de opslagcentra die de hele papierwinkel in gang zetten, het afval ophalen en dat in veel gevallen vermengen met het gewone vuilnis om zo de concentratie giffen te verdunnen en zo, conform de richtlijnen van de EWC, de European Waste Catalogue, het gevaarlijke karakter van het chemisch afval openbaar te maken.

Om een lading chemisch afval om te dopen tot onschuldig vuilnis kun je niet zonder chemici. Veel van hen verstrekken nepformulieren met daarop valse analyses. Dan zijn er nog de transporteurs die het hele land doorkruisen om de plek voor de verwerking te bereiken en tot slot heb je de vuilverwerkers. Dit kunnen de beheerders van legale stortplaatsen zijn of van een composteringsbedrijf waar afval wordt bewerkt om er mest van te maken, maar het kunnen ook eigenaren van verlaten groeven zijn of van agrarische grond die als illegale stortplaats wordt gebruikt. Waar een stuk grond met een eigenaar is, daar kan een vuilverwerker zitten.

Elementen die noodzakelijk zijn om het hele mechanisme te laten functioneren, zijn de functionarissen en ambtenaren die geen controles uitvoeren, noch de verschillende operaties checken, maar wel groeven en stortplaatsen in beheer geven van mensen die duidelijk deel uitmaken van de criminele organisaties. De clans hoeven geen bloedverbond te sluiten met de politici, noch een verbond aan te gaan met hele partijen. Ze hebben genoeg aan een functionaris, een technicus, een medewerker, aan zomaar iemand die wel wat extra salaris kan gebruiken en zo, met uiterste flexibiliteit en zwijgzame discretie, krijgt men het voor elkaar dat de zaak kan rollen, met winst voor alle betrokken partijen.

De echte verantwoordelijken voor de bemiddeling zijn de stakeholders. Zij zijn de echte criminele genieën achter de illegale verwerking van het gevaarlijke afval. In dit gebied, tussen Napels, Salerno en Caserta, zijn de beste stakeholders van Italië actief. Met stakeholders worden – in het bedrijfsjargon – die ondernemers bedoeld die een financieel belang hebben bij een bedrijf en daar vanuit hun functie direct of indirect invloed op uit kunnen oefenen. De stakeholders van het chemisch afval waren inmiddels een heuse leidende klasse geworden. Ik kreeg in mijn leven, in mijn dorre jaren van werkloosheid, niet zelden te horen: 'Je bent afgestudeerd, je hebt er het talent voor, waarom word je geen stakeholder?'

Voor de afgestudeerden uit het zuiden, zonder advocaten of notarissen als vader, was het een gegarandeerde weg naar rijkdom en professionele voldoening. Afgestudeerden die er representatief uitzagen, gingen na een paar jaar in de Verenigde Staten of Engeland te hebben doorgebracht om zich te specialiseren in milieubeleid, werken als tussenpersoon.

Ik heb er een gekend. Een van de eersten, een van de besten. Voordat ik met hem sprak, voordat ik me verdiepte in zijn werk, begreep ik niets van de goudmijn van het afval. Hij heette Franco, ik had hem in de trein leren kennen, op de terugweg van Milaan. Hij was natuurlijk afgestudeerd aan de Bocconi-universiteit en had zich in Duitsland gespecialiseerd in recyclingbeleid. Een van de sterkste kanten van de stakeholders is dat ze de EWC uit hun hoofd kennen en dat ze weten hoe ze daarbinnen moeten laveren. Hierdoor wist hij hoe hij met chemisch afval om moest gaan, hoe hij de normen kon omzeilen, hoe hij de ondernemersgemeenschap met illegale sluiproutes kennis kon laten maken.

Franco kwam van oorsprong uit Villa Literno en hij wilde mij bij zijn vak betrekken. Hij vertelde me over zijn werk en begon bij het uiterlijk, de do's-and-don'ts van een succesvol stakeholder. Als je kaal werd bij je slapen, of als je een kale kruin had, mocht je uitdrukkelijk je haar niet naar een kant kammen of een toupetje nemen. Om er succesvol uit te zien, was het verboden om aan weerszijden van je hoofd lang haar te hebben waarmee je de kale plekken kon bedekken. Je moest je hoofd kaalscheren, of in het uiterste geval kon je je haar millimeteren. Volgens Franco moest de stakeholder, als hij op een feestje was uitgenodigd, altijd in het gezelschap van een vrouw gaan en ervoor waken dat hij als een vieze rokkenjager achter al het aanwezige vrouwelijk schoon aan liep. Als hij geen vriendin had of er geen bij de hand had, moest de stakeholder een escortmeisje inhuren, een dure gezelschapsdame, van de allerchicste soort.

De stakeholders die in de afvalverwerking zitten, gaan langs bij eigenaren van chemische bedrijven, bij leerlooierijen, bij plasticfabrieken en laten hun prijslijst zien. De vuilverwerking is een kostenpost die geen enkele Italiaanse ondernemer noodzakelijk acht. De stakeholders gebruiken daarom altijd dezelfde metafoor: 'Zij vinden de stront die ze uitpoepen nog nuttiger dan het afval waarvoor ze koffers vol geld moeten dokken om het af te kunnen voeren.' Maar ze moeten nooit de indruk wekken dat ze een criminele dienst aanbieden. De stakeholders brengen de industrie in contact met de vuilverwerkers van de clans en coördineren, ook al is het van een afstandje, iedere fase van de vuilverwerking.

Er bestaan twee soorten afvalproducenten: de soort die niets anders voor ogen heeft dan op de prijs te bezuinigen, die zich niet druk maakt over de betrouwbaarheid van de firma's waaraan hij de vuilverwerking uitbesteedt. Dat zijn degenen die vinden dat hun verantwoordelijkheid stopt zodra de vaten gif buiten hun bedrijfsterrein zijn beland. En je hebt de soort die rechtstreeks in de illegale praktijken is verwikkeld, die zelf op illegale wijze afval verwerkt. In beide gevallen is de bemiddeling van de stakeholder noodzakelijk om de transportdiensten te krijgen, de vuilverwerkingsplaats aangewezen te krijgen en hulp te krijgen bij het vinden van de juiste persoon die een lading kan vrijgeven.

De auto van de stakeholder is zijn kantoor. Met een telefoon en een laptop verplaatst hij honderdduizenden tonnen afval. Zijn loon bedraagt een percentage zoals is bepaald in de contracten met de bedrijven, afhankelijk van de hoeveelheid aanbestede kilo's te verwerken afval. De stakeholders werken met variabele tarieven. Het vernietigen van verdunners kan variëren van 10 tot 30 cent per kilo. Fosfor pentasulfide één euro per kilo. Straatvuil 55 cent per kilo; verpakkingen met restanten gevaarlijk afval 1,40 per kilo; tot 2,30 per kilo voor verontreinigde aarde; grafresten 15 cent per kilo; de niet-metalen onderdelen van een auto 1,85 per kilo, inclusief vervoer. In de voorgestelde prijzen zijn de eisen van de klanten en de transportproblemen natuurlijk al doorberekend. De hoeveelheden die door de stakeholders worden bestierd, zijn enorm, hun winstmarges extreem.

In 2004 heeft operatie Houdini aangetoond dat een enkele installatie in Veneto illegaal ongeveer 200.000 ton per jaar verwerkte. De reguliere kostprijs voor het correct verwerken van giftige afvalstoffen variëert tussen de 21 en 62 cent per kilo. De clans leveren dezelfde dienst voor 9 of 10 cent per kilo. De Campaanse stakeholders hebben er in 2004 voor gezorgd dat 800 ton met waterstof verontreinigde grond, afkomstig van een chemisch bedrijf, tegen een prijs van 25 cent per kilo werd verwerkt, inclusief vervoer. Een besparing van 80 procent op de normale tarieven.

De werkelijke macht van de tussenpersonen, van de stakeholders die met de camorra werken, schuilt in het feit dat zij in staat zijn de clans op alle fronten van dienst te zijn, terwijl de tussenpersonen van de legale ondernemingen hogere prijzen vragen, exclusief vervoer. En toch treden de stakeholders haast nooit tot een clan toe. Dat is niet handig. Het feit dat ze geen lid zijn is voor beide partijen een voordeel. De stakeholders kunnen als vrij man voor meerdere families werken, zonder militaire of andere bijzondere verplichtingen te hebben, zonder pionnen op het slagveld te worden.

Bij ieder optreden van de rechtbank worden er altijd meerdere in de kraag gegrepen, maar de veroordelingen stellen nooit veel voor omdat het moeilijk is hun directe verantwoordelijkheid aan te tonen, aangezien ze officieel geen schakel in de criminele vuilverwerkingsketen zijn.

In de loop der tijd heb ik leren kijken met de ogen van de stakeholders. Een ander perspectief dan dat van de aannemer. De aannemer ziet een lege ruimte als iets wat moet worden volgebouwd, hij probeert de leegte te vullen; de stakeholders daarentegen proberen in die opvulling nog een leegte te vinden.

Als Franco een eindje ging wandelen, genoot hij niet van het landschap maar was hij bezig met hoe hij er nog meer in kwijt zou kunnen. Alsof alles om je heen een groot tapijt is en je in de bergen, aan de rand van steden, op zoek bent naar een stukje dat je kunt optillen om er vervolgens zoveel mogelijk onder te vegen. Toen ik op een keer met Franco aan het wandelen was, viel zijn oog op een verlaten benzinestation en bedacht hij meteen dat je in de ondergrondse reservoirs heel wat kleine vaten chemisch afval zou kunnen opslaan. Een perfect onderaards gewelf. En zo was zijn leven, een voortdurende speurtocht naar leegte.

Vervolgens had hij zijn werk als stakeholder opgegeven, verslond hij niet langer kilometers met zijn auto, ging hij niet langer langs bij de ondernemers in het noordoosten van het land, werd hij niet langer door half Italië ingeschakeld. Hij had een beroepsopleiding opgezet in de vorm van een cursus. Franco's belangrijkste leerlingen waren Chinezen. Ze kwamen uit Hong Kong. De oosterse stakeholders hadden van hun Italiaanse collega's geleerd te onderhandelen met bedrijven door heel Europa, snel prijzen en oplossingen te bieden. Toen in Engeland de prijzen van de vuilverwerking omhooggingen, verschenen de Chinese leerlingen van de Campanen ten tonele. In maart 2005 ontdekte de Nederlandse havenpolitie in Rotterdam duizend ton huishoudelijk afval uit Engeland met eindbestemming China, dat werd vervoerd onder het mom van recyclebaar oud papier.

Een miljoen ton elektronisch afval verlaat ieder jaar Europa en wordt gedumpt in China. De stakeholders vervoeren het naar Guiyu, ten noordoosten van Hong Kong. Opgeslagen in ondergrondse reservoirs, begraven onder de grond, op de bodems van kunstmatige meren. Net als in de provincie Caserta. Ze hebben Guiyu zo snel vervuild dat de ondergrondse watervoorraden volledig verontreinigd zijn, dusdanig dat men genoodzaakt is drinkwater uit nabijgelegen provincies te importeren. De droom van de stakeholders uit Hong Kong is dat de haven van Napels het knooppunt van het Europese afval wordt, een drijvend verzamelpunt waar de containers kunnen worden volgestouwd met het gouden vuilnis dat in Chinese grond kan worden begraven.

De Campaanse stakeholders waren de besten, ze hadden de concurrentie uit Calabrië, Puglia en Rome verslagen want, dankzij de clans, hadden ze ononderbroken de stortplaatsen van Campania in een enorme discounter veranderd. In dertig jaar tijd zijn ze erin geslaagd om van alles en nog wat verbeurd te verklaren, om alles stuk voor stuk te verwerken met maar één doel: de kosten terug te dringen en de aan te besteden hoeveelheden op te drijven.

Het Koning Midas-onderzoek uit 2003, dat zijn naam dankt aan een afgeluisterd telefoongesprek van een handelaar – 'En zodra wij het vuilnis ook maar met één vinger aanraken, verandert het in goud' – toonde aan dat iedere fase uit de vuilniscyclus zijn eigen winstdeel ontving.

Als ik met Franco in de auto zat, luisterde ik naar zijn telefoongesprekken. Hij gaf direct advies over hoe en waar er chemisch afval kon worden verwerkt. Hij had het over koper, arsenicum, kwik, cadmium, lood, chroom, nikkel, kobalt en molybdeen, sprak het ene moment nog over het afval van de leerlooierijen en het volgende over dat van ziekenhuizen, over huishoudelijk afval en autobanden. Hij legde uit wat ermee moest worden gedaan, hij kende hele lijsten met mensen en verwerkingsplaatsen waar ze naartoe konden uit zijn hoofd.

Ik dacht aan het gif dat was vermengd met het compost, ik moest denken aan de ondergrondse gewelven die diep in het landschap waren gegraven voor de vaten met uiterst schadelijke stoffen. Ik trok wit weg.

Franco zag het. 'Vind je het een smerig vak? Maar Robbe', je weet toch dat de stakeholders ervoor hebben gezorgd dat dit teringland meetelt in Europa? Nou? Je weet toch hoeveel arbeiders nog werk hebben doordat ik ervoor heb gezorgd dat hun werkgevers geen cent hoeven te spenderen?'

Franco was geboren in een plaats waar hij veel had geleerd, van jongs af aan. Hij wist dat je in zaken wint of verliest – en dat er geen grijs gebied is – en hij wilde niet verliezen, noch wilde hij de mensen voor wie hij werkte laten verliezen. Wat hij tegen zichzelf en tegen mij zei, de smoezen die hij vertelde, waren keiharde feiten, een omgekeerde lezing van hoe ik tot dan toe tegen de verwerking van chemisch afval had aangekeken.

Als je alle gegevens die uit de onderzoeken van het parket van Napels en Santa Maria Capua Vetere vanaf eind jaren negentig tot vandaag naar voren zijn gekomen bij elkaar legt, kun je zien dat het financiële voordeel voor de bedrijven die zich voor de vuilverwerking tot de camorra hebben gewend, omgerekend uitkomt op vijfhonderd miljoen euro. Ik wist dat de gerechtelijke onderzoeken slechts een percentage van de overtredingen hadden opgespoord en het begon me te duizelen.

Veel bedrijven uit het noorden waren erin geslaagd om te groeien, om meer personeel aan te nemen; het was ze gelukt om het hele industriële netwerk van het land dusdanig competitief te maken dat het de Europese markt op kon, waarmee ze de bedrijven daar verlosten van de financiële ballast van de vuilverwerking. Een ballast waarvan zijzelf door de clans uit Napels en Caserta waren bevrijd. Schiavone, Mallardo, Moccia, Bidognetti, La Torre en alle andere families hadden een criminele dienst verleend waardoor de economie een nieuwe impuls kreeg en weer competitief werd.

In 2003 toonde Operatie Cassiopea aan dat er iedere week uit het noorden veertig vrachtwagens vol afval richting het zuiden vertrokken waar – volgens de reconstructie van de onderzoeksleiders – cadmium, zink, verfafval, het slib uit zuiveringsinstallaties, allerlei soorten plastic, arsenicum, het afval van de staalfabrieken en lood gedumpt, begraven, weggegooid en in de grond gestopt werden. De lijn noord-zuid was de favoriete route van de handelaren. Veel bedrijven uit Veneto en Lombardia hadden, via een stakeholder, hun toevlucht genomen tot een terrein in de provincie Napels of Caserta en daar een enorme stortplaats van gemaakt.

Men schat dat er in de laatste vijf jaar in Campania ongeveer drie miljoen vaten met allerlei soorten afval illegaal zijn verwerkt, waarvan één miljoen alleen al in de provincie Caserta. De omgeving van Caserta is in het 'bestemmingsplan' van de clans aangewezen als de begraafplaats van het afval.

Binnen de geografie van de strafbare handel is een belangrijke rol weggelegd voor Toscane, de meest milieubewuste streek van Italië. Hier concentreren zich verschillende illegale bedrijfstakken, variërend van productie tot bemiddeling, die allemaal in ten minste drie onderzoeken aan het licht zijn gekomen: Operatie Koning Midas,

Operatie Mosca (de vlieg) en het onderzoek met de titel 'Biologische landbouw' uit 2004.

Uit Toscane komen niet alleen immense hoeveelheden illegaal verwerkt afval. De streek wordt een operationele basis van betekenis voor een hele serie criminele figuren: van stakeholders en medeplichtige scheikundigen tot de eigenaren van composteringsbedrijven die zorgen voor het vermengen van het afval. Maar het terrein waarop het giftig afval wordt gerecycled is aan het uitbreiden. Andere onderzoeken hebben de betrokkenheid van streken die immuun leken, zoals Umbrië en Molise, aan het licht gebracht. Hier is, dankzij operatie Mosca, onder leiding van het openbaar ministerie van Larino in 2004, de illegale verwerking van 120 ton bijzonder afval naar voren gekomen, die afkomstig waren van de metaal- en staalindustrie. De clans waren erin geslaagd om 320 ton afgedankt wegdek met een hoog teergehalte te verpulveren en hadden een composteringsplaats gevonden waar ze het met aarde konden vermengen, en het dus konden laten verdwijnen in het Umbrische landschap.

Het recyclingproces ontpopt zich tot een systeem waarin aan iedere afzonderlijke fase geld kan worden verdiend. Alleen het giftige afval laten verdwijnen was niet meer genoeg, je kon er kunstmest van maken, en zo dus geld verdienen met de verkoop van gif. Vier hectaren grond aan de kust van Molise werden bewerkt met de mest die uit het afval van de leerlooierijen was gewonnen. Er werd negen ton graan aangetroffen met een zeer hoge concentratie chroom. De handelaren hadden de kust bij Molise uitgekozen – op het stuk tussen Termoli en Campomarino – om daar illegaal bijzonder en gevaarlijk afval te verwerken, afkomstig van verschillende bedrijven uit Noord-Italië.

Maar volgens de onderzoeken die de afgelopen jaren door het parket van Santa Maria Capua Vetere zijn uitgevoerd, is Veneto het werkelijke opslagcentrum. Sinds jaar en dag voedt deze streek de illegale handel op Italiaanse bodem. De metaalgieterijen uit het noorden laten hun afval zonder voorzorgsmaatregelen verwerken en vermengen het met compost dat wordt gebruikt om honderden akkers mee te bemesten.

Vaak gebruiken de stakeholders uit Campania de drugsroutes die de clans tot hun beschikking stellen om nieuwe graafterreinen te vinden, nieuwe gewelven om vol te stouwen. Al ten tijde van het Koning Midas-onderzoek waren verschillende handelaren bezig contacten aan te knopen om een vuilnistransport te regelen naar Albanië en Costa Rica. Maar inmiddels is ieder kanaal denkbaar geworden. Transporten naar Oost-Europa, richting Roemenië, waar de Casalezen ontelbare hectaren grond bezitten; of naar Afrika, Mozambique, Somalië en Nigeria. Allemaal landen waar de clans altijd al handlangers en contacten hebben gehad.

Wat ik niet snel zal vergeten waren de gezichten van Franco's collega's, de gespannen en bezorgde gezichten van de Campaanse stakeholders ten tijde van de tsunami. Zodra ze de beelden van de ramp op het journaal zagen, verbleekten ze. Het was alsof al hun vrouwen, vriendinnen en kinderen gevaar liepen. In werkelijkheid was er iets waardevollers dat gevaar liep: hun zaken. Als gevolg van de zeebeving werden er op de Somalische stranden, tussen Obbia en Warsheik, honderden vaten bomvol gevaarlijk en radio-actief afval gevonden die in de jaren tachtig en negentig in zee waren begraven. De aandacht zou hun nieuwe transporten, de nieuwe uitlaatkleppen, hebben kunnen blokkeren.

Maar het risico werd direct bezweerd. De liefdadigheidsacties voor de vluchtelingen leidden de aandacht af van de vaten gif die uit de aarde tevoorschijn waren gekomen en die naast de lijken dreven. De zee zelf werd een plek voor continue afvalverwerking. De handelaren stopten de scheepsruimen steeds voller met afval en vervolgens werd er een ongeval in scène gezet en lieten ze de schepen zinken. De winst was verdubbeld. De verzekering betaalde voor het ongeval en het afval werd in zee begraven, op de bodem.

Terwijl de clans overal ruimte vonden voor het afval, slaagde het bestuur van Campania er vanwege de aanwezigheid van de camorra na tien jaar bewindvoering niet meer in een manier te vinden om zijn eigen afval te verwerken. In Campania kwam al het illegale afval uit heel Italië terecht, terwijl het Campaanse afval in noodgevallen naar

Duitsland werd gestuurd tegen een verwerkingsprijs die vijftig keer hoger was dan de prijs die de camorra van zijn klanten vroeg. De onderzoeken waarschuwen dat alleen al in de provincie Napels vijftien van de achttien vuilophaalbedrijven rechtstreekse banden met de camorra hebben.

Het gebied is bedolven onder afval, en een oplossing lijkt onvindbaar. Jarenlang is het afval opgehoopt in RDF-balen, enorme balen fijngemalen vuilnis gewikkeld in wit plastic. Alleen al het verwerken van de balen die zich tot nu toe hebben opgestapeld zou 56 jaar duren. De enige oplossing die haalbaar lijkt, is die van de verbrandingsinstallaties. Zoals in Acerra, waar het tot heftige opstanden en protesten heeft geleid omdat de bewoners alleen al bij de gedachte aan een verbrandingsinstallatie gruwden.

De clans staan ambivalent tegenover de verbrandingsinstallaties. Aan de ene kant zijn ze erop tegen, want het liefst zouden ze geld blijven verdienen met vuilstortplaatsen en het in brand steken van het vuilnis. Aangezien de nood zo hoog is kunnen ze steeds meer speculeren met de grond waarop afval in RDF-balen wordt verwerkt, terreinen die zijzelf verhuren. Maar mocht het zo zijn dat er verbrandingsinstallaties moeten worden gebouwd, dan staan ze nu al in de startblokken om in onderaanbesteding met de bouw te beginnen, en vervolgens de installaties te beheren.

De juridische onderzoeken hebben de optelsom misschien nog niet gemaakt, maar de bevolking wel. Doodsbang, nerveus, geschrokken. Ze vrezen dat de verbrandingsinstallaties de eeuwige ovens voor het afval van half Italië zullen worden, in handen van de clans, en dat alle garanties voor de milieuveiligheid van de verbrandingsinstallatie teniet zullen worden gedaan door de giffen die de clans ermee zullen verwerken. Duizenden mensen verkeren in staat van alertheid iedere keer dat er wordt besloten een verlaten vuilstortplaats te heropenen. Ze zijn bang dat er overal vandaan giftig afval wordt gebracht dat als gewoon afval is opgehaald, en daarom verzetten ze zich liever uit alle macht dan dat ze hun eigen dorp zien veranderen in een ongecontroleerde opslagplaats van nieuw gif.

Toen in februari 2005 de regionale commissaris in Basso dell'
Olmo, vlak bij Salerno, de stortplaats probeerde te heropenen, ont-
stonden er spontaan burgerblokkades die de komst van de vrachtwagens en de toegang tot de stortplaats belemmerden. Een voortdurende bezetting, ten koste van alles. Carmine Iuorio, 34 jaar, vroor
dood tijdens een barre nacht waarop hij op wacht stond. Toen ze
hem 's ochtends wilden wekken, waren zijn baardharen bevroren en
zijn lippen blauw aangelopen. Hij was al bijna drie uur dood.

De beelden van een stortplaats, van een afgrond, van een groeve,
worden meer en meer tastbare en zichtbare synoniemen voor het
dodelijke gevaar voor de mensen die er in de buurt wonen. Wanneer
de stortplaatsen op het punt staan vol te raken, wordt al het afval in
brand gestoken. Er is een gebied in de provincie Napels dat inmiddels zelfs het vurenland wordt genoemd, de driehoek Giugliano-
Villaricca-Qualiano: 39 stortplaatsen, waarvan 27 met gevaarlijk afval. Een gebied waarin het er jaarlijks 30 procent meer worden. De
techniek is alom geprezen en wordt met een constant ritme in de
praktijk gebracht.

De zigeunerjongetjes zijn het beste in het organiseren van de vuren. De clans betalen ze vijftig euro per verbrande hoeveelheid. De
techniek is simpel. Ze bakenen iedere enorme hoop vuilnis af met
tape uit videocassettes, vervolgens gooien ze alcohol en benzine op
al het afval, lopen weg en gebruiken de tape als een enorm lont. Met
een aansteker steken ze de tape aan en in luttele seconden verandert
alles in een woud van vuur, alsof ze napalmbommen tot ontploffing
hebben gebracht. Ze gooien metaalafval, lijm en olieslib op het
vuur. Gitzwarte rook en vuur vervuilen iedere centimeter aarde met
dioxine.

De landbouw in deze streek die groente en fruit tot in Scandina-
vië exporteerde, stort volledig in. Het fruit veroorzaakt zieken, de
grond wordt onvruchtbaar. Maar de woede van de boeren en de te-
loorgang levert het zoveelste voordeel op, aangezien de wanhopige
landeigenaren hun eigen kwekerijen van de hand doen en de clans
voor een habbekrats of minder nieuwe grond kopen, nieuwe stort-

plaatsen. Ondertussen sterven er voortdurend mensen door tumoren. Een geruisloos bloedbad, traag, moeilijk vast te leggen, aangezien er een massale uittocht plaatsvindt naar de ziekenhuizen in het noorden van mensen die nog niet levensmoe zijn.

Het Istituto Superiore di Sanità heeft bekendgemaakt dat het aantal sterfgevallen door kanker in Campania, in de steden waar het meeste giftig afval wordt verwerkt, in de laatste jaren met 21 procent is toegenomen. Longpijpen die wegrotten, luchtpijpen die rood beginnen te worden en dan de CT-scan in het ziekenhuis, en de zwarte vlekken die de tumor aankondigen. Door te vragen waar de patiënten uit Campania precies vandaan komen, wordt het hele traject van het giftige afval zichtbaar.

Op een keer besloot ik te voet het vurenland te doorkruisen. Ik had mijn neus en mond bedekt met een zakdoek, ik had hem voor mijn gezicht gebonden zoals ook de zigeunerjongetjes deden als ze eropuit gingen om afval te verbranden. Het waren net bendes cowboys temidden van woestijnen van verbrand vuilnis. Ik liep over stukken grond die door dioxine waren aangevreten, volgestopt door de vrachtwagens en weggevaagd door het vuur, zodat deze gaten nooit verzadigd zouden raken.

Het was geen dichte rook waar ik doorheen liep, het was eerder alsof er een plakkerige aanslag op mijn huid zat waardoor die nat aanvoelde. Niet ver van de vuren stond een reeks kleine villa's op een enorme x van gewapend beton. De huizen waren voorzichtig neergelegd op verlaten stortplaatsen. Illegale stortplaatsen die – nadat ze tot de rand toe waren gevuld, nadat alles wat maar kon worden verbrand ook wás verbrand – onbruikbaar waren geworden. Bomvol. De clans waren erin geslaagd ze om te toveren tot bebouwbaar terrein. Overigens waren het oorspronkelijk graasvlaktes en landbouwgronden. En zo hadden ze chique villawijken neergezet. Maar het terrein was niet betrouwbaar, je kon te maken krijgen met aardverschuivingen of plotselinge afgronden, en daarom zorgden mazen van gewapend beton, die ter versterking in de vorm van x'en waren geconstrueerd, ervoor dat de woningen veilig stonden. Kleine villa's die voor weinig geld werden verkocht, ook al wist iedereen dat ze op tonnen afval stonden. Ambtenaren, gepensioneerden, arbeiders, die bij het idee dat ze een villa konden kopen, niet gingen wroeten in de aarde waarin de funderingen van hun huizen zaten.

Het landschap van het vurenland had de aanblik van een voortdurende, zich herhalende, routineuze apocalyps, zo vergeven van walgelijke afvalsappen en autobanden dat het nergens meer van opkeek. In onderzoeken werd een methode genoemd om het lozen van giftig materiaal te onttrekken aan de bemoeienissen van de politieagenten en de boswachters, een oude methode, gebruikt door guerrillastrijders, door verzetsstrijders, overal ter wereld. Ze gebruikten de herders als wachters. Ze hoedden schapen, geiten en soms een paar koeien. De beste herders werden aangenomen om vooral te letten op indringers en niet zozeer te waken over rammen en lammetjes. Zodra ze verdachte auto's zagen, sloegen ze alarm. Hun ogen en mobiele telefoon waren onaantastbare wapens.

Ik zag ze vaak rondzwerven met de vermagerde en gedweeë kuddes in hun kielzog. Op een keer liep ik naar ze toe, ik wilde de wegen zien waar die piepjonge vuilverwerkers met vrachtwagens leerden rijden. De vrachtwagenchauffeurs wilden inmiddels de vrachten niet meer tot aan de stortplaats rijden. Het onderzoek 'Eldorado' uit 2003 had aangetoond dat er steeds meer minderjarigen werden ingezet op dit soort operaties. De vrachtwagenchauffeurs zagen het niet zitten om te dicht in de buurt van het giftig afval te komen.

Overigens was het ook een vrachtwagenchauffeur die in 1991 de directe aanleiding was voor het eerste belangrijke onderzoek naar de handel in vuilnis. Mario Tamburrino was met gezwollen ogen naar het ziekenhuis gegaan, zijn ogen puilden als eidooiers uit zijn oogkassen. Hij zag geen steek, de vellen hingen langs zijn handen, die aanvoelden alsof ze in brand stonden, alsof iemand benzine in zijn handpalmen had aangestoken. Een giftig vat was vlak bij zijn gezicht opengegaan, en dat was genoeg om hem blind te maken en hem bijna levend te verbranden. Zonder vuur. Na dat voorval vroegen de chauffeurs of de vaten in autotreinen konden worden vervoerd, en of ze ze met behulp van een aanhangwagen op afstand

347

konden houden en nooit met één vinger hoefden aan te raken.

Het gevaarlijkst waren de vrachtwagens die compost vervoerden waar mee geknoeid was, mest vermengd met giffen. Je hoefde het alleen maar in te ademen om voor altijd je hele luchtwegenstelsel te beschadigen. Het laatste stukje, waarop de chauffeurs de vaten over moesten hevelen naar een aantal bestelbusjes die ze rechtstreeks naar de kuil van de stortplaats zouden brengen, was het gevaarlijkst. Niemand wilde de vaten vervoeren. Ze werden in de bestelbusjes op elkaar gestapeld en vaak liepen ze dan wat deuken op, waardoor de giftige gassen naar buiten lekten. Daarom stapten de vrachtwagenchauffeurs zodra de autotreinen arriveerden niet eens meer uit. Ze lieten ze leeghalen. Vervolgens zouden jongetjes de lading naar de bestemming rijden.

Een herder wees mij een weg aan die naar beneden liep waar ze, voordat de vracht arriveerde, oefenden met rijden. Op de helling leerden ze remmen, met twee kussens onder hun kont zodat ze over het stuur konden kijken. Veertien, vijftien, zestien jaar, 250 euro per rit. Ze rekruteerden hen in een café, de eigenaar wist ervan maar durfde niet in opstand te komen.

Hij vertelde echter wel aan Jan en alleman wat hij ervan vond, bij iedere cappuccino of espresso die hij serveerde. 'Die troep die ze hun laten vervoeren, dat krijgen ze allemaal binnen, ze stikken er eerdaags nog in. Die lui sturen ze eropuit om voor ze te sterven, niet om voor ze te rijden.'

Hoe vaker de jonge chauffeurtjes hoorden zeggen dat hun bezigheid gevaarlijk was, des te meer kregen ze het gevoel dat ze aan een belangrijke missie meededen. Ze staken hun borst vooruit en hielden hun minachtende blik verscholen achter hun zonnebril. Ze voelden zich goed, steeds beter zelfs, geen van hen hield het zelfs maar een seconde voor mogelijk dat ze na een aantal jaren chemotherapie zouden krijgen, gal zouden braken met een vermolmde maag, lever en buik.

Het bleef regenen. In een mum van tijd had het water de grond, die inmiddels niets meer kon absorberen, doorweekt. De onverstoorbare herders gingen als drie uitgemergelde oude wijzen zitten onder een soort afdak gemaakt van staalplaten. Ze bleven naar de straat kijken terwijl de schapen een afvalberg op klauterden, op zoek naar beschutting. Een van de herders hield een stok in zijn hand waarmee hij het afdak omhoog hield om te voorkomen dat het vol met water zou lopen en op hun hoofden terecht zou komen.

Ik was doorweekt, maar al het water dat over mij heen stroomde kon het brandende gevoel dat vanuit mijn maag omhoogkwam en uitstraalde naar mijn nek, niet blussen. Ik probeerde te begrijpen of een mens wel in staat was aan zo'n groot machtsapparaat het hoofd te bieden, of er een manier was, wat voor manier dan ook, om je verre van het zakenleven te houden, een manier om de machtsdynamiek te ontstijgen.

Ik worstelde met mezelf, probeerde te achterhalen of het mogelijk was er ten minste iets van te begrijpen, of het mogelijk was te ontdekken, te weten zonder dat je eronder wordt bedolven en eraan kapotgaat. Of dat je moest kiezen tussen te veel weten en gevaar lopen of niets weten – en dus gewoon rustig doorgaan met leven. Misschien zat er niets anders op dan vergeten en mijn ogen sluiten. Voor de officiële versie zwichten, maar met een half oor luisteren en een keer vloeken.

Ik vroeg me af of er misschien iets bestaat waar je gelukkig van kunt worden, of dat ik misschien niet langer moest dromen over onafhankelijkheid en anarchistische vrijheid, maar me volledig in de strijd moest storten, een pistool achter mijn riem moest steken en me in zaken moest begeven, echte zaken. Mezelf ervan overtuigen dat ik onmiskenbaar een kind van mijn tijd was, alles op het spel zetten, bevelen uitdelen en ontvangen, in een geldwolf veranderen, als een gier op winst azen, een samoerai van de clans worden en van mijn leven een slagveld maken waar overleven geen optie is, waar na het uitdelen en ontvangen van de bevelen alleen de dood nog wacht.

Ik ben hier geboren, in het land van de camorra, op de plek met de meeste moorden van Europa, in een streek waar geweld nauw met zakendoen verweven is, waar niets ook maar enige waarde heeft, tenzij het macht oplevert, waar alles de sfeer ademt van een eindstrijd. Het leek onmogelijk een moment van rust te vinden, om niet midden in een oorlog te leven waarin je bij iedere stap achterom moet kijken, waarin afhankelijkheid zwakte betekent, waar je alles alleen kunt veroveren door te pakken wat je pakken kunt.

Als je je in het land van de camorra tegen de clans wilt verzetten, is dat geen klassenstrijd, geen kwestie van je recht halen, of een manier om op te komen voor wie je bent. Het is geen kwestie van eerherstel of het redden van je eigen trots. Het gaat veel dieper, het zit in je bloed. Als je in het land van de camorra weet hoe de succesformules van de clans eruitzien, hoe ze te werk gaan, hoe ze investeren, dan krijg je een gedetailleerd beeld van hoe het leven eruitziet en niet alleen binnen de geografische grenzen van je eigen gebied. Opboksen tegen de clans wordt een strijd om te overleven, alsof in het bestaan zelf, in de dingen die je eet, in de lippen die je kust, in de muziek waar je naar luistert, in de boeken die je leest niet de zin van het leven besloten ligt, maar alleen een manier om te overleven. En daarom is weten veel meer dan een morele verplichting. Weten en begrijpen wordt noodzaak. Het enige waardoor we onszelf het leven nog waardig mogen beschouwen.

Ik stond met mijn voeten in de modder. Het water kwam tot aan mijn liezen. Ik voelde hoe mijn hielen wegzakten. Voor mij dreef een enorme koelkast. Ik sprong erbovenop, sloeg mijn armen er stevig omheen en liet me meevoeren. Ik moest denken aan de laatste scène uit de film *Papillon* met Steve McQueen, naar de roman van Henri Cherrière. Net als Papillon leek ik te drijven op een zak vol kokosnoten om zo via zee de stad Cayenne te ontvluchten. Het was een idiote gedachte, maar er zijn momenten waarop je niet anders kunt dan gewoon toegeven aan je waanideeën, als iets onvrijwilligs, als iets wat je overkomt, punt. Ik had zin om te brullen, ik wilde roepen, de longen uit mijn lijf schreeuwen, net als Papillon, vanuit mijn tenen, uit alle macht: 'Gore klootzakken, ik leef nog!'

WOORDENLIJST

Capo: (camorra)baas, hoofd van een familie, clan
Capopiazza, mv. *capipiazza*: baas van een dealersplek
Capozona, mv. *capizona*: hogere camorrabaas van een district
Capo dei capi: de allerhoogste camorrabaas
Ecomaffia: maffiabendes die zich schuldig maken aan milieudelicten
Guappo: maffioso, iemand die zich gedraagt als een maffioso
Mattone: plakkaat hasj
Paranza, mv. *paranze*: groep camorristen
Palo, mv *pali*: wachter
Piazza, mv *piazze*: dealersplek
Pizzo: protectiegeld

UITLEG

De oorlog van Secondigliano

Het **Napels van de Renaissance** (*La Napoli del Rinascimento*) verwijst naar de zogenaamde 'Renaissance' van de stad die door de burgemeester Antonio Bassolino gedurende zijn ambtsperiode (1993-2001) in gang werd gezet.

Gewapend beton

Op 14 november 1974 verscheen in de *Corriera della Sera* het '**Io so**' ('Ik weet') van Pier Paolo Pasolini. Het stuk was een aanklacht tegen de terroristische aanslagen waar Italië in de jaren zeventig onder gebukt ging. Pasolini zei te weten wie er verantwoordelijk waren voor de aanslagen en noemde de betrokkenen met naam en toenaam, maar hij besloot met te zeggen dat hij de harde bewijzen niet had en dat zijn veronderstellingen uitsluitend waren gebaseerd op zijn gezond verstand.